KT-173-282

Né en Chine en 1929, François Cheng vit en France depuis
1949. Il est naturalisé français en 1971. Depuis lors, il a mené
de front un enseignement à l'université et un travail de création.
Écrivain, poète, il est aussi traducteur, il a notamment introduit
en Chine les œuvres des grands poètes français depuis Baudelaire jusqu'aux contemporains, Michaux, Char... Outre ses
recueils de poésie et ses romans, il est l'auteur de nombreux
essais sur l'art et la poésie de son pays d'origine (entre autres,
Entre source et nuage, la poésie chinoise réinventée, chez Albin
Michel).

FRANÇOIS CHENG

Le Dit de Tianyi

ROMAN

ALBIN MICHEL

AVANT-PROPOS

Durant la première moitié des années cinquante, j'avais eu, à plusieurs reprises, l'occasion de rencontrer Tianyi. J'avais été frappé par son visage « anxieusement ouvert » et par sa peinture. Elle relevait d'une étrange alchimie, mariant à une foisonnante densité la légèreté la plus éthérée. Dans son atelier presque vide, j'avais fait également la connaissance de Véronique. Ce fut de celle-ci que j'appris, fin 1956, le brusque retour de Tianyi en Chine. Si j'avais regretté à l'époque ce départ, je ne m'en étais pas étonné outre mesure. Bien d'autres étudiants, leurs études terminées, avaient fait de même, soit par choix, soit par manque de moyens d'existence.

Engagé moi aussi dans le dur apprentissage de l'exil et d'une autre possibilité de vivre, tout au long des décennies suivantes, je finis par oublier la plupart des figures que j'avais côtoyées durant ce temps initial de ma vie en France, y compris Tianyi et Véronique. Ils s'effaçaient de ma mémoire comme une photo prise au hasard et enfouie dans un tiroir.

C'est presque un quart de siècle après, en 1979, que je reçus de façon totalement inattendue une brève lettre de Tianyi me demandant de reprendre contact avec lui et, surtout, de lui donner des nouvelles de

Véronique. La Chine venait de sortir de la Révolution culturelle et tentait, tant mal que bien, de panser ses plaies. On assistait à une période de « repentance » et d'« ouverture ». Le vent soufflait à travers portes et fenêtres entrebâillées : des millions de drames individuels, mêlés au drame national, apparurent au grand jour.

Après de multiples recherches, j'appris que Véronique s'était tuée en voiture une dizaine d'années auparavant. Mû par je ne sais quel scrupule, je n'osai pas tout de suite annoncer la tragique nouvelle à Tianyi, car je n'avais pas manqué de remarquer, à son adresse, qu'il vivait dans une sorte d'hospice, et son écriture fébrile dénotait probablement un état de déséquilibre. Mais ma résolution était prise : j'irais le voir en personne. Puisqu'il m'avait fait signe, comment résister au désir de répondre à son appel, de connaître ce qu'il lui était arrivé.

Toutefois, il me fallut attendre 1982 pour que je puisse effectuer le voyage. Je profitai de l'invitation d'une université chinoise qui me donnait un prétexte « officiel » et fis un séjour prolongé en Chine. Après m'être acquitté de mes obligations professionnelles, je me rendis durant l'été à la ville de S., au nord-est. Je trouvai l'hospice en question, une sorte d'institution fourre-tout où vivaient des personnes sans famille, des handicapés physiques, et puis des personnes jugées mentalement « dérangées » mais dont le comportement n'était pas violent. La salle d'attente poussiéreuse était étouffante de chaleur ; on m'installa sur un banc dans une galerie ouverte sur la grande cour, où se mouvait toute une humanité délaissée. Après un temps, je vis venir, de l'autre extrémité de la galerie vers moi, un être aux cheveux blancs et à la démarche incertaine. Tout en s'avançant, il fixait sur moi de grands yeux légèrement exorbités qui donnaient l'impression d'être disproportionnés par rapport à son visage décharné. Mon choc toutefois ne saurait être comparé au sien, lorsque je dus enfin lui apprendre qu'il ne reverrait plus Véronique. Passé le moment de stupeur, il m'entraîna, le dos plus voûté que jamais, dans son étroite chambre où, sur une table rudimentaire, s'amoncelaient des papiers formant des tas. Quand, pour me le montrer, il en a extrait un, je m'aperçus qu'il s'agissait d'une très longue bande pliée en accordéon, faite de papiers grossiers collés les uns aux autres. A première vue j'évaluai à une quarantaine les piles ainsi accumulées. L'ensemble de ces écrits, que Tianyi qualifiait de provisoire et d'inachevé, était destiné à Véronique. La destinataire n'étant plus là, il me les confia en vrac, affirmant que, laissés en Chine, ils auraient toute chance d'être jetés aux ordures ou de servir de combustible.

Mais que pesaient ces écrits au regard de ce que permet la voix ? Cette voix qu'il avait enfouie au fond de lui-même durant tant d'années ne devait-elle pas rejaillir sur quelqu'un venu de si loin pour l'écouter ? Commencèrent alors les jours les plus intenses de ma vie. Des heures durant, sans discontinuer Tianyi parla. Pendant qu'il parlait, je notais tout ce que mon oreille captait. Je disposais certes d'un rudimentaire magnétophone, mais je craignais que les bandes enregistrées ne fussent défectueuses ou confisquées à ma sortie de Chine. Le soir venu, rompu de fatigue, je ne pouvais pour autant prétendre au repos : je m'efforçais de me plonger dans le récit écrit que Tianyi m'avait remis. Le récit de sa vie — vécue ou imaginée ? —, extrêmement difficile à déchiffrer à cause d'une écriture haletante, désordonnée, surchargée de ratures. A cause aussi de nombreuses incohérences et de lacunes dans la narration. Pourtant, au travers des flots précipités, on trouvait parfois de véritables plages, d'une composition lumineuse. De toute façon, aux yeux de Tianyi lui-même, ce n'était qu'un « canevas » par lequel il cherchait à dégager un fil conducteur, à fixer des points de repère. Il me força à lui poser des questions précises afin de combler de possibles lacunes : avec moi comme interlocuteur, son désir ardent était, autant que faire se peut, de parvenir à tout dire.

Écoutant Tianyi parler, j'avais tout le loisir de le contempler. Je ne pouvais m'empêcher tout de même de me poser la question : « Est-il fou, comme on le prétend ? » Je n'ignorais pas la raison pour laquelle il avait été amené en ce lieu. Il s'échappait régulièrement de l'hôpital où il était soigné pour de graves troubles aux intestins : il avait cherché à ramasser du crottin de cheval qui se trouvait sur son chemin et à s'en remplir les poches, sous le prétexte que ces morceaux de crottin lui rappelaient les feuilles de carton sur lesquelles il peignait et qui portaient justement le nom de « carton au crottin de cheval ». En outre, à cette manie bizarre s'ajoutait le fait que ses paroles et ses dessins trahissaient un désordre évident. Cela justifiait amplement son envoi ici. A ce que disait Tianyi lui-même, il continuait à avoir tour à tour des périodes d'agitation et de prostration. « Est-il fou ? » N'ayant aucune connaissance en la matière, j'étais simplement troublé par son double état : d'un côté, la conscience qu'il avait de cette part incontrôlable en lui-même et, de l'autre, la lucidité dont il faisait preuve lorsqu'il racontait sa vie. L'écoutant parler, je notais que de temps à autre ses mains tripotaient nerveusement un objet et que son regard dardait un éclat halluciné. Néanmoins il ne perdait nullement le fil de son discours ; il entrait patiemment dans les détails. A mesure que les jours passaient, il gagnait en maîtrise, même s'il y avait chez lui une certaine confusion — confusion que j'ai respectée dans ma transcription — pour ce qui touchait le temps verbal. Au cours de son récit qui était au passé, il employait tout d'un coup le présent pour évoquer scènes ou épisodes qui l'avaient probablement le plus marqué. Surtout lorsqu'il aborda la période à partir de son retour en Chine, il se mit à parler carrément au présent, comme si les événements relatés surgissaient au moment même où il en parlait. Il n'était plus cet être perdu qui quémandait l'écoute d'un autre en vue de ramasser des lambeaux du passé. Surmontant fatigue et douleur physique qui l'accablaient, il redevenait l'homme à la dignité retrouvée, presque apaisé, transfiguré. Née de sa bouche, une force souveraine semblait être là, présidant à son tour à la naissance de tout un destin recréé. Dans la pénombre de la pièce, son visage auréolé d'innocence et de ferveur me faisait penser à l'image d'Hölderlin jeune, que j'avais vue en Allemagne.

Rentré en France, je dus à mon tour affronter l'épreuve de la maladie. J'étais immobilisé la plupart du temps, et je ne pus envisager un voyage en Chine lorsqu'on m'annonça la mort de l'homme usé. Il avait souhaité qu'une parcelle de ses cendres fût dispersée dans les eaux de la Loire... Depuis, de longs mois chargés de souffrances et de soucis avaient glissé entre mes doigts comme du sable. Je n'oubliais nullement Tianyi ; son image me réconfortait, tout en nourrissant en moi un irrépressible remords de ne pouvoir rien pour lui. En 1993, au sortir d'une opération, j'eus la surprise de me redécouvrir... vivant. Comme pour m'acquitter d'une dette, j'entrepris alors la rude tâche de reconstituer le récit dont j'avais la charge et de le transposer en français. Le voici.

Avant que tout ne soit perdu, avant que le siècle ne se termine, quelqu'un, du fond de l'insondable argile, a tout de même réussi, par la seule vertu de la parole, à faire don des trésors amassés le long d'une vie « emplie de fureurs et de saveurs ».

PREMIÈRE PARTIE

ÉPOPÉE DU DÉPART

1

Au commencement il y eut ce cri dans la nuit. Automne 1930. La Chine avec ses cinq mille ans d'histoire, et moi, avec presque six années de vie sur terre, puisque j'étais né en janvier 1925. Mes parents venaient de m'emmener pour la première fois à la campagne, fuyant la ville de Nanchang écrasée encore de chaleur et toute bruyante de scènes d'exécution capitale. Je me trouvais avec ma petite sœur dans la chambre où notre famille allait dormir, pendant que mes parents s'attardaient, malgré l'heure avancée, dans la chambre voisine pour parler avec la tante qui nous recevait. Nous étions en train de nous amuser avec les objets rustiques disposés à côté de l'unique grand lit lorsque, soudain, un long cri se fit entendre. D'abord plaintif, lointain, puis de plus en plus proche et strident, il finit par se muer en une sorte de mélopée à mots répétés, monotone, lancinante mais infiniment berçante. C'était une voix de femme, jaillie aurait-on dit de ses entrailles, ou de celles de la terre, tant elle résonnait d'échos immémoriaux. Les mots devenaient distincts maintenant : « Âme errante, où es-tu, où es-tu ?... Âme errante, viens ici, viens ici... Âme errante... » Littéralement envoûté par cette voix et ces mots, sans doute aussi pour tranquilliser ma sœur, muette de peur, je répondis d'une voix presque enjouée : « Oui, je viens ; oui, je viens... » Et à mesure que la voix du dehors enflait, je répondais plus fort. C'est alors que dans un fracas les grandes personnes firent irruption dans la chambre, ma tante d'abord, suivie de mes parents. Tous me crièrent : « Tais-toi ! Tais-toi ! » puis, sans transition : « Couchez-vous maintenant ! On vous croyait déjà au lit ! » Cet ordre aussi brusque que brutal, donné sans explication et accompagné de leur mine défaite, provoqua un tel choc chez moi que j'en eus le souffle coupé. La bougie une fois éteinte, dans le noir, je ne trouvai pas le sommeil. Je réussis à capter quelques paroles échangées entre les grandes personnes, à travers lesquelles je finis par saisir à peu près ce qui était en jeu. La femme qui criait venait de perdre son mari. Cette nuit, elle appelait l'âme errante du mort afin que celle-ci ne s'égarât pas. Selon le rituel, après avoir brûlé des papiers-monnaies destinés aux morts, au moment précis de la troisième veille, la veuve commence son appel. Si par hasard quelqu'un d'entre les vivants répond « oui » à cet appel, il perd son corps dans lequel s'introduit l'âme errante du mort, lequel, du coup, réintègre le monde vivant. Tandis que l'âme de celui qui perd ainsi son corps devient errante à son tour. Elle erre jusqu'à ce qu'elle trouve un autre corps pour se réincarner. Peu après, j'entendis encore les grandes personnes qui se rassuraient : « Mais une réponse innocente ne compte pas ! » « Comment peuvent-ils être rassurés ? » me demandai-je. Et moi, je me voyais perdant mon corps, déjà mort !

Je savais ce qu'était la mort pour avoir été emmené par un domestique inconscient à l'exécution capitale d'un « bandit révolutionnaire ». Perché sur l'épaule du domestique, j'avais clairement vu, au travers d'une foule excitée, ce qui se passait. Il y eut aussi un cri, celui du bourreau qui se tenait derrière le

16

condamné à genoux. Cri bref et sec, suivi aussitôt de l'éclair du sabre haut levé qui fendit l'air, du sang qui jaillit du cou du condamné, du corps qui s'affaissa et de la tête qui roula dans le sable. De la foule montèrent des murmures d'admiration. La mort était donc bien une chose que les hommes s'infligeaient entre eux avec une technique éprouvée et sans faille. J'apprenais déjà, à ce moment-là, qu'il ne fallait surtout pas se laisser mordre par la tête fraîchement coupée. Car celui qui est mordu remplacera le mort ; il mourra et le mort redeviendra vivant...

A présent que j'avais répondu oui à l'appel de la femme, je ne doutais pas que j'avais été accroché par l'âme errante. Comment pouvais-je encore échapper au sort ? C'est en ressassant cette idée que je sombrai dans le sommeil, un sommeil agité de visions terrifiantes, cauchemardesques. La confuse inquiétude des parents se révéla fondée. Toute la nuit, je fus en proie à une forte fièvre et au délire. Réveillé tard le lendemain, j'étais exténué, livide. Me dégageant du drap tout trempé comme d'un linceul, je constatai que j'étais encore en vie. Mais je me sentis tout d'un coup étranger à moi-même : j'avais conscience que mon corps antérieur avait été pris par quelqu'un, et ce corps étendu là, presque inerte, que je pouvais éventuellement tâter de la main, était celui d'un autre, auquel mon âme s'était, coûte que coûte, accrochée.

Comment, désormais, m'ôter l'idée qu'au contraire du sens commun, selon lequel l'être humain est un corps doté d'une âme, pour ce qui me concernait, c'était une âme égarée qui logeait comme elle pouvait dans un corps d'emprunt. Tout chez moi, depuis, sera toujours décalé. Jamais les choses ne pourront coïncider tout à fait. J'en étais persuadé ; c'était là, à mes yeux, l'essence de ma vie, ou de la vie tout court.

2

Deux ans et demi après la nuit du cri, et durant les années suivantes, je vécus avec mes parents dans une pauvre chaumière au pied du mont Lu, tout au nord de la province du Jiangxi, non loin du fleuve Yangzi. Entre-temps, ma petite sœur était morte lors d'une épidémie de méningite. Cette sœur, cette compagne de jeux, cette complice, qui dormait chaque nuit à côté de moi, un matin n'ouvrit pas les yeux, ne me sourit pas, ne me répondit pas. D'un coup, elle ne fut plus là, plus jamais là, creusant un vide énorme dans la maison et au-dehors. Si grands que fussent le chagrin de mes parents et mon crève-cœur à moi, j'étais pourtant convaincu qu'elle se trouvait quelque part, qu'elle jouait à cache-cache avec moi. Que de fois, au craquement d'un meuble, aux crissements des feuilles sur le sentier, je me suis retourné...

Mon père, voyant sa propre santé se dégrader — il souffrait depuis toujours d'asthme et de bronchite chronique et finit par contracter la tuberculose —, s'était décidé un jour à quitter la ville et à se réfugier dans ce village reclus, au cœur d'une nature verdoyante où l'on cultivait en particulier le thé. La chaumière qu'occupait la petite famille jouxtait le temple délabré du village que mon père avait aménagé afin d'y dispenser un enseignement élémentaire aux enfants du village et des environs. Par ailleurs, il remplissait aussi la fonction d'écrivain public qui se révéla aussi utile que son rôle d'« instituteur ». Outre des lettres à écrire et des contrats à rédiger, il devait calligraphier pour les gens, en maintes occasions de la vie — fêtes, mariages, funérailles, anniversaires, construction d'une maison, ouverture d'une boutique, etc. —, toutes sortes de formules, sentences, épigrammes, mantras, stèles, enseignes. Je découvris avec étonnement que le peuple avait beau être illettré, il vouait un véritable culte aux idéogrammes, en sorte qu'inconsciemment mais profondément il était façonné par ces signes écrits, se montrant sensible autant à leur pouvoir emblématique qu'à leur beauté plastique. Parfois, mon père ne pouvait pas répondre aux demandes trop nombreuses, notamment au moment de ses crises d'asthme ; je me voyais obligé de le seconder. Assez doué pour l'art du trait, je me mis à étudier sérieusement la calligraphie. A la suite de mon père, j'appris certes à copier les modèles de différents styles laissés par les maîtres anciens mais également à observer les modèles vivants qu'offrait la nature omniprésente : les herbes, les arbres et bientôt les champs de thé en terrasses. A force d'observer ces derniers je finis par connaître par cœur leur configuration : de vraies compositions savantes. Je constatais à quel point ces alignements réguliers et rythmés, apparemment imposés par les hommes, épousaient intimement la forme sans cesse différenciée du terrain, révélant ainsi les « veines du Dragon » qui les structuraient en profondeur. Pénétré de cette vision que nourrissait mon apprentissage de la calligraphie, je commençais à me sentir en communion charnelle avec le paysage.

Peu à peu, par-delà les formes, je devins familier,

presque complice, des senteurs et des couleurs qui émanaient des touffes denses des feuilles de thé. Elles rompaient la monotonie de ma vie plutôt solitaire (les enfants du village, pour la plupart, étaient contraints de participer au labeur de leurs parents ; ils ne venaient à l'école que durant les quelques rares mois de relatif loisir), tant elles changeaient de nuance et de ton selon les saisons, les jours, voire les heures. Ces variations n'étaient pas dues uniquement à la température et à la lumière, mouvantes il est vrai dans cette région. Elles étaient provoquées par la présence des brumes et des nuages qui faisaient partie intégrante du mont Lu. Ils conféraient au paysage une atmosphère tantôt diaphane et teintée de bleu, tantôt épaisse et compacte, comme dans les images que l'on voit sur les paravents, gravées ou sculptées.

« Brumes et nuages du mont Lu », si célèbres qu'ils s'étaient mués en proverbe pour désigner un mystère insaisissable, une beauté cachée mais ensorcelante. Par leurs mouvements capricieux, imprévisibles, par leurs teintes instables, rose ou pourpre, vert jade ou gris argent, ils transformaient la montagne en magie. Ils évoluaient au milieu des multiples pics et collines du mont Lu, s'attardant dans les vallées, s'élevant vers les hauteurs, maintenant ainsi un constant état de mystère. De temps à autre, subitement ils s'effaçaient, révélant alors au regard des hommes toute la splendeur de la montagne. Avec leurs corps soyeux et leur parfum de santal mouillé, ces brumes et ces nuées paraissaient tel un être à la fois charnel et irréel, un messager venu d'ailleurs pour dialoguer un instant ou longuement, selon ses humeurs, avec la terre. Certains matins clairs, elles pénétraient par les volets, en silence, chez les hommes, les caressaient, les enveloppaient de leur douceur intime. Pour peu qu'on veuille les saisir, elles s'éloignaient tout aussi silencieusement, hors de portée. Certains soirs, les brumes denses qui montaient, rencontrant les nuages en mouvement, provoquaient une précipitation et amenaient des ondées, qui déversaient leur eau pure dans les pots et les bocaux déposés par les habitants du village au pied des murs. C'est avec cette eau que ces derniers faisaient le meilleur thé du coin. Une fois les averses passées, rapidement, les nuages se déchiraient et, le temps d'une éclaircie, laissaient voir le plus haut mont. Entouré de collines, ce dernier ne conservait pas moins tout le mystère de son altière beauté, avec ses rochers fantastiques dangereusement dressés, qu'auréolait une végétation elle aussi fantastique, réverbérant sans entrave la lumière indécise du soir. Pendant ce temps, les nuages regroupés à l'ouest formaient une immense mer étale dont les flots portaient le soleil couchant comme un vaisseau de rêve scintillant de mille feux multicolores. Un instant après, le sommet se drapait de brume mauve, devenait à nouveau invisible. Comme il se doit, d'ailleurs, puisque c'est l'heure où le mont Lu effectue sa randonnée quotidienne en direction de l'ouest, pour rendre hommage à la Dame de l'Ouest des taoïstes ou pour saluer Bouddha. A ce moment, l'univers avait l'air de se révéler dans sa réalité cachée : il était en perpétuelle transformation. Ce qui était apparemment stable se fondait dans le mouvant ; ce qui était apparemment fini se noyait dans l'infini. Point d'état fixe ni définitif. N'est-ce pas ce qu'il y a de plus vrai, puisque toutes choses vivantes ne sont que « condensation du souffle » ?

Dès cette époque, quoique confusément encore, j'avais l'intuition que le nuage serait mon élément — cette chose qui est immatérielle et pourtant substantielle, cette présence éthérée et presque palpable.

Je comprendrai plus tard — lorsque je serai en âge de comprendre pourquoi les Chinois sont si férus de nuages, pourquoi ils usent de l'expression « nuages et pluies » pour désigner l'acte d'amour et l'état d'extase, pourquoi les poètes et les taoïstes parlent de « Manger brumes et nuages », « Caresser brumes et nuages » et de « Dormir parmi brumes et nuages ». Au fond, qui est-il, le nuage ? D'où vient-il ? Où va-t-il ? Moi qui avais tout le loisir de l'observer, je voyais que celui-ci naissait de la vallée sous forme de brumes, puis il montait vers les hauteurs jusqu'à ce qu'il atteigne le ciel où il pouvait voguer à son aise et prendre toutes les formes, au gré du temps, au gré du vent. De temps à autre, comme s'il n'oubliait pas son origine, il consentait à retomber sur la terre sous forme de pluie, accomplissant un parcours circulaire. Il était donc toujours quelque part mais n'était de nulle part. Qu'était-il alors ? Rien. Mais il semblait que sans lui le ciel et la terre auraient été monotones.

Ma mère ne s'y trompait pas. Quand elle me trouvait un air absent, elle me disait souvent : « Tu te balades encore dans les nuages », et de m'inviter à descendre de mon carrosse aérien. Ce qu'elle ignorait, c'est que je n'étais pas dans un carrosse porté par des nuages : j'étais nuage. Cette identification à l'élément évanescent me faisait pressentir, une fois de plus, mon destin d'errant, en marge de tout, comme au pied de cette montagne aussi insaisissable qu'inaccessible. Je ne serais ni d'ici, ni d'ailleurs, pas même peut-être de la terre. Pensant à cela, je sentais remuer en moi un fond de tristesse. Une tristesse accentuée par l'arrachement si brutal de ma sœur, par l'idée que j'avais de mon corps aléatoire et par les perpétuelles litanies bouddhiques de ma mère, que ponctuaient les quintes de toux de mon père. Tapi dans un coin de la maison emplie des odeurs de l'encens et des potions médicales mijotées à longueur de journées, je me demandais : Vais-je quitter mes parents un jour ? Vont-ils me quitter un jour ?...

Parfois, tout de même, une légèreté transparente traversait mon esprit : puisqu'il en est ainsi, me disais-je, autant saisir au passage ce que la terre peut offrir ! Pareille à cette grosse citrouille couchée là dans l'herbe, qu'il est bon de caresser du dehors et d'explorer de la main. Il n'est pas trop d'une petite vie pour fouiller ce que la terre déploie et dévoile. Oui, tout ce qui est vu et pressenti, même éphémère, semble miraculeux. Il faut sûrement faire quelque chose de cela. A ces moments d'exaltation, je sentais monter en moi une confuse allégresse, si envahissante qu'elle m'étouffait. Un jour, j'eus une soudaine révélation. Tout ce que le monde extérieur provoquait en moi, je pouvais finalement l'exprimer au moyen de quelque chose à ma portée : l'Encre. En effet, chaque matin j'étais tenu de préparer l'encre pour l'exercice de calligraphie, en tournant longuement le bâton dans la large pierre emplie d'eau jusqu'à ce que cette dernière fût d'un noir onctueux. J'en connaissais la saveur. Une fois le liquide prêt, je ne me lassais jamais de ce moment où, pour tester son épaisseur, je posais librement le pinceau pleinement imbibé sur le papier fin et translucide, lequel résorbait vite l'encre tout en se laissant « irriguer » un peu. Puis, durant de longues minutes encore, elle conservait sa fraîcheur lustrée comme pour montrer son contentement de ce que le papier, consentant et réceptif, acceptât de la savourer. Cette magie du papier qui recevait l'encre, les Anciens la comparaient à la peau d'un jeune bambou légèrement poudreuse qui reçoit des gouttes de rosée. Moi, je la comparais volontiers à la langue de quelqu'un en train de goûter un de ces fins gâteaux de farine de riz et qui sentait le morceau fondre sur elle en y laissant une saveur qui ne semblait plus vouloir disparaître.

Ce jour-là, donc, plongeant mon regard dans le liquide aux reflets sans fond, légèrement irisé, je vis apparaître la vision de la montagne nuageuse que j'avais captée le matin même. Sans tarder, je me mis à dessiner, m'efforçant d'en restituer aussi bien l'aspect tangible que l'aspect évanescent. Le résultat, hélas ! ne correspondit pas, tant s'en faut, à ce que j'escomptais. Mais je fus conquis par le pouvoir magique du pinceau et de l'encre. Je pressentis que ce serait une arme pour moi. La seule peut-être que je posséderais pour me protéger de la présence écrasante du Dehors.

3

Dans ce nouveau cadre, passé la dure phase d'aménagement, je voyais ma mère s'épanouir un peu. De fait, c'était elle qui tenait la petite famille à bout de bras pour la vie pratique. Face aux épreuves, cette femme d'apparence effacée, pratiquement illettrée, faisait montre d'une volonté obstinée et d'une sagesse venue de l'âme populaire. Si la sagesse de mon père se traduisait par les nombreuses sentences tirées des classiques et des poèmes des Tang qu'il récitait volontiers, celle de ma mère se fondait sur l'immense réservoir de proverbes qu'elle citait aussi selon les circonstances les plus quotidiennes. Comme par exemple : « Tant que la montagne est là, on ne manquera pas de bois », « Qui plante un chou ne récoltera pas une courge », « Bon remède a goût amer » ; ou d'autres par lesquels elle affirmait sa foi de bouddhiste : « Faire un seul bien vaut mieux que bâtir dix pagodes », « L'homme peut souvent fermer les yeux, le ciel a toujours l'œil ouvert », « La bougie de Bouddha ne craint pas le vent ». D'autres formules bouddhiques encore, plus mystérieuses, qu'elle disait sans toujours les comprendre, du genre : « Rien n'est perdu, tout est donné », « Tout est rien, rien est tout ». Grâce à sa patiente ténacité, elle réussit à créer une forme de bonheur simple. Végétarienne, elle pouvait, secondée par moi, cultiver elle-même dans son potager les légumes qu'elle affectionnait. Auprès d'elle, j'appris aussi à trouver toutes sortes de petits légumes et fruits sauvages et comestibles, ainsi que des recettes pour en éliminer la toxicité. Ce dont je bénéficierai bien plus tard (au début des années soixante) lorsque j'aurai à affronter, au camp, la dure période de famine qui frappera la Chine entière, à la suite de « calamités humaines ».

Habitant à côté du temple, ma mère pratiquait également la charité selon les préceptes bouddhiques. Elle donnait systématiquement à boire et à manger à ceux qui passaient et qui le lui demandaient. Au bout de quelques années, elle jouit même d'une manière de renommée dans la contrée. Il était étonnant de constater la variété des gens qui passaient par ce coin tout à fait perdu : pèlerins, saisonniers, soldats déserteurs, amoureux en fugue, bandits en fuite qui se mettaient « au vert », lettrés en quête de solitude, moines itinérants... La Chine ancienne semblait s'y perpétuer, intacte. Parmi tous ces « passants », il y en a deux qui ne se sont jamais effacés de ma mémoire : le bandit blessé et le moine taoïste errant.

Il arriva vers la fin d'un après-midi d'été, le bandit. Après avoir annoncé sa présence d'une voix éraillée mais sonore, sans attendre, il pénétra dans le temple. Quand, à la suite de ma mère, j'entrai à mon tour, je vis un homme de corpulence imposante assis dans la pénombre, les cheveux dressés, l'air hagard. Et, malgré sa peau tannée, il avait le teint livide. Plein d'autorité cependant, il ordonna à ma mère d'éloigner son fils. Contraint de sortir, j'assistai tout de même, depuis le seuil du temple, à ce qui se passa. D'un geste leste, l'homme tira de sa large ceinture un poignard brillant, ce qui fit reculer ma mère. « Ne vous effrayez pas, je ne vous ferai pas de mal, mais si vous me trahissez, on me vengera ; ce sera terrible pour votre famille. Maintenant, aidez-moi ! » Là-dessus, il souleva un pan de son pantalon en tissu noir, laissant voir une blessure à son mollet. Une plaie béante dont la chair commençait à se gangrener. A cette vue, ma mère poussa un cri et s'écarta. Mais l'homme n'avait pas de temps à perdre. Il ordonna à nouveau : « Passez ce poignard au feu et revenez avec une cuvette. Auparavant, apportez-moi un bon bol de *gaoliang*[1]. Je vais m'installer sous l'arbre derrière le temple. Vous veillerez à ce que personne ne vienne. »

Malgré tous les efforts de ma mère pour me maintenir à l'intérieur de la maison, je parvins à venir me blottir contre elle, qui n'arrêtait pas de murmurer : « *A-mi tuo-fo, a-mi tuo-fo...*[2] » Je sentais le tremblement de ses mains tout comme les battements de son cœur. Car, de loin, nous assistions à cette scène terrible. Au pied du vieil arbre, vu de dos, le bandit, à demi drogué, le buste penché en avant, était en train d'extirper les chairs gangrenées de la plaie à l'aide de son poignard. Le mouvement de son bras s'accompagnait de cris sourds et de plus en plus haletants. Spectacle hallucinant, sur cette terre désolée, que cet homme seul, qui affrontait l'atrocité que la vie lui avait infligée.

A part quelques hirondelles qui voletaient au loin, rien ne bougeait. L'univers semblait s'être figé à la vue de ce qui se passait. A l'horizon, le soleil couchant, tout rouge dans sa rondeur, était lui aussi une énorme plaie qui saignait. A moins que ce ne fût au contraire une bouche assoiffée de sang qui, grande ouverte, attendait que le fauve blessé crève. Un fauve

---

1. Vin de sorgho.
2. « Bouddha, aie pitié, Bouddha, aie pitié. »

blessé, écrasé de douleur et de misère, tel était ce bandit. Il faisait pitié, comme le disait la litanie de ma mère. Pourtant, à mes yeux, la sombre silhouette éclairée par la lumière du soir était aussi impressionnante qu'un roi sur son trône en train d'accomplir quelque rite sacrificiel. Elle inspirait une peur sacrée au monde qui l'entourait. Oui, un vrai roi. L'horrible besogne terminée, l'homme mit la pommade et le pansement, une sorte de papier huilé qui protégeait bien la plaie tout en étant facile à décoller et que tout bandit digne de ce nom portait sur lui. Il eut encore la force de se traîner jusqu'à l'intérieur du temple. Il y demeura une dizaine de jours pendant lesquels ma mère lui apporta de la nourriture. Puis un beau matin il disparut. Tout le village fut au courant. Personne ne le dénonça, sachant que c'était un bandit qui secourait les pauvres. Plus de deux mois après, un peu avant la fête de la Lune, ma mère trouva sur l'autel du temple une brassée de bijoux de valeur. Elle en devina la provenance ; sans tarder elle les vendit pour acheter des offrandes en grande quantité. Ces offrandes, déposées autour de l'autel, tout villageois passant pouvait les prendre selon ses besoins. Voilà que le temple si longtemps délaissé se transformait en un lieu de culte. On parla de guérisons miraculeuses ; des pèlerins affluèrent. A la fête de la Lune, un théâtre vint s'y installer pour plusieurs jours. La pièce représentée racontait justement les pérégrinations d'un homme injustement condamné et contraint à devenir un hors-la-loi. Moi, qui voyais une pièce de théâtre pour la première fois, je pus constater avec quelle liberté l'acteur se jouait de l'espace et du temps ! Une jambe levée, il franchit le seuil de sa maison. Un coup de fouet, il voyage à cheval. Le dos courbé, le voici vingt ans après. En somme, il n'y a pas d'espace ni de temps, seulement un être vivant qui se meut, et l'espace-temps naît avec lui. Il suffit donc d'un carré nu, de quelques mètres, pour que tous les rêves et toutes les passions de l'homme soient représentés.

Pendant le spectacle, nous croquions force graines de pastèque grillées, ou de lotus confits ainsi que des fruits en beignets. La pièce terminée, la lune brillait haut dans le ciel. Irrésistiblement, nous nous dirigeâmes vers la rivière scintillante de lumière argentée. A l'aide de filets, nous y pêchâmes anguilles et crevettes pour la soupe de minuit. En compagnie de tous les enfants du village, je passai la plus belle fête de la Lune de ma vie.

L'autre figure que je ne suis pas près d'oublier est le moine taoïste errant que l'on reconnaissait de loin sur le chemin à son large chapeau de paille et à sa robe flottante. Il passait à intervalles réguliers, au printemps et à l'automne. Quand il arrivait, il s'asseyait sur le perron du temple et il attendait que ma mère lui apportât un grand bol de riz tout chaud recouvert de légumes. Il mangeait en silence, lentement ; seul s'entendait le bruit qu'il faisait en mâchant, car il savourait chaque bouchée. C'est alors que ces nourritures si banales, dont je m'étais d'ailleurs lassé à force d'en manger quotidiennement, prenaient une saveur inédite, et immanquablement me faisaient venir l'eau à la bouche. A la fin, le moine se levait, tendait des deux mains le bol vide à ma mère, comme dans un geste d'offrande, mais sans remercier. Il se retournait, lissait sa noble barbe et s'en allait. Sauf la dernière fois : en tendant le bol à ma mère, il dit ces mots : « Merci de votre bonté, madame ; vous serez récompensée. » Puis, indiquant la cime cachée de la montagne, il ajouta : « Je m'en vais là-haut ; je ne reviendrai plus. » Ayant ainsi parlé, il se retourna et s'éloigna. Tout en marchant il

se mit à chantonner, d'une voix presque désinvolte :
« Dans la grotte de la Pureté, demeurent les immortels. La source claire y coule, sans jamais tarir !... »
Plus loin, sa robe flottante s'évanouit dans la brume,
légère comme une grue en vol.

Plus tard, devenu adulte, et notamment durant mon
séjour en Europe, je serai forcé de réfléchir sur la
Chine où le hasard m'avait fait naître, puisque partout, on m'appellera « le Chinois », sur ce peuple
dont je connais les tares et auquel on accorde néanmoins quelque grandeur. Du fait de son nombre, de
son ancienneté et de sa pérennité ? Mais bien plus,
semble-t-il, à cause de ce pacte de confiance, ou de
connivence, qu'il a passé avec l'univers vivant, puisqu'il croit aux vertus des souffles rythmiques qui circulent et qui relient le Tout. D'où peut-être cette
manière d'exister à nulle autre pareille. Or, tentant de
cerner ce peuple, je bute à chaque fois sur les images
en contrepoint du bandit et du moine, comme sur
deux figures emblématiques. D'apparence si oppo-
sées, elles finissent par me paraître plus que complémentaires, indissociablement solidaires.

Le premier a les pieds fermement enfoncés dans le
sol, à l'image de l'arbre indéracinable contre lequel il
s'appuie ; terrien jusqu'au bout des ongles, il fait
preuve d'une patience et d'une vitalité sans limite, tout
comme la terre qui le porte. Quelle que soit l'adversité
qui le frappe, il ne cède pas. Car il a une confiance naïvement foncière, ou foncièrement naïve, en son propre
désir de vivre qu'il identifie à celui de l'Univers. Selon
les circonstances, il peut passer de la douceur délicate
qui est son état natif à une virulence tenace, tout en
essayant de calquer son comportement sur une instinctive sagesse transmise depuis des millénaires. Sa
démarche est lente et cadencée ; il cherche à garder de
la dignité même lorsque son corps ploie sous le far-

deau. La question de l'honneur ne le laisse nullement indifférent. Il lui importe de conserver la « face » aux yeux du monde. Mais attention, dans son éthique, « face » ne signifie point surface. A force de retourner le sol une fois l'an, il finit par acquérir la conviction qu'au fond, la face est le fond, et le fond la face. Maints tyrans du passé se sont brûlé les doigts sur cet être apparemment si humble, si docile, sans soupçonner qu'il était capable de rébellion. Trop chatouillé à la « face », il se redresse. D'autant plus qu'il est persuadé que, sans se mesurer avec le Fils du Ciel, il reçoit, comme tout un chacun, sa part de mandat du Ciel. Oui, vivant à ras de terre, il n'oublie pas que la vie ici-bas est prise dans la transformation universelle, comme il est écrit dans le *Livre des mutations* dont il connaît quelques sentences. Seulement, il n'éprouve pas le besoin de lever la tête trop haut, de scruter trop loin, de se perdre dans les nuages ou de sauter à pieds joints dans l'inconnu. Par le tonnerre qui monte, par le vent qui souffle, par la brume qui se répand, par la pluie qui retombe, par la pleine lune qui ramasse en son sein tous les morceaux dispersés, n'est-il pas en constante communion avec l'au-delà ? Donc terrien il est, terrien il reste. Il ne doute pas que le limon jaune du sol et sa propre chair participent de la même substance, que son destin dépend de la terre et qu'inversement celui de la terre dépend aussi de lui. C'est grâce à lui, chaînon indispensable, que la terre se transformera. Et avec la transformation de la terre, lui et sa descendance seront transformés à leur tour. En quoi ? Il l'ignore, mais il fait confiance. En attendant, il a le souci de bien terminer son mandat. Et si l'on cherche à le faucher avant terme, il se révoltera et passera à la violence. S'il est pris et condamné à mort, il fera front. A l'instant suprême, il saura se montrer digne, jusqu'au bout conserver la face ! Puisque le destin le veut, il accepte de s'abandonner à l'ivresse du Grand Retour.

Le second est taraudé, presque dès la naissance, par la nostalgie du Ciel. Il passe toute sa vie à cultiver le détachement, à se rendre léger, à tendre vers des régions aériennes comme vers un rêve originel. Son maintien ordinaire ressemble à ces toits chinois, aux quatre coins pointus relevés vers le haut et qui évoquent un oiseau géant aux ailes déployées toujours prêt à s'envoler. Pour l'heure, il fait une halte sur terre, avec une insouciance narquoise et un détachement tranquille, grâce à quoi il peut se permettre d'affronter, sourire aux lèvres, les coups du sort ou de défier les oppressions tyranniques. C'est justement cet esprit de détachement qui lui permet de vivre pleinement le présent, de savourer le bonheur simple qu'offre la terre. De toute façon, capable de se nourrir d'herbe et d'eau, il jouit de peu, de rien. Dès ici-bas, il fait corps avec le Tout.

4

Depuis le départ du moine taoïste je rêvais des cimes du mont Lu, qui dévoilaient leur fulgurante beauté lorsque le vent déchirait, un instant, le voile de brumes. Mon rêve devint plus vif après que j'eus entendu mon père parler du plus haut pic et dire son intention de l'escalader pour y chercher des plantes médicinales.

Pour l'heure, je commençais à me familiariser avec certains lieux à mi-hauteur, en particulier le Guling, qui se trouvait au cœur du massif. De forme arrondie, entouré de vallées riantes, il était facile d'accès et propice aux habitations. Aussi fut-il très tôt élu par les lettrés, les artistes et les religieux et, à partir de la fin du XIXᵉ siècle, par les missionnaires occidentaux comme lieu idéal de retraite. Ces derniers, fuyant en été la chaleur torride des villes de la vallée du Yangzi, y trouvaient fraîcheur et repos. Bientôt, la montagne fut parsemée de chalets, de cottages, de pavillons, avec en son centre un bourg pittoresque où se mêlaient maisons chinoises et boutiques occidentales. C'était chaque fois une fête pour moi de suivre mon père qui se rendait au bourg de Guling pour y faire des achats ou livrer ses calligraphies à des particuliers. Nous aimions aborder le mont par des sentiers diffé-

rents qui offraient autant de perspectives nouvelles. Nous passions par des sites que célébraient des
sentences à quatre caractères gravées à même les
rochers, dans la senteur des pins majestueux aux
formes accueillantes et dans le bruissement des sources
et des cascades, ponctué du chant des cigales.

Le jour vint où nous fîmes enfin l'ascension du pic.
Nous étant attardés en route pour chercher des
plantes, nous ne parvînmes au sommet que vers la fin
de l'après-midi. Jusqu'à la dernière crête, tout nous
était encore dissimulé en raison de la végétation
dense, mais un pas de plus, et voilà que s'offrit à
notre vue une scène grandiose. Par-delà l'enchevêtrement de rochers dressés et d'arbres sans âge aux
formes fantastiques, s'étalaient des vagues successives de monts et de collines qui déferlaient en pente
vers la plaine lointaine. A l'extrême bout de la plaine
que venait de laver une violente averse, scintillait
dans la lumière du soir un long ruban d'argent : le
Yangzi. Ce fleuve dont j'avais tant entendu les
grandes personnes parler, je ne pensais pas le voir de
sitôt, encore moins dans un cadre aussi exceptionnel.
Il était là, à la fois appel de l'infini et barrière infranchissable, emportant tranquillement les minuscules
jonques qui glissaient à sa surface. Je ne pus m'empêcher d'appeler le fleuve par son nom, que je répétai
trois fois en criant : « Changjiang ! Changjiang !
Changjiang ! » comme pour me convaincre de la réalité de cette vue et ne plus l'oublier. Comme si je
pressentais déjà le rôle que le fleuve allait jouer dans
ma vie imaginaire. Alors que je fixais mon regard sur
le mouvement des jonques, une main invisible posa
au-dessus du fleuve un parfait arc-en-ciel dont le
sommet effleurait une rangée de nuages moutonnants.
Mais l'instant d'après, je vis avec regret que ces
nuages se mettaient en branle et défaisaient l'arche

pierre à pierre, selon un ordre étonnant, aussi lestement que ces adroits acrobates du théâtre traditionnel
enlèvent sur scène, morceau par morceau, tout un
échafaudage de meubles dangereusement empilés. Il
ne resta plus à l'horizon que le soleil déclinant,
immense gong qui envoyait le dernier écho d'un
chant inouï. Perdu sur la hauteur, aux côtés de mon
père, je restais figé devant ce singulier paysage bientôt noyé de brume.

Sur le chemin du retour, croyant prendre un rac-
courci, nous nous sommes perdus. Comme la brume
montait rapidement, par crainte de nous égarer davantage, nous nous vîmes contraints de passer la nuit
dans la montagne. Nous nous dirigeâmes vers un petit
belvédère, sorte de kiosque ouvert, fait de piliers surmontés d'un toit. En toute hâte, nous avons ramassé
branches et troncs d'arbres pour combler les ouver-
tures entre les piliers et nous protéger contre d'éventuelles attaques de bêtes. La lune était claire. Malgré
les cris lugubres des oiseaux de nuit, je n'avais pas
réellement peur ; je me sentais presque de connivence
avec cette nuit d'été, toute transparente de clarté. Le
ciel constellé jamais si proche me couvait telle une
voûte parfaite en même temps qu'il m'aspirait. Je me
plus à m'identifier à chacune des étoiles filantes qui
brillaient d'un brusque éclat, avant de sombrer dans
la Voie lactée.

A un moment de la nuit, alors que la fraîcheur
commençait à se faire sentir, mon père, tout d'un
coup, me prit dans ses bras, me serra fort, puis se mit
à sangloter. Sentant sur ma joue son haleine et ses
larmes, comme malgré moi, j'eus un mouvement de
recul, voire d'irritation. De recul, parce que au fond
de moi, sans me l'avouer, j'avais toujours craint
d'être contaminé par la maladie pulmonaire de mon
père ; d'irritation, parce que je n'étais point habitué à

l'intimité corporelle ni de ma mère ni de mon père. En Chine, à partir du moment où l'enfant atteint un certain âge, les parents, sauf nécessité, ne le touchent plus guère et l'étreignent encore moins. De plus, comme tout petit Chinois, je croyais qu'un homme adulte ne pleurait pas et qu'un père se devait d'être un modèle de sagesse, pétri de mesure, de force et de dignité. Simultanément, monta en ma mémoire une scène depuis longtemps oubliée : dans une rue sans trottoir de Nanchang, je marche à côté de mon père. Vient en sens inverse un pousse-pousse dont le tireur, visiblement pressé, court tout en actionnant son avertisseur. Mon père, perdu sans doute dans quelque réflexion, n'y prête pas attention et ne s'écarte pas. Il n'y était d'ailleurs nullement obligé : la rue appartient à tout le monde et il n'y a pas de passage réservé pour quelque véhicule que ce soit. Comme le tireur dut freiner, la personne assise dans le pousse, un gros type, sauta de son siège. Ce devait probablement être un notable qui croyait avoir tous les droits. Il se précipite sur mon père, le saisit par le col, le secoue longuement en vociférant. Finalement, il lâche prise, après que celui-ci bredouille quelques mots d'excuses. Sous le regard des badauds, mon père ajuste ses lunettes, me saisit la main et s'éloigne. J'étais furieux contre la brute, tout en éprouvant un sentiment de gêne à l'égard de mon père. Quel était ce sentiment ? La honte ? le ressentiment suscité par sa faiblesse ? Je n'avais jamais cherché à le savoir. Je me rappelais seulement que j'avais été tenté de retirer ma main de celle, légèrement tremblante et humide, de mon père...

Cette nuit-là donc, prétextant un besoin urgent, je me dégageai vite de l'étreinte de mon père. Cette réaction de répulsion instinctive, comme je me la reprocherai plus tard ! Ce fut une blessure causée par moi-même que le temps ne saurait guérir. J'ai souvenance qu'au petit matin mon père ôta sa veste pour me la mettre sur le dos au risque d'attraper froid lui-même. Toujours est-il qu'à partir de cette nuit d'aventure, la santé de mon père se dégrada définitivement. Il mourut un an et demi après, au début de l'année 1935.

Mon père, certes, était économe de paroles. Toute son énergie semblait drainée par ses diverses maladies et par les soins que celles-ci exigeaient. Cependant, quand il disait : « Il serait bon que... », « Un jour on verra que... » — expressions qu'il affectionnait — quand au lieu d'exprimer directement ses sentiments il citait des vers des poètes Tang, n'était-ce pas sa manière à lui de quêter compréhension et affection ? Faut-il toujours que la relation père-fils parte du seul père, comme le conçoit l'éducation traditionnelle ? N'aurais-je pas pu moi, le fils, par des propos innocents, spontanés, et pourquoi pas irrespectueux, rompre le silence pudique dans lequel mon père s'était muré ?

Par la suite, à travers les témoignages de ma mère, je saurai combien mon père avait souffert d'avoir mené une vie marquée par la déficience, vouée à l'humiliation et à l'inaccompli, en marge de tout, y compris de sa propre famille.

5

Mon père était né au sein d'une grande famille. Durant toute la période de notre séjour au pied du mont Lu, il se faisait un devoir d'y retourner avec femme et enfants, une fois l'an, vers la fin du printemps ou en automne, pour « balayer les tombes des ancêtres ». Cette grande famille, pareille à tant d'autres en Chine, avec ses quatre générations vivant sous le même toit, réparties dans de multiples appartements organisés autour d'une grande cour, pouvait compter, lorsqu'elle était au complet, jusqu'à une cinquantaine de personnes. Elle demeurait une référence sacrée pour mon père, bien qu'il en eût beaucoup souffert. Moi, ayant grandi dans une société bouleversée qui s'était peu à peu émancipée, je me demandais toujours comment un système aussi pesant, aussi contraignant avait pu se maintenir durant tant de siècles. Certes la famille à la chinoise, fondement de la société ancienne, avait, en sa haute tradition, ses vertus. C'est une unité vivante et complète en soi qui initie ses membres dès leur enfance aux problèmes fondamentaux que pose la vie humaine. Elle leur inculque la valeur de la lignée humaine et des relations mutuelles fondées sur l'esprit d'entraide et de partage en sorte que personne, à aucun moment, n'est menacé de délaissement ; le juste degré d'intimité et de distance dans l'affection ; le sens de la responsabilité morale tant individuelle que collective ; et enfin celui des célébrations et des fêtes en tant que rites sacrés. Grâce à l'échantillonnage très varié de caractères et d'attitudes en constante confrontation qu'elle propose, elle constitue un creuset où se forge l'homme selon un idéal antique. Mais lorsque la famille est minée dans son fondement et connaît des époques de décadence et de division, ce même creuset se transforme en une serre qui favorise la poussée de l'hypocrisie, de l'égoïsme, de la lutte d'influence, des calculs mesquins, des vices entretenus et des intrigues en chaîne. C'était le cas de ma famille. Comme mon père, j'en ai souffert. Je finis néanmoins par être reconnaissant à tous ces personnages, les uns corrompus ou médiocres, les autres pittoresques ou admirables, au milieu desquels je grandis. Grâce à eux j'appris très tôt à déceler ce qu'il y avait de vrai ou de vain dans l'homme.

Ce grand-père, érudit et haut fonctionnaire de l'ancien régime, qui avait occupé plusieurs fois le poste de préfet dans différents départements de sa province. Après l'établissement de la république, il se mura dans un silence hautain, ne fréquentant que quelques rares survivants de sa génération. Sa seule distraction était de psalmodier d'anciens textes dans l'épaisse odeur d'encens, de tâter aussi de temps à autre son magnifique cercueil exposé dans une pièce et qu'il faisait repeindre tous les ans.

Ce deuxième oncle, coléreux et rapace, qui, après le décès du premier oncle s'empara du pouvoir financier et, avec la complicité de son épouse, faisait régner un ordre sévère dans la famille. Sa femme, toujours flanquée d'une pipe à eau dans la main et d'une théière suspendue au bras, sans jamais se départir de son sourire apparemment placide, semait partout la discorde. Quand on la voyait traverser la grande cour, tel un personnage du théâtre chinois, à pas feutrés, ponctués de toussotements et de clignements d'yeux, on devinait qu'elle était en train de méditer quelque médisance, de mijoter quelque intrigue. C'était sa drogue quotidienne, dont elle tirait une volupté sans pareille. Quand elle était en manque, elle se rabattait sur sa bru, victime toute désignée qu'elle maltraitait avec une cruauté raffinée. Elle aura pourtant sa part de souffrance. Son mari, si à cheval sur les principes moraux, sera un jour surpris, la main dans le sac pour ainsi dire, en train d'abuser de la servante qui n'avait pas encore seize ans. Outrée, la deuxième tante finit par se résigner à lui trouver une concubine, mais de son choix. Justement pas la servante en question. Achetée à bas prix quand elle était une enfant, celle-ci avait été si martyrisée que, devenue concubine, elle risquait de se venger, ou tout au moins de manquer de docilité. La malheureuse sera revendue plus tard à une maison close.

Ce quatrième oncle, qui cultivait les plantes exotiques et élevait toutes sortes d'animaux de petite taille : oiseaux, araignées, tortues, lapins, etc. Passionné de jeu, il était imbattable aussi bien aux échecs qu'au ma-jong. En dehors de son travail de bureaucrate dans un ministère de province, il était sans cesse à la recherche de partenaires. Avec sous le bras sa belle boîte de ma-jong incrustée d'ivoire ou une autre plus petite contenant des pièces d'échecs, il vaquait d'un appartement à l'autre. Fréquemment aussi, il se rendait soit chez des amis, soit dans des maisons de thé. Il n'avait nullement besoin de prévenir ; sa présence était annoncée par ses pas amples et sa voix chantante psalmodiant des phrases rituelles : « Voici que sages et héros se rassemblent » ou « Les Huit

Immortels saluent l'Empereur de Jade ». Lecteur assidu de romans historiques et de cape et d'épée, il en était à tel point imprégné qu'il vivait ce temps antique, s'identifiant aux héros illustres ou obscurs, aimés du peuple. Il imitait à merveille le rythme incisif de la langue ancienne qui épousait si bien les actions des personnages. De fait, chez cet oncle pittoresque, les gestes et les paroles étaient remarquables d'élégance et de précision. Cela se constatait lors d'une partie de ma-jong, dans sa manière d'aligner devant lui les pièces qu'il avait choisies, d'en détacher une, de la faire résonner entre ses doigts, de la rabattre sur la table en accompagnant son geste d'une sentence à propos et imagée, du genre : « Quatre saisons fleuries ! », « Trois étoiles couronnées ! ». Il n'était pas jusqu'à sa façon de mélanger bruyamment les pièces, après la fin d'une partie, qui n'obéît instinctivement au souci d'harmonie et de cadence. Parfois, dans la maison, la partie durait tard dans la nuit. Je me laissais volontiers bercer par ces bruits animés avant de m'endormir.

Quatrième oncle avait des mains d'une extrême finesse, dont l'habileté forçait l'admiration de tous. Avec quelle aisance l'objet le plus banal, dans sa main, redevenait précieux ! Ces petits ustensiles en porcelaine fine, usés par des générations, se mettaient à tinter et à briller d'un éclat neuf entre ses doigts. Avec quelle aisance aussi, il apprenait à faire des tours de prestidigitation, à tirer des sons suaves d'un violon chinois rudimentaire, à sculpter une fleur miniature à partir d'un bout de bois ingrat, à colorier de vieilles boîtes ! On faisait appel à lui avant un voyage pour boucler les bagages, car il excellait à faire entrer dans une seule valise un monceau de choses qui en auraient exigé trois ou quatre, cela dans un ordre si parfait que, du coup, on n'osait plus défaire la valise de peur de profaner un ensemble aussi harmonieux et de ne plus être en mesure après d'y faire rentrer le tout. Aux yeux de beaucoup, ce sens inné de la beauté et l'agilité de ses mains relevaient du génie. Un génie voué aux petits riens, à l'inutile, comme par désœuvrement, à l'image de cette famille en décrépitude.

Décrépitude ? On parlait franchement de décadence, de débauche à propos du septième oncle que le deuxième oncle supportait mal. Fumeur d'opium, il était toujours victime de ses passions amoureuses, alors qu'il avait une femme exemplaire, que tout le monde aimait dans la maison. Il pouvait s'éprendre tour à tour d'un acteur interprétant des rôles féminins, d'une joueuse de *pipa*[1], et d'une femme cultivée, célèbre pour sa beauté et qui menait une vie de demi-mondaine. Sans oser le dire ouvertement, les grandes personnes empêchaient leurs enfants de le fréquenter. Je me sentais aussi bien attiré par lui que par l'odeur d'opium qui se dégageait de sa chambre spacieuse aux rideaux tirés. Il y régnait une atmosphère magique : dans la pénombre, la longue pipe luisante, la lampe qui clignotait comme un œil, le bruit gourmand lorsque mon oncle aspirait dans le tuyau et l'expression d'apaisement ou d'extase qui envahissait son visage à travers la fumée... Isolé dans la famille, l'oncle me prenait volontiers comme confident occasionnel. Ayant fumé, après avoir longuement raclé dans sa gorge un reste de toux, il poussait des soupirs plaintifs :

« Hai... hai... Que la vie est amère ! Si amère !

— Pourquoi amère ? Me suis-je une fois hasardé à lui demander.

— Tu ne comprends pas encore. Mais retiens ceci.

---

1. Sorte de cithare.

Dans la vie, on ne fait pas vraiment ce qu'on désire et on fait ce qu'on ne désire pas. Quand on ne fait pas ce qu'on désire, on est comme cette pipe en bois ; ça existe mais ça ne vit pas. Dès qu'on fait ce qu'on désire, eh bien, on n'est plus que flamme. On ne tarde pas à devenir cendre. Oui, les cendres que voilà. Et les cendres, c'est amer, non ? »

En utilisant l'image de la cendre, l'oncle ne croyait pas si bien dire. Ses propres cendres finiront par féconder cette terre qui avait vu passer sa vie, qu'il qualifiait d'amère mais qu'au fond il avait bien goûtée à sa façon, pareille à ce légume qu'il aimait, appelé justement « légume amer » et qui, à force d'être mâché, devenait délicieux. Pendant la guerre sino-japonaise, il tomba très malade. Tous les médecins jugèrent son cas désespéré. Transporté dans un couvent chrétien, soigné par des religieuses, il guérit. Il décida d'y rester et servit d'homme à tout faire. Au début des années cinquante, le gouvernement communiste organisa un procès contre les religieuses, accusées d'avoir volé les biens du peuple, assassiné des bébés, etc. On demanda à l'oncle de les dénoncer en échange de sa libération. Non content de refuser, il osa témoigner des bienfaits des religieuses. Déporté en même temps que celles-ci, soumis au régime le plus sévère, il mourut peu après. Incinéré, ses cendres furent, selon sa volonté, mêlées au fumier destiné au potager du camp.

Et puis, ce dixième oncle, celui qui est le plus proche de mon père et que je ne saurais oublier. Il aimait à lire des romans modernes, étrangers ou chinois, qu'il prêtait souvent à mon père. Il s'intéressait à mon éducation, me faisait découvrir les contes d'Andersen et de Grimm, m'initiait à des rudiments d'anglais et m'emmenait souvent en promenade. Après avoir occupé un vague emploi dans une banque locale, il décida un jour de partir pour Shanghai, puis pour le Japon, afin d'étudier l'architecture. Avant son départ, il inscrivit sur mon petit carnet de souvenirs un vers en anglais tiré d'un poème de Longfellow : « La vie est brève ; l'art seul est durable. »

6

Né de la concubine du grand-père, mon père était le dernier de ses onze fils. De ce fait, il occupa toujours une position inférieure. D'autant plus qu'il avait pour épouse ma mère, non une fille de bonne famille, mais la fille d'une nourrice qui avait longtemps servi dans la famille. Aussi se vit-il comme tout naturellement attribuer la partie la plus humide, la plus froide de l'immense maison. D'ailleurs, tant pour le logement que pour tel autre problème, lui, souffreteux, et sa femme, timide, se défendaient mal contre les injustices et les méchancetés venant de la part de ceux qui, consciemment ou non, jouaient le jeu du deuxième oncle et de sa femme.

Adepte du bouddhisme, ma mère pratiquait les vertus d'humilité et de compassion. Sa patience réussit à gagner la sympathie de plus d'un, rendant la vie dans la famille supportable. Je me rappelle une scène significative. Par la porte arrière de la maison, ma mère sort et s'avance vers une femme qui rôde discrètement par ici depuis plusieurs jours. Cette femme venait de vendre son enfant de trois ans à l'un des membres de la famille, lequel n'était autre que le quatrième oncle, le passionné de jeu. N'ayant comme descendants que trois filles, lui et sa femme avaient décidé d'acheter ce garçon. La femme, le visage ravagé, reste là de longues heures dans l'espoir sans doute d'entrevoir son fils par la porte. Je vois ma mère remettre dans la main de la femme un mouchoir contenant probablement un cadeau ou de l'argent, puis l'assurer que le petit sera traité aussi bien qu'un enfant de la maison. En pleurant, la pauvre femme s'en va, mais plus rassérénée. Depuis ce jour, j'eus en quelque sorte un petit frère, car ma mère s'en occupa effectivement beaucoup, cela d'autant plus que la quatrième tante, sollicitée fréquemment pour de longues séances de ma-jong, le lui confiait volontiers.

Il y avait une femme qui défendait en toutes circonstances mes parents, c'était la tante non mariée, restée à la maison. Personnage haut en couleur, conteuse hors pair, rayonnante d'une étrange beauté à force de laideur, elle n'hésitait jamais à tenir tête au deuxième oncle et aux autres, en leur lançant de sa voix rauque leurs quatre vérités.

Par cette tante célibataire je me suis rendu compte que dans la grande famille si de nombreuses femmes, étouffées ou aigries par les conditions trop contraignantes de leur vie, deviennent mesquines, méchantes et abusent de leur pouvoir dès qu'elles en ont un peu, d'autres, par contraste, sont infiniment attachantes. Beaucoup se montrent souvent bien plus dignes, plus généreuses ou plus courageuses que les hommes. Ainsi cette autre tante qui osa, après son mariage malheureux, quitter son mari, au scandale des deux familles. Le deuxième oncle et quelques autres furent longs à admettre son retour sous le toit paternel. Elle parvint finalement à forcer leur respect en fondant avec une amie une école pour les enfants délaissés et les orphelins, école devenue très vite réputée dans la province. Cette tante avait été, paraît-il, une enfant et une adolescente vive, parfois franchement espiègle.

Éprouvée par la vie, elle devint sérieuse et pensive, parlant peu, même à ceux qui lui montraient de la sympathie. Mais quand je la croisais dans la journée, elle avait l'habitude de me poser la main sur l'épaule, avec, en guise de salut, un sourire muet et affectueux. Je ne savais pas à ce moment-là que bien plus tard je la croiserais encore sur mon chemin, à un tournant décisif de ma vie. Un geste et un sourire d'elle me sortiront de l'anéantissement total.

Une autre tante encore, parente éloignée par alliance, me marqua de façon durable lors de ses courtes apparitions. C'était une femme déjà très émancipée qui, après de bonnes études en histoire, avait fait un séjour de deux ans en France. Auparavant, j'ignorais son existence. Un jour, au déjeuner, j'entendis le deuxième oncle annoncer à la ronde, l'air indigné : « Savez-vous qui j'ai rencontré ? La demoiselle de chez Jiang (la belle-famille de l'une des tantes) qui revient de France. Et savez-vous ce qu'elle a fait ? Eh bien, elle m'a tendu la main, comme ça ! Que vouliez-vous que je fasse ? Bon, j'ai avancé ma main, comme ça, je lui ai à peine touché les doigts, et je l'ai vite retirée ! » Il est vrai qu'en Chine, traditionnellement, on se salue en joignant les deux mains sans toucher celles des autres et que, jadis, on ne se permettait de prendre la main d'une jeune fille qu'une fois fiancés. Peu de temps après, la famille reçut la visite de la « tante de la famille des Jiang ». Parmi les choses qu'elle avait rapportées de France et qu'elle nous montra en vrac, mon regard s'arrêta sur des cartes reproduisant des œuvres du musée du Louvre, Vénus grecques, peintures représentant des nus, notamment deux tableaux, ayant pour figure principale une femme nue vue de dos. Mais les cartes furent ramassées en hâte par les grandes personnes présentes, surprises, outrées. Cependant, rien ne pouvait faire que le choc n'ait eu lieu ; que je n'aie vu ces images fortes, qui m'avaient ému au point de tracer des sillons dans mon imaginaire. Oui, ces femmes nues au corps superbe, les premières que je voyais de ma vie, si étrangères et qui pourtant avaient instantanément remué en moi le sang le plus intime, comment les oublierais-je désormais ? Plus étrange encore, les nus vus de face m'éblouirent certes par leur parfaite anatomie, avec leurs seins charnus, tels des aimants, mais me « dépaysèrent » moins, étant donné qu'en Chine mères et nourrices montrent facilement leurs seins en public quand elles allaitent un bébé. Alors que de dos, ces nus, où se livrent pour ainsi dire sans y penser les femmes, ces dos par leurs pleins frémissants et leurs creux sensibles révèlent, d'un jet, le corps entier de la femme, tout en conservant cette beauté trouble inconnue de la femme elle-même.

Une autre figure féminine à laquelle je me suis attaché est une absente. L'appartement de mes parents jouxtait un logis toujours clos où il était interdit à quiconque d'entrer. Dans ce logis se trouvait, disait-on, la chambre de « la pendue ». L'image de la pendue, qui se voulait effrayante, avait pourtant le don d'éveiller ma curiosité. Je n'ignorais pas que dans toute grande famille il y a des coins ombreux où rôdent des secrets que les grandes personnes s'efforcent de taire. A mesure que je fréquentais des cousins plus âgés entre lesquels les choses se disaient sans scrupule, j'apprenais à observer des faits qui n'étaient pas « comme il faut ». Tel entretenait des liens ambigus avec sa belle-sœur, tel autre avec la jeune concubine de son père. J'entendais dire qu'autrefois, dans les familles sévères, des relations de cette sorte étaient punies de mort par le conseil de famille.

Dans ma propre famille on n'allait pas jusque-là. Quant à « la pendue », cette épouse d'un grand-oncle buveur et réputé intraitable, s'était-elle suicidée à cause de ce mariage malheureux ou à la suite d'une faute ? Toujours est-il qu'elle n'avait plus envie de vivre au sein de cette famille. Après sa mort, on craignait dans la maison que son fantôme ne hante le lieu à la recherche de quelque vengeance. La présence vivace de « la pendue », naturellement, renforçait chez les cousins leur propension déjà forte à raconter des histoires de fantômes. Ils s'ingéniaient à se faire peur en imaginant les récits les plus horribles. Pour ce faire, ils choisissaient généralement la nuit lorsque le vent sifflait dehors. Les plus petits, suspendus à leurs lèvres, fascinés par leurs mimiques, n'osaient plus se retourner. Ils finissaient par s'asseoir dos contre dos en formant un bloc compact. Comme les autres, j'écoutais avidement ces histoires ; certains détails terrifiants me faisaient frissonner aussi. Mais foncièrement, à mon étonnement, je n'arrivais pas à avoir tout à fait peur. Que la nuit soit peuplée de fantômes, c'est inévitable ; d'expérience, je le sais. Je vais jusqu'à croire que c'est souhaitable. Sinon la nuit serait décevante. Et du même coup décevant aussi, le jour. Celui-ci n'est-il pas issu de la nuit ? Égaré parmi les fantômes, je m'estimais capable de comprendre leur langage. Et si jamais l'un d'eux s'emparait de moi je me laisserais faire ; ce ne serait qu'un échange de corps de plus ! Cette pensée secrète, j'eus l'imprudence d'en faire état aux autres. Je me vis aussitôt contraint de prouver ma non-peur, d'aller seul dans la chambre de la pendue et d'y rester un bon moment. Et de relever le défi. Un jour, ayant enlevé le cadenas, je pénétrai seul, le cœur battant, dans la pièce en question. Le premier instant d'appréhension passé, m'habituant peu à peu à la lourde odeur de poussière et de moisissure, je me ressaisis. C'était une pièce simplement meublée. En dehors de quelques armoires, d'un lit et d'une table recouverts de satin aux couleurs surannées. Sur la table était posée une photo qui datait sans doute du début du siècle. Une jeune femme aux traits nobles et au regard tout de sensibilité et de rêve. Dans la prunelle de ses yeux brillait toutefois une volonté de fer. Son regard, chargé de tout ce qu'elle n'avait jamais pu dire, semblait hors du temps. N'ayant pas rencontré sur terre l'objet de son amour, il semblait vouloir percer sans détour l'infini de l'espace pour ne plus s'arrêter, confiant son unique espérance en quelque réincarnation future. Dans le silence absolu de la chambre, alors que partout ailleurs dans la grande maison régnaient en permanence présences et bruits des gens, je me sentis envahi d'une douce quiétude inconnue jusque-là. Je ne me souviens pas d'être entré en communication avec un vivant de façon aussi pénétrante. Je me serais volontiers attardé là, n'étaient les cris des cousins qui commençaient à s'inquiéter sérieusement. A ma sortie, à leur interrogation anxieuse, je me contentai d'une réponse énigmatique : « C'était étrange, mais c'était rudement bien ! » Curieusement, depuis cet exploit, moi, le timide, le pâlot, je fus auréolé, aux yeux des autres, d'un prestige quasi surnaturel. Pour un peu, ils m'auraient demandé d'intercéder pour eux, notamment durant la fête du Double Sept — le septième jour de la septième lune. On dit que cette nuit-là, du Fleuve céleste (la Voie lactée) descendent des cordes d'argent. Et grâce à des intercesseurs efficaces doués du pouvoir de saisir l'une de ces cordes, on peut obtenir des faveurs. En tout cas, je ne doutais pas que depuis la nuit du cri de la femme et, à présent, depuis ma rencontre avec « la pendue », j'avais partie liée avec le monde des morts.

Ce monde va bientôt accueillir mon père, mort d'un étouffement lors d'un retour dans cette maison familiale, sous le toit même où il était né. Sur son lit de mort, son visage illuminé d'un sourire consolateur était d'une telle sérénité qu'il nous arracha à ma mère et à moi des larmes de douleur mêlées à un confus sentiment de gratitude. Après sa disparition, son âme, délivrée du corps, sembla d'ailleurs agir enfin avec plus d'efficacité pour protéger les survivants qu'il laissait sur terre. Ma mère ne voulant plus vivre dans la famille s'en ouvrit à M. Guo, un ami d'enfance de mon père, venu spécialement de Nankin pour assister à l'enterrement. Celui-ci aussitôt lui proposa de venir travailler chez lui comme gouvernante. En automne, mère et fils s'engagèrent dans leur nouveau destin en se rendant à Nankin, alors la capitale du pays.

7

1937. Je venais d'entrer dans ma treizième année lorsque éclata la guerre sino-japonaise. Les envahisseurs, surpris, exaspérés par la résistance inattendue d'une nation usée, mal armée, proche de l'anarchie, qu'ils croyaient pouvoir soumettre en quelques mois, s'adonnèrent à de gigantesques carnages, surtout en cette première période du conflit. Rien qu'à Nankin, une fois la ville prise, les soldats déchaînés réussirent en quelques semaines à mettre à mort plus de trois cent mille personnes, tuées à l'arme blanche, enterrées vives par groupes entiers ou massacrées sans distinction à la mitraillette. Des scènes d'horreur soulevèrent le cœur des Chinois, muets de stupeur. Ces scènes ont été souvent fixées par des Japonais eux-mêmes, soit par des photographes officiels pour les scènes collectives, soit le plus souvent par des soldats afin de montrer leurs mérites, de glorifier leurs « exploits » ou simplement de conserver un souvenir. Ces photos montrent des soldats en train de foncer sur des cibles vivantes pour des exercices de charge à la baïonnette, ou sabre à la main, entourés de cadavres jonchant le sol. D'autres photos, plus rares mais, non moins accablantes, montrent des femmes dévêtues, mortes ou vives, victimes de viols.

2

Sur quelques-unes en particulier, on peut voir la victime contrainte de se tenir debout à côté de son bourreau en uniforme.

Ces femmes étaient livrées nues en plein jour aux regards impitoyables, peut-être pour la première fois de leur vie — même devant leur époux, elles n'avaient pas toujours l'habitude de se montrer ainsi —, peut-être aussi pour la dernière fois, car beaucoup se suicideront après cette épreuve. Avec quel poignant effort ne tentaient-elles pas de rester dignes, pour conserver la face, pour laisser cette seule image à un monde aveugle qui avait perdu la face.

Les photos parues dans des revues que j'avais découpées et cachées dans un coin secret m'horrifiaient certes chaque fois que je les regardais. Pourtant je constatais qu'elles m'attiraient et m'obsédaient, nourrissant en moi un désir trouble. Inévitablement, ces images venaient se superposer à celles rapportées jadis du Louvre par ma tante. C'étaient là les seules femmes nues que j'eusse jamais vues. Quelle similitude et quel contraste entre ces images ! Mêmes formes debout, tendres, parfaites, infiniment désirables. Mais d'un côté idéalisées, exaltées, recelant en elles un mystère inépuisable qui vaut la peine qu'on le poursuive toute sa vie ; de l'autre, souillées, humiliées jusqu'au dernier degré, si bien que la pensée même de les désirer devient impossible, honteuse.

Vers mes douze, treize ans, à l'âge où s'éveille la sexualité, une interrogation vint se planter tel un couteau dans ma chair. Une même beauté inspire le sentiment le plus élevé et la cruauté la plus abjecte. Le mal se nicherait donc au cœur même de la beauté. La Beauté ? Le Mal ? J'aurai affaire à eux. Mais à ce moment-là j'étais trop jeune encore pour les interroger. Je me souviens néanmoins d'une réflexion que

je me fis en entendant des expressions largement uti-
lisées à l'époque pour décrire ces scènes d'horreur :
« Récits de larmes et de sang », « Elles n'ont pour se
laver que leurs larmes. » Je me disais que dans un
corps humain il y a bien moins de larmes que de sang.
Dans ce cas, toutes les larmes humaines ne sauraient
jamais laver tout le sang versé.

Pendant ce temps de complet bouleversement, ma
mère et moi, suivant la famille Guo, faisions partie
du long cortège des Chinois en exode qui, par des
sentiers à flanc de montagne ou entassés dans des
bateaux de fortune, remontaient le fleuve Yangzi, tra-
versaient les célèbres gorges, réputées imprenables,
pour gagner le Sichuan, immense province de
l'Ouest. La paix relative que nous trouvâmes à
Tchoungking, une haute cité qui surplombe le Yangzi
et son affluent, la Jialing, ne dura pas. Surpeuplée,
encombrée de nouveaux immeubles construits à la
hâte et pratiquement sans défense aérienne — à part
les abris innombrables creusés à même les rochers —,
la ville fut bientôt ravagée par les bombardements
intensifs des Japonais. Nouvel exode de la population
vers la campagne, dans un désordre indescriptible,
lequel contribua à augmenter le nombre, déjà impressionnant, des victimes causées par les raids ennemis.
L'institution où travaillait M. Guo — le Centre de
recherche sur la pédagogie et les matières d'enseignement —, organe officiel, dut être évacué à plus de
deux jours de marche de Tchoungking.

Début 1940, au terme d'un voyage harassant à travers une campagne riche, luxuriante et qui contraste
avec le dénuement des paysans qui y vivent, la vingtaine de familles qui composaient le personnel du
Centre de recherche arrivèrent à destination, un
immense domaine, celui du seigneur Lu. Au cœur de
cette contrée perdue, l'existence d'un tel domaine

leur paraissait à peine croyable, extravagante. Précédée d'un grand jardin, l'imposante demeure principale, de construction ancienne, était composée, tout comme notre maison familiale mais en bien plus vaste, d'une suite de logements agencés autour d'une grande cour centrale. C'était là qu'allaient loger les nouveaux arrivants. La famille Lu, quant à elle, résidait à présent dans une spacieuse maison, de style plus moderne, située derrière et adossée à la montagne. Le gouvernement avait pu obtenir cette demeure grâce à un compromis avec le seigneur Lu : il s'engageait à fermer les yeux sur le fait que ce dernier fumait de l'opium, interdit à l'époque, et sur le pouvoir arbitraire qu'il exerçait dans la région.

On ne tarda pas d'ailleurs à s'apercevoir que son fils aîné, escorté d'une dizaine de compagnons armés et secondé par bon nombre d'hommes de main, faisait régner une sorte de terreur dans les bourgs et les campagnes environnants, contrôlant des maisons de jeux, n'hésitant pas à commettre de temps à autre des rackets ou des viols. Les autres fils étaient partis faire des études ailleurs, à part deux qui travaillaient dans le commerce et un très jeune encore, resté à la maison. Toutes les filles étaient mariées, sauf la dernière, juste fiancée.

Peu après notre installation, nous, les nouveaux venus, assistâmes à la cérémonie de départ de la fiancée pour sa nouvelle famille où devait avoir lieu le mariage. Après force prosternations devant l'autel des ancêtres et devant ses parents, la jeune fille, parée comme une poupée, le visage caché, fut installée dans le palanquin peint de couleurs vives où dominait le rouge sang. Au moment où s'ébranlait le cortège, j'eus l'étonnement de constater qu'au lieu de la joie, ce fut le déchirement : la mère pleurait, la mariée pleurait, et tous les gens de la maison faisaient chorus avec des cris poignants. La mariée savait qu'elle allait affronter un destin inconnu ; elle allait vivre avec un homme dont elle ne connaissait rien, qu'elle n'avait même jamais vu. La musique criarde qui accompagnait le cortège était, de fait, la même que celle jouée lors d'un enterrement.

A l'automne 1940, j'entrai au lycée nouvellement établi dans le bourg principal du district, à une demi-journée de marche du domaine du seigneur Lu. J'étais interne et rentrais à la maison chaque fin de semaine. Un dimanche matin du mois de février suivant, me promenant seul dans le jardin du domaine, soudain je vois apparaître, au détour d'un sentier, une jeune inconnue, marchant d'un pas mal assuré, l'air pensif. Au moment où nous nous croisons, elle lève sur moi des yeux teintés de mélancolie, puis, souriant, elle dit sur un ton naturel : « Regarde ces primevères, le printemps est là ! » Avec le printemps, elle aussi renaît à la vie. Car peu après, j'apprends qu'elle n'est autre que la troisième fille du seigneur Lu, dont j'entends quelquefois chuchoter le nom : Yumei (Prunus de Jade). A seize ans, elle s'était éprise d'un jeune officier d'aviation rencontré lors d'un séjour chez l'une de ses sœurs à F., alors qu'elle était déjà promise au fils d'un seigneur voisin. Sur ordre du père, le fils aîné, qui n'avait jamais aimé l'esprit d'indépendance de sa sœur et qui souvent s'était montré jaloux d'elle, l'avait séquestrée pendant un an et demi, dans une pièce isolée donnant sur la montagne derrière.

Dès notre première rencontre, en mon for intérieur j'appelle Yumei « l'Amante ». J'éprouve l'étrange sensation que j'ai depuis toujours vécu en sa compagnie, qu'elle m'est consubstantielle, plus intime que mon propre corps. Je suis près de croire qu'elle est née, en quelque sorte, de mon désir même, tant son image est celle-là même dont j'ai toujours rêvé, à moins que — je me surprends à le penser — ne revive en elle la jeune suicidée dont je garde, si vivace, le souvenir.

Aussi notre rencontre ne provoque-t-elle pas en moi un de ces brusques bouleversements qui vous laissent désarmés, mais plutôt un ébranlement en profondeur, où quelque chose enfoui monte sans hâte, de couche en couche, vers la surface. Du fond de mon être, je ressens un tressaillement presque serein, comme si Yumei était attendue et que de toute éternité elle devait venir, un peu à la manière de ces arbres d'hiver qui accueillent, légèrement surpris mais ne doutant nullement de son arrivée, la brise printanière.

Mon sentiment, je me gardai de le montrer à l'Amante. Je restais discret au milieu d'autres jeunes qui l'entouraient quelquefois, attirés par sa lumineuse beauté, par sa démarche noble et harmonieuse et ses gestes empreints de grâce, par la voix prenante avec laquelle elle contait les légendes de sa province ou chantait certains airs des héroïnes de l'opéra du Sichuan, et surtout par cet indéfinissable charme qui émanait d'elle, fait à la fois de réserve et de spontanéité. Lorsqu'elle était avec les autres, elle savait aussi bien demeurer silencieuse dans une écoute attentive que s'émerveiller tout d'un coup, avec une fraîcheur d'âme communicative, de l'aspect insoupçonné des choses. En sa compagnie, on avait l'impression de voir le monde pour la première fois et en même temps d'être de plain-pied avec une terre familière, cette terre chinoise immémoriale, dans ce qu'elle a de plus pur, de plus fin, de plus vrai.

8

A l'initiative de Yumei, nous décidâmes, un jour de juin, de longer la rivière qui coulait non loin du village, jusqu'à sa source. La randonnée qui devait durer la journée entière ne demandait, au demeurant, que peu de préparatifs. Pour la nourriture, outre quelques thermos contenant de l'eau bouillante, nous n'emportâmes que des œufs durs cuits au thé rehaussé des « cinq parfums », des tranches de porc laqué et des galettes aux graines de sésame, sans oublier quelques hottes d'oranges et de pomélos, toutes choses simples qu'adoraient les jeunes, fatigués de la cuisine familiale, trop grasse ou trop élaborée à leur goût. Nous étions une quinzaine à participer à l'expédition. Dans la clarté laiteuse de l'aube, nous nous engageâmes, à la queue leu leu, dans les sentiers étroits qui serpentaient le long de la rivière encore noyée de brume. Une joie indicible s'empara du petit groupe qui, vivifié par la fraîcheur de la brise, se sentait libéré de tout. Les herbes trempées de rosée qui mouillèrent rapidement nos pieds chaussés de souliers de tissu grossier ou de sandales de paille n'entamaient guère notre entrain.

Vêtue d'un *qipao* bleu clair, une fleur de *yulan* à la boutonnière, Yumei marchait en tête, enfin épanouie.

Sans prêter attention aux espiègleries de quelques garçons plus grands qui l'escortaient, elle avançait d'un bon pas, imprimant ainsi un rythme soutenu à la marche. Durant cette journée mémorable, je découvris un aspect que j'avais déjà pressenti chez elle : sous la douceur apaisante, une force tenace, presque sauvage. Elle était bien fille de cette province aux couleurs éclatantes et contrastées. Une terre à l'argile mauve parsemée d'azalées et d'hibiscus, gorgée d'oranges dorées et de piments rouges. Terre qui a produit des génies à l'esprit superbe et libre ; les plus célèbres d'entre eux étant les poètes Li Bo et Su Dongpo.

Interrompant de temps à autre sa marche, la jeune fille s'adressait à ceux qui suivaient, les plus jeunes, dont j'étais. Nous étions chaque fois ravis lorsque, en tournant la tête, elle rejetait sa chevelure de jais de côté, laissant voir, le temps d'un éclair, le grain de beauté qui ornait sa nuque, aussitôt éclipsé par son regard lumineux, et que d'une voix rieuse elle disait : « Voyez-vous ce que je vois, là ? » ou : « Entendez-vous ce que je viens d'entendre ? » Nous étions sûrs alors de découvrir encore quelque chose que nous n'avions point remarqué. Elle désignait un site sur une hauteur de l'autre côté de la rivière, signalait des papillons aux couleurs vives nullement effarouchés par la présence humaine, invitait à prêter l'oreille au chant d'un oiseau qui répondait à un autre, ou aux échos provenant d'une colline lointaine, échos du chant sauvage que lançait un jeune paysan en direction de la colline d'en face où vivait peut-être une fille, objet de ses convoitises. Ou encore — et je reconnus là les gestes de ma mère —, elle écartait les feuillages denses ou les herbes drues pour cueillir des grappes entières de fruits sauvages, des plantes aromatiques. Faisant découvrir aux autres ce monde palpitant de vie, elle le redécouvrait en réalité elle-même, et avec quelle passion, quelle avidité ! après une longue privation.

A la voir, là, devant, silhouette bleu clair fondue dans l'air bleuté, on eût dit qu'elle était véritablement l'âme et la voix de cette nature qui n'attendait qu'elle pour être révélée.

Nous traversâmes quelques rares villages. La présence de Yumei, invariablement, y éveillait de la sympathie. « Ah, Troisième Demoiselle ! »... « Voilà Troisième Demoiselle ! » Dans la région, elle était aussi aimée que son frère était haï. Ce jour-là, elle n'avait rien d'autre à offrir aux paysans que les oranges et les pomélos. Les jeunes furent étonnés de s'apercevoir que ces fruits, ordinaires somme toute tant la province en produisait, étaient des objets de luxe aux yeux des paysans. Ils étaient bien trop jeunes pour savoir dans quel dénuement vivaient les paysans les plus pauvres, ceux qui ne possédaient pas de terres et qui étaient obligés de donner plus de la moitié de leurs maigres produits aux « seigneurs ». Aussi, les ayant reçus, beaucoup ne les mangeaient pas tout de suite ; ils les posaient sur la table ou sur l'autel en attendant que toute la famille fût un jour réunie. D'autres ne résistaient pas à l'envie de les goûter sans tarder. Avec quelle précaution ils les ouvraient non sans les avoir caressés auparavant de leurs mains rugueuses, et avec quelle lenteur ils en savouraient chaque quartier. Ces fruits acquirent une noblesse que les jeunes ne soupçonnaient pas. Les hottes remplies qu'ils transportaient avec eux se vidèrent peu à peu. Fiers, les paysans n'acceptaient pas de recevoir sans rien donner. En échange, ils offrirent aux randonneurs des patates rouges et une sorte de fruit qui pousse sous la terre appelé « courge de terre ». Ce fruit sans pépins et à la chair blanchâtre et croquante, au premier abord, a un goût de terre légèrement âcre, mais à mesure qu'on le mâche il donne un jus laiteux, frais et désaltérant. Plus on en mange, plus on en a envie. Les jeunes s'en régalèrent tout le long de la route.

Vers la fin de l'après-midi, nous arrivâmes à la source, encastrée par un canal rudimentaire qui conduisait l'eau jusqu'au cœur d'un village : une eau rapide et claire. Nous en bûmes ; nous nous y plongeâmes. Nous étions tous dans la joie, ravis d'être au bout d'une étonnante expérience, d'avoir suivi cette chose vivante et secrète qu'est une rivière et d'en toucher du doigt l'origine. Nourrie de cette eau bienfaisante, la nature environnante était particulièrement luxuriante. Le village qui porte le nom du clan des Qu offrait un aspect propre et cossu comme on en voyait rarement dans la province. Il y avait un temple dédié au grand poète Qu Yuan, dont les habitants du village prétendaient être les descendants. Ceux-ci se faisaient d'ailleurs un devoir d'accueillir les visiteurs selon l'ancienne hospitalité. Les randonneurs, assoiffés et affamés, se virent offrir le thé de chrysanthème accompagné de jujubes et de graines de lotus confites.

Assis près du temple, à l'ombre des saules, face aux rizières toutes lumineuses d'une grâce verdoyante, on se serait cru hors du monde et hors du temps, ou plutôt au temps de la haute Antiquité, où rien n'était encore fixé, où l'homme avait le privilège de commencer à nommer les choses, la brise, le nuage, l'herbe, l'eau, ainsi que le sage vénéré, la femme aimée, et à les ordonner en un chant au rythme primordial, comme l'avait fait justement Qu Yuan.

Avant de partir, nous pénétrâmes dans le temple. Yumei alluma une baguette d'encens devant la statuette représentant le poète, encadrée de deux tablettes sur lesquelles étaient inscrits deux vers parallèles écrits par lui. Nous apprîmes que le temple avait été bâti sous les Ming, sur l'emplacement d'une stèle érigée là sous les Tang. Les habitants affirmaient que depuis la construction du temple l'encens n'avait jamais cessé d'y brûler. Nous fûmes frappés alors par l'impression d'étrangeté, pour ne pas dire d'anachronisme, devant ce petit feu ininterrompu au cœur de ce coin obscur, anonyme, habité par des paysans illettrés, en l'honneur d'un poète qui avait vécu il y a plus de deux mille ans — le premier poète connu de la littérature chinoise — et qui était mort en exil, noyé dans une rivière.

Au retour, les marcheurs n'étaient encore qu'à mi-chemin quand tomba la nuit. Sachant qu'ils n'auraient pas de repas à la maison, peu pressés de toute façon de rentrer, ils décidèrent de s'arrêter au bord de la rivière pour manger. Ils allumèrent un feu et firent cuire dessus les patates rouges offertes par les paysans, en y mêlant des tiges de pavots et des légumes aromatiques cueillis tout au long de la journée.

Ah ! de toute ma vie, je ne retrouverai plus la divine saveur des patates cuites ce soir-là. Où que je me trouve, j'aimerai toujours humer la fumée, tant celle qui évoque la voix plaintive de l'oncle fumeur d'opium, que celle qui fait entendre le rire clair de l'Amante en train d'attiser le feu.

9

C'était quelques jours après la randonnée. Le soir, la chaleur gardait les gens dehors longtemps après le dîner. L'éventail à la main, ils n'en finissaient pas de rêver sous le ciel étoilé, de se conter des légendes, de bavarder. Par amusement, je parvins à attraper un certain nombre de lucioles et à les mettre dans un petit sac de gaze. J'en fis ainsi une lampe portative. L'envie me vint de la montrer à Yumei.

Pénétrant dans la petite cour intérieure sur laquelle donne sa chambre, je surprends une image si inattendue que je doute de sa réalité. Debout dans une bassine en bois, entièrement nue, l'Amante est en train de faire ses ablutions. Tandis qu'une jeune servante, avec un petit seau, verse sur son épaule de l'eau qui coule tout le long de son corps lisse et ferme, elle parle et rit avec celle-ci. Je sais que je dois partir, mais ne peux m'y résoudre. Je reste là, le cœur battant, figé. C'est la première femme de chair au corps nu qui s'offre à mon regard. De l'angle où je suis je la vois à peu près de profil ; je distingue une partie de son dos et ses seins dressés, rendus plus luisants par l'eau et effleurés par la clarté lunaire. La séance terminée, après l'essuyage, elle enfile sa chemise de nuit en la laissant négligemment entrouverte. Elle va s'étendre sur le lit de bambou placé près de la porte pour profiter de la fraîcheur. Elle se rafraîchit à l'aide d'un éventail de paille, continue de parler à la servante qui s'affaire un instant dans la cour ; puis elle devient silencieuse, peut-être à moitié endormie. Silencieux moi aussi, dans l'ombre, les pieds vissés au sol. Combien de temps suis-je resté ? Un instant, une vie entière, je ne sais. Je regagne enfin le logis familial, tel un funambule ou un voleur.

Les jours suivants, travaillé par la honte, je m'interdis d'aller voir Yumei. Toutefois je ne cessais de me demander si, au fond, la scène vue était réelle. Ne l'avais-je pas plutôt rêvée cette nuit-là ? Du moins cherchais-je à m'en convaincre. J'en étais quasiment persuadé. L'image de ce corps lustré, inscrit dans mon champ visuel, était à ce point naturelle qu'elle me semblait avoir été conçue ou façonnée par mon imagination. Irradiant tous mes sens, elle me paraissait plus distincte, plus tangible que si l'Amante en personne s'était trouvée en face de moi. Malgré mon effort pour ne plus y penser, elle revenait plus insistante, plus oppressante, tournant à l'obsession. Je me revoyais sans cesse m'approcher d'elle dans la nuit, en secret, la regarder se dénuder, se coucher, s'endormir. Mais au moment où je tentais de la toucher, de caresser le contour de son visage, elle se réveillait et me fixait du regard. Son sourire innocent me laissait désemparé.

Un matin, au réveil, je fus saisi par une envie : une force inconnue poussa ma main à projeter sur le papier cette image qui me hantait. A l'aide d'un crayon dur et d'un autre plus gras, je me mis à dessiner le portrait en buste de l'Amante. Dans une sorte d'effervescence, je rendis trait par trait ma vision intérieure. Ce visage ovale à la pureté de jade sur lequel l'ombre ne faisait que glisser ; cette bouche

nette et sensible où affleurait une sensualité retenue ;
ces yeux aux reflets sans fond emplis de candeur
étonnée qui en augmentait le mystère... A mesure que
j'accouchais de l'image, je me délivrais du poids qui
m'étouffait. J'avais le cœur qui battait fort à la vue
du miracle en train de s'accomplir sous ma main. Un
moment, dessinant les cheveux, par un coup de
crayon heureux, j'épousai de la main exactement le
mouvement habituel par lequel Yumei rejetait sa chevelure en arrière, offrant, l'espace d'un éclair, tout
son visage à la lumière. Ce trait tracé, bien que le
tableau fût inachevé, je sentis que l'énergie me manquait, que je devais m'arrêter et qu'il ne fallait plus
rien ajouter sous peine de tout gâcher. Je fus pris de
peur comme quelqu'un qui s'apprêterait à profaner
une image sacrée. Je posai mes crayons et m'abandonnai à une sensation de délivrance.

C'est le dessin à la main, l'esprit apaisé, que j'eus
le courage de me présenter de nouveau devant
Yumei. Celle-ci, à la vue du dessin, fut surprise puis
ravie que quelqu'un ait pu si bien « retenir par cœur »
son visage et ses expressions intimes. Levant la tête,
intriguée, elle plongea un instant son regard dans le
mien. Je compris alors qu'elle me « vit » pour la première fois.

Depuis lors, elle m'accompagne souvent dans mes
sorties pour aller dessiner. Notre lieu de prédilection :
un étang dans la forêt que nous atteignons en suivant
des sentiers différents. Je ne manque pas, chaque fois,
d'être envahi par une indicible reconnaissance parce
que le miracle se renouvelle, qu'elle est là, en face
ou à côté de moi, à parler ou à rire avec moi, un
long après-midi durant. Nous sommes en été 1941.
La Chine est en guerre depuis quatre ans. J'approche
de mes dix-sept ans, elle entre dans sa dix-huitième
année. En ce coin oublié du monde, le temps haut

suspendu délivre une saveur d'éternité, à l'image de l'étang dans le reflet duquel tout n'est que pur événement : une branche qui craque, un nuage qui passe, une libellule qui effleure l'eau, un martin-pêcheur qui plonge, une fumée qui monte, d'où jaillit l'irrépressible cri d'une alouette...

Nos conversations portent sur des choses qui nous viennent à l'esprit et restent pudiques. Elles sont entrecoupées de silences quand Yumei se plonge dans la lecture, écrit des lettres ou se perd dans ses pensées. Je n'ose jamais aller jusqu'aux confidences, ni poser à celle qui est en ma compagnie des questions que je juge indiscrètes. Un jour, me regardant dessiner un groupe d'arbres lointains sur un fond quelque peu imaginaire, elle demande :

« Tu fais souvent des rêves ?

— Souvent, oui.

— De quoi rêves-tu ?

— Oh ! mes rêves sont plutôt des cauchemars.

— Cauchemars... N'es-tu pas heureux dans la vie ?

— Je suis heureux en ce moment. Ordinairement non.

— Tu n'es pas heureux avec ta mère ?

— Si. Mais je n'ai qu'elle et elle n'a que moi. Elle a toujours peur qu'il m'arrive quelque chose. Moi aussi, j'ai toujours peur qu'il lui arrive quelque chose, ça pèse. »

Après un instant de silence, elle dit : « Vois-tu, il ne me manque ni père, ni mère, ni frères, ni sœurs, personne pourtant n'a le souci de ce qui peut m'arriver réellement ; ça pèse terriblement aussi ! » Puis, avec un sourire amer, elle ajoute : « Là dessus nous sommes quittes, n'est-ce pas ? »

Je cherche les mots pour répondre quand elle reprend : « C'est inexplicable cette vie humaine. Personne n'a de vie en soi ; on vit toujours pour quelqu'un d'autre. Regarde cette fleur sauvage qui ne porte même pas de nom. Comme elle est pleinement elle-même. Sous prétexte de l'aimer, je la cueille, et je mets fin à son destin. Ainsi sur cette terre, sous ce ciel, quelqu'un vit innocemment sa vie ; d'autres, s'accordant des droits sur lui, font négligemment un geste pour l'interrompre, avant de disparaître un jour eux-mêmes, sans que personne ait jamais su pourquoi. Oui, pourquoi ?... »

Ce fut après cette conversation que j'observai plus souvent des silences chez Yumei. Au fond de ses yeux planait l'ombre de la mélancolie, à l'image de l'étang avant la pluie. Je me rappelais alors qu'elle aurait, avant tout, à briser le carcan de la fatalité.

A la rentrée suivante, un vendredi en fin d'après-midi, au retour du lycée, j'allai chez Yumei. Passant la porte entrebâillée du grand salon des Lu, j'assistai, à côté de quelques autres personnes, à une scène qui nous stupéfia, nous révolta : le fils aîné était en train, une fois de plus, d'imposer sa loi tyrannique à sa sœur. Tenant dans une main une courte chaîne, de l'autre il saisit fermement le bras droit de la jeune fille, tandis que celle-ci se débattait énergiquement pour s'en dégager. Haletant, les yeux exorbités, l'homme se pencha sur sa proie ; il n'avait sûrement pas un air différent lorsqu'il commettait un viol. J'étais même sûr que la cruauté de ce « tyran local » y trouvait son plaisir, ayant moi-même connu une fois un plaisir trouble, lorsque dans la cour centrale, jouant avec une fillette, je l'avais soudain saisie par les épaules et serrée très fort contre moi, pendant que la pauvre se débattait en gémissant, me mordait le bras et mollissait peu à peu sous moi...

Le fils aîné se rendit compte soudain de la présence de témoins et cria à ses hommes de fermer la porte et de chasser les importuns. Dans la soirée tous les habitants du domaine étaient au courant : la troisième fille des Lu est de nouveau séquestrée. Les jours suivants ils apprirent qu'il était formellement interdit d'aller dans la montagne derrière. Les mercenaires du fils aîné y effectuaient des patrouilles, car on avait découvert la présence de l'officier d'aviation avec qui Yumei avait repris contact. Il était accompagné de quelques hommes également armés. Un affrontement éventuellement sanglant se préparait.

Comment oublier cette nuit de tumulte où les aboiements des chiens se mêlèrent aux cris des hommes. Toute la maisonnée était en émoi. « Troisième Demoiselle est enlevée ! » « Troisième Demoiselle est partie ! » Pendant ce temps, dans les foyers du Centre de recherche, nous retenions notre souffle. Les femmes, les larmes aux yeux, priaient pour que la fugitive ne fût pas prise, ni blessée. Quelques coups de feu, en effet, commencèrent à retentir au loin. Je m'élançai dans la nuit, éperdument. Je voulais crier aussi ; seul un sanglot étouffé s'échappa de ma gorge. Je butai sur un tronc d'arbre couché, tombai à terre. Dans le ciel brillaient des myriades d'étoiles. Sur la terre, à l'horizon, s'agitaient pêle-mêle lanternes et torches.

Pour moi, la présence de l'Amante aura donc duré le même temps que les fleurs du jardin de notre première rencontre : fleurissant au printemps, elles s'épanouissent en été et se fanent avant la fin de l'automne. A moins qu'il faille justement qu'à l'instar de ces fleurs elle s'efface, pour que son image, désormais hors du temps et de l'espace, s'érige à jamais en Amante dans mon cœur, au centre même de mon désir.

10

La guerre se prolongeant et la vie devenant de plus en plus chère, ma mère ne pouvait plus payer mes études. Je fus contraint d'entrer dans un de ces lycées dits d'État, situé dans une ville assez éloignée. Cet établissement n'était à l'origine qu'un centre d'accueil pour regrouper des jeunes en exode et qui, ayant quitté leur province ou perdu leur famille, erraient à travers la Chine. Après sa transformation en pseudo-lycée — totalement différent de ceux que j'avais connus auparavant — chichement subventionné par le gouvernement, on y dispensait un enseignement plus que médiocre, et il devint vite un repaire où venaient se mêler aux étudiants nécessiteux des élèves incapables ou indisciplinés, rejetés ailleurs.

C'était la première fois que je quittais ma mère et un milieu relativement bienveillant. Je me trouvai plongé dans une réalité brutale. Conditions matérielles déplorables. Bâtiments en pisé construits sur des bambous tressés. Aux fenêtres, du papier translucide en guise de vitres. Dérisoire abri contre le fort climat continental du Sichuan ! En été, dans la salle de classe, la chaleur accablante rendait brûlantes tables et chaises. En hiver, le froid transformait les doigts des élèves en boudins couverts d'engelures au point de ne plus pouvoir tenir un crayon. Dans les dortoirs bruyants et surpeuplés, à cause du manque d'hygiène, les lits étaient infestés de puces, de punaises et de poux. Malgré de périodiques actions collectives, ces petites bêtes redoutables, capables de démoraliser tout un régiment, se multipliaient toujours davantage, pullulaient, se nichaient au plus intime des humains, buvaient leur sang, leur rongeaient nuit et jour le corps et l'esprit, les maintenant dans une exaspération proche du désespoir.

La nourriture était composée uniquement de riz à moitié décortiqué et de légumes souvent avariés qu'on ingurgitait à la hâte, debout. On restait constamment sur sa faim et constamment on avait faim. Les plus fortunés fréquentaient les échoppes qui commençaient à proliférer autour du lycée. De ces échoppes montait l'insistante odeur de soupe aux nouilles agrémentée de porc sauté ou de bœuf mijoté, odeur qui était le parfum même du nirvana pour les narines de ceux qui ne pouvaient se les offrir. Ces derniers se contentaient d'ajouter dans le fond de leur bol de riz un doigt de saindoux, lequel en fondant, par sa légère onctuosité, suffisait à susciter un début d'extase ; ou encore de grignoter, tout en mangeant, une gousse d'ail ou un piment sec qui aidait à faire « descendre le riz ».

Rien d'étonnant à ce que, dans ces conditions de déficience physique généralisée, se multipliaient les maladies : tuberculose, dysenterie, typhus, paludisme, appendicite. Inévitablement je devins la victime de ces fléaux. D'abord la dysenterie, qui me laissa un temps à la frontière de la mort. J'en fus guéri, ou je crus l'être, car durant toute la suite de ma vie, et aux moments les plus inattendus, je devais connaître des crises de douleur atroce à l'estomac et aux intestins qui me feraient rouler sur mon lit, sans que le méde-

70

cin arrive à leur coller un nom. Puis ce fut au tour du paludisme de m'attaquer, et j'étais bien trop faible pour résister. Cette maladie, perverse entre toutes, souffle dans le corps du malade tout à la fois l'extrême chaud et l'extrême froid, le scindant en deux, tout en l'emmaillotant d'un bandeau asphyxiant et l'obligeant à tourner sur lui-même comme une momie vivante.

C'est durant cette maladie que je pris définitivement peur de mon corps, ce corps qui ne m'appartenait pas tout à fait, capable des pires trahisons. Capable de laisser la force la plus hostile de l'extérieur venir se tapir en moi, jusqu'à devenir, sans que j'y prenne garde, la part « intime » de mon être. En proie à la fièvre et aux frissons, je vis donc mon corps qui se déchirait de l'intérieur échapper complètement à mon contrôle comme si j'assistais à une scène de ménage d'une violence inouïe sans pouvoir intervenir. Seul dans le sinistre dortoir, désert durant la journée, avec pour compagnons un thermos ébréché contenant de l'eau chaude et quelques rats qui grattaient les pieds des lits, j'étais acculé à me voir et à revoir toute ma vie passée. Cloîtré et figé comme j'étais, c'était au fond la seule chose que je puisse faire. Pour l'heure je vis ceci. Comme le paludisme semblait s'installer pour de bon en moi et que la crise arrivait maintenant à heures fixes, vers onze heures du matin, j'attendais dans la frayeur, longtemps avant l'heure, la « visite ». A ma surprise, elle se présentait sous la forme d'un visiteur. Un visiteur dont la figure même me perturbait : j'avais nettement l'impression de le connaître depuis toujours, et dans le même temps, je constatais qu'il était foncièrement différent de celui que je connaissais. Sa présence procurait la même sensation de trouble hallucinatoire qu'on éprouve quand, dans une foule, on croit reconnaître quelqu'un. On est sur le point de l'aborder lorsque, par des détails infimes, on se rend compte que décidément c'est quelqu'un d'autre. Oui, il suffit d'un infime décalage pour que le familier devienne étrange, que le « presque vrai » devienne « entièrement faux ».

Au premier abord, le Visiteur offrait un visage tout à fait avenant. Il me fixait de son regard brillant qui m'hypnotisait. A mesure que la fièvre me gagnait, je m'enfonçais dans un gouffre noir. Du fond du gouffre, je ne voyais qu'une seule lueur là-haut : le regard de l'autre. Sous peine de mourir asphyxié, je grimpais vers la lueur. Ce faisant, mes mains, mes bras, ma poitrine, mes jambes s'accrochaient sur la paroi rugueuse du gouffre, toute hérissée, semble-t-il, de bambous acérés qui m'arrachaient des morceaux de chair. Ainsi, en ma chair, je revivais la douleur insoutenable du bandit qui nettoyait sa plaie au couteau. Pour m'aider un peu à surmonter cette douleur, je me cramponnais à l'idée que je me montrais, pour une fois au moins, « héroïque ». Que pour une fois au moins il m'était donné de connaître ce dont était capable la figure légendaire du bandit, d'éprouver une de ces souffrances qu'un homme arrive à s'infliger à lui-même et qu'il arrive, à plus forte raison, à faire subir aux autres. Je reprenais courage à l'approche du bord du gouffre, encouragé par le regard de plus en plus brillant de celui qui était là-haut, regard illuminé à présent d'un sourire à peine contenu. Je voyais enfin l'autre esquisser un geste pour m'attraper.

Malheureusement, son geste manquait de précision ou de détermination. Voilà que mes doigts glissaient entre les mains tendues et que mon corps meurtri tombait à nouveau dans le trou noir. N'était la lumière qui continuait à m'attirer là-haut, je n'aurais jamais eu la volonté de refaire le parcours infernal.

Le jour suivant, le corps criblé de plaies, j'attendais avec encore plus de frayeur l'heure de la crise. La venue du Visiteur était donc accueillie avec gratitude. Je le recevais à nouveau comme un sauveur. C'était bien en me concentrant sur son regard étincelant que je réussissais à puiser en moi les ressources nécessaires pour effectuer la remontée. Mais une fois de plus, le Visiteur, malgré son apparente bonne volonté, se montrait peu précis dans son geste de secours. Et, une fois de plus, j'étais acculé à refaire le parcours au prix d'une inimaginable souffrance.

Au bout de quelques jours de cette véritable plongée en enfer, le corps du supplicié n'était plus qu'un squelette sur lequel pendaient quelques dérisoires lambeaux de chair, aussi ridicule que la bannière effilochée d'une armée qui a fait toutes les campagnes. J'étais réduit à cet état pitoyable où plus rien n'avait d'importance, ou tout accepter et tout détruire revenait au même. A cet instant, j'eus un sursaut. On se jouait de moi ! Qui, « on » ? Mais, le Visiteur ! Durant tous ces jours, il se repaissait de ma souffrance. Si, chaque jour, il faisait semblant de me « sauver », c'était afin de pouvoir renouveler son plaisir le jour suivant. Je décidai alors, ce jour-là, de demeurer au fond du gouffre, de me laisser étouffer ou, s'il me restait un peu de forces, de jouer mon va-tout. J'attendis dans le noir le plus complet. Longtemps, j'attendis, jusqu'à ce que... ô surprise, l'autre, là-haut, s'évanouisse dans la brume.

Qui est-il, l'autre ? Un inconnu malin, à n'en pas douter, venu d'une contrée lointaine, de l'immense Dehors. Pourtant, je le devine, il vient aussi d'un coin caché, jamais fouillé, de mon propre corps. Dans ce cas, qui suis-je ? Est-ce que je suis encore maître de moi-même ? Qu'est-ce que je fais et que puis-je faire sur cette terre ?

En ces jours de complet dénuement et de délaissement total, où même l'odeur de punaise écrasée paraissait amicale, pour la première fois je m'interrogeais. Jusque-là, je n'avais pas à réfléchir, j'étais poussé par les événements : la mort du père, la guerre, l'exode... Il fallait faire des études parce que tout le monde en faisait, parce que ma mère se saignait aux quatre veines pour payer mes études en me répétant que c'était le seul moyen de m'en sortir. A cause des événements, justement, j'étais en retard ; à près de dix-huit ans je traînais encore dans un pseudo-lycée, dans ce vivier sordide. Je ne m'animais vraiment qu'à certains textes littéraires, anciens ou modernes, et bien entendu, au dessin. Même en dessin, que je croyais être mon point fort, le professeur, tout en me reconnaissant des « dons certains » et une « vision très personnelle », me reprochait un « manque de sens des proportions et des perspectives », et se demandait même si je n'avais pas une anomalie à l'œil. Comment ne pas douter alors de mon éventuelle vocation de peintre ? De toute façon, le dessin, on ne peut pas en faire un métier. Je voyais nettement mon destin se profiler à l'horizon : je serais forcément un « bon à rien », et forcément, ma vie, si je vivais, se passerait en marge de tout. Deux vers du poète Du Fu, récemment appris, me vinrent à l'esprit :

Quand je chante, je le sais, dieux et démons sont
présents ;
Qu'importe si, mourant de faim, mon cadavre comble
un ravin.

Après tout ce que je venais de vivre, je fus certain que, moi aussi, je devais passer par l'extrême dénuement, par le Terrible. A cette idée du Terrible, un fond d'obstination et de révolte remonta en moi. Mais quoi, céder au chantage de l'insoutenable douleur ? Or, toute douleur cessera avec la mort. Et moi, j'ai commerce avec la mort ou, plutôt, avec les morts. Si, comme tout un chacun, mon corps se raidissait à la pensée de la mort, j'étais intimement convaincu, dans le même temps, que je serais protégé par les morts.

Le plus curieux fut qu'à partir du moment où j'acceptai d'être le « bon à rien », de payer le prix pour être ce « bon à rien », je me sentis subitement libéré de cette envie de mourir qui, de fait, me taraudait insidieusement depuis le départ de l'Amante. Fièvre et frissons s'estompèrent, un surcroît de désir me saisit, me murmura à l'oreille de demeurer là, pour *voir* justement.

11

Afin d'améliorer un peu l'ordinaire, pour en faire des remèdes aussi, un petit nombre d'élèves avaient recours, durant un temps, à la chair de serpent et à la viande de chien, lesquelles, selon la croyance traditionnelle, sont de nature fortement *yang*, donc « chaudes », aptes à guérir des maladies « froides » telles que justement la tuberculose ou la malaria.

Quand, par suite d'interdictions, il n'y eut plus de chiens errants à chasser, la violence chez beaucoup s'exerça sur les humains. Les élèves souffraient depuis de longs mois de la disparition d'objets, pompeusement qualifiés « de grande valeur ». A cette époque d'extrême indigence, une paire de chaussures en cuir, un tricot en laine, un pantalon en flanelle, un dictionnaire ou un atlas faisaient partie de cette catégorie. Les dortoirs, de construction rudimentaire, étaient mal protégés contre les vols commis par des étrangers. Un jour, on réussit à surprendre un voleur en train d'opérer. L'alerte donnée, ce fut la chasse à l'homme. Une scène saugrenue, sinon comique, s'offrit à la vue d'un spectateur qui ignorait tout de l'affaire : sur un étroit sentier bordé de rizières, un homme seul courait à perdre haleine, traînant assez loin derrière, comme une comète, une longue queue composée d'une cinquantaine de personnes qui couraient, également hors d'haleine. Ce dragon ondulant rampa sur l'horizon de la campagne pendant un bon moment. Alors que l'énergie qui animait la queue se rechargeait sans cesse, celle qui soutenait la tête s'épuisait. Bientôt la tête disparut, dévorée par l'interminable queue qu'elle avait imprudemment engendrée.

A l'insu des autorités du lycée, on organisa nuitamment un tribunal pour juger le voleur. Dans une atmosphère tendue, sous les regards menaçants, le voleur, déjà pas mal amoché lors de son arrestation, passa aux aveux, assumant tous les vols dont on l'accusait, alors que de toute évidence il n'en était pas le seul responsable. Il expliqua avec complaisance, d'une voix tremblotante, quand et comment il opérait. Comme il était dans l'impossibilité de restituer les objets volés, depuis longtemps vendus, on lui infligea un châtiment corporel. On lui attacha les deux poignets avec une corde et on le suspendit à une poutre ; on prit soin de poser un appui en bas que le condamné ne pouvait toucher que de la pointe des pieds. On forma en hâte une équipe de gardes pour le surveiller. Tard dans la nuit, craignant le risque de provoquer sa mort, le pauvre bougre s'asphyxiant de plus en plus, on consentit à le relâcher, non sans lui signifier qu'il subirait le châtiment « suprême » si lui ou ses comparses avaient la mauvaise idée de récidiver. Au cours de ce procès qui préfigurait, d'une certaine manière, le « tribunal du peuple » que la Chine connaîtrait une décennie plus tard, toute une race de justiciers en herbe se révéla. Ce fait vint s'ajouter au phénomène déjà existant des clans, des gangs où les « forts » exercent leur pouvoir sur les « faibles », phénomène dont j'aurai à souffrir un jour.

A côté de cet instinct de brutalité qui se déchaînait

de temps à autre, un autre élément servit d'exutoire à certains : le sexe. Là aussi, les plus âgés, les « initiés », ne se privaient pas d'impressionner et par là d'exploiter les « ignorants », les plus petits. Cela d'abord par le verbe. Dans le dortoir, dans un coin sombre où ils étaient assis en cercle, les grands se complaisaient à raconter, sans négliger aucun détail, leurs expériences sexuelles. Comment ils fréquentaient les bordels. Comment, en été, ils donnaient rendez-vous aux femmes à l'extérieur pour faire l'amour sur des pierres tombales, en précisant que les femmes aimaient ça, car la surface chaude et légèrement rugueuse des pierres ajoutait à leur excitation. Ils s'excitaient de plus en plus eux-mêmes, ivres des images qu'ils suscitaient par leurs minutieuses descriptions, surtout lorsqu'ils voyaient que les petits suspendus à leurs lèvres, l'œil brillant de fièvre, commençaient à haleter. Il n'était pas rare, je crois, que dans la nuit certains de ces derniers, inapaisés, ne se laissent abuser.

Ce genre de « débauchage » ne concernait, certes, qu'un nombre très restreint de personnes. Curieusement, il contribuait à créer une ambiance de vulgarité généralisée. Chacun se croyait tenu d'user d'un langage « sale » à tout propos, d'afficher ses vices et de vanter des exploits le plus souvent inexistants. La déficience physique due à la sous-alimentation retardait l'éveil sexuel chez beaucoup et diminuait le désir chez les plus âgés. Néanmoins, une sourde excitation était là, souvent artificiellement entretenue par un besoin de compensation, toujours exacerbée par l'imagination. Quelques jeunes femmes professeurs, que l'on pouvait contempler à loisir pendant les cours, ouvraient grande la vanne du rêve charnel. Telle la femme du proviseur qui enseignait l'anglais. En dépit d'un visage quelconque, elle était dotée d'un corps à la chair généreuse et ferme, où les parties proéminentes, loin de nuire à la proportion d'ensemble, y contribuaient. Il émanait d'elle, et de son caractère très primesautier, une sensualité candide dont elle ignorait sans doute elle-même les effets. D'aucuns se demandaient d'ailleurs dans quelle mesure le mari, un homme sévère et morose, savait goûter les charmes cachés de son épouse. Les méchantes langues ne se privaient pas de citer à leur propos l'expression populaire : « une pivoine poussée sur une crotte de buffle » ! Les jours d'été, quand elle faisait son cours, vêtue d'une robe chinoise sans manches, quelques garçons, effrontément, se mettaient au premier rang tels des élèves attentifs, guettant les moments où, par un mouvement naturel ou inattendu, elle montrerait davantage ses charmes. Pendant ce temps, le grand maigre, qui ne cachait pas son penchant pour le plaisir solitaire, se mettait, lui, au dernier rang, afin de pouvoir se délecter à son aise. Un jour, remarquant son air absent, éperdu, le professeur lui posa à brûle-pourpoint une question sur le texte étudié. Il ne sut bredouiller que des « euh... euh... ». Toute la classe étouffa de rire. Mais à la question suivante : « Vous planez dans les nuages, alors ? », bien spontanément il répondit : « Oui, oui, je suis dans les nuages ! » Ce fut alors l'hilarité générale, car tous pensèrent à l'expression « nuage-pluie » qui en Chinois signifie métaphoriquement « faire l'amour ». Au milieu des éclats de rire, on entendit pourtant le professeur, qui ignorait tout des dessous, lui faire des compliments pour sa réponse pleine d'à-propos. On étudiait en effet le poème « Les jonquilles » de Wordsworth : « Je plane dans le ciel tel un nuage... »

Concernant le sexe, j'étais plus que troublé. Outre la conscience d'avoir en moi un corps étranger dont les besoins ne semblaient pas être tout à fait les miens, je n'arrivais pas à me faire à la vision « anatomique » ou « bestiale » de la femme qu'on me proposait. Une femme, cet être toujours autre, est-il possible qu'elle soit si banale et qu'on puisse la ramasser en passant ? C'est forcément un objet qu'on doit poursuivre longtemps, et même de loin en loin. Je me rendis compte à quel point j'étais conditionné par l'image de la femme nue que j'avais eu l'occasion de voir. Celle du Louvre, si réelle, si charnelle et pourtant si lointaine, inaccessible ; celle de l'Amante, cet être que j'avais côtoyé de si près mais vu de si loin, image qui m'avait été d'ailleurs brusquement arrachée, sans laisser de trace tangible.

Et puis, il y avait ces images de femmes violées qui revenaient fréquemment me hanter. Je ne pouvais m'empêcher de me figurer l'acte du viol sous ses diverses formes et la jouissance que l'homme pouvait en tirer. Mais à cette pensée dans laquelle je m'attardais venait se mêler un dégoût de soi, quand je sentais brûler le muet reproche venu du regard empli de détresse de ces femmes terrassées par l'humiliation.

Concernant le sexe, donc, j'avais le pressentiment que là aussi j'aurais une vie en marge, que je n'aurais jamais la possibilité de réellement « pénétrer » la femme. Non que je ne fusse, comme tout un chacun, submergé par des vagues de désir, assailli de pensées érotiques, ni que mes nuits moites ne fussent vécues comme une maladie honteuse. Parfois, cependant, une sorte d'exaspération venait s'intercaler entre mon corps et moi-même. Je regardais alors avec un détachement ironique et malgré moi mon érection qui me rappelait ce cheval maigre en saillie que j'avais vu au milieu d'un champ, là, seul, sous le ciel livide, avec son sexe qui pendait comme une jambe inutile, ridicule et pathétique, que rien ne semblait pouvoir satisfaire, véritable emblème de l'impuissance cosmique.

Un jour, dans le petit bourg, non loin du lycée où j'aimais à me rendre pour tromper ma solitude, je me surprends, après le marché, à suivre une paysanne qui porte suspendus aux deux extrémités d'une palanche deux gros paniers vides, maculés encore des plumes des volailles qu'elle vient de vendre. Je ne peux détacher mon regard du balancement rythmé des hanches de la femme, de ses jambes tannées et luisantes, et de ces creux près des chevilles qui semblent jeter des sourires derrière elle à chaque pas qu'elle fait. Bientôt c'est la campagne et on ne voit plus personne alentour. Comme hypnotisé, je continue à la suivre. A un tournant où la route bifurque vers une colline, il y a sur le côté droit un bosquet composé de bambous et d'acacias. Soudain, la femme s'arrête et se retourne en criant : « C'est pas honteux de suivre une femme comme ça ? T'as pas honte ? T'as pas honte ? » Honteux, en effet, je ne sais que la fixer du regard sans pouvoir dire un mot. Je m'apprête à partir comme un chien quand j'entends la femme me héler : « Viens donc, viens ! » Ce disant, elle s'en va derrière les arbres, à l'endroit où le terrain descend vers une berge de sable. Dans un creux tapissé d'herbes et à l'abri de tout regard, d'un geste leste elle défait son pantalon constitué d'une large pièce de tissu. Toujours aussi lestement elle étale le tissu et s'étend dessus. Loin d'être grotesque, le spectacle qui s'offre est des plus ravissants. Au milieu du tissu d'un bleu délavé, ce corps rond, couleur d'ivoire, ressemble à un immense lotus pleinement éclos, entouré de feuilles généreusement déployées. Je cède à l'invite du corps offert. Mais à côté de la nature instinctive de la femme, mes gestes — empêtré que je suis dans mon souci de savoir comment il faut s'y prendre —

sont maladroits et désordonnés. Dans ma précipitation, je vois mon acte, tant de fois imaginé, aboutir
au fiasco. Voici que la femme se rhabille déjà. Le rire
ambigu qu'elle jette derrière elle en partant ajoute à
ma confusion. Je reste planté là, ridicule. Je retrouve
pourtant la femme au marché suivant. Nous renouve-
lons notre expérience au même endroit. Peu à peu,
j'entre dans le rythme de la femme, laquelle pousse
des gémissements et profère des mots d'une totale
innocence et d'une totale obscénité. Ces mots me
fouettent le sang et m'amènent au plaisir.

Un jour, je ne vis plus la femme au marché. J'en
conclus que son mari était guéri. C'était durant la
maladie de celui-ci que, pour le remplacer, elle avait
pu sortir librement.

12

Dans ma classe il y avait un petit gang formé de Sichuanais, tous fils de propriétaires terriens aisés. C'était une bande de fainéants qui n'étaient là que pour tuer le temps, en attendant un hypothétique diplôme. Ce qui les intéressait, c'étaient les arts martiaux qui satisfaisaient leur besoin de puissance. Ils avaient trouvé un souffre-douleur en la personne de Bec de Lièvre, un garçon un peu simple d'esprit. Ce dernier dut se soumettre à leur autorité à cause d'un méfait innocemment commis. Quelques élèves d'une classe supérieure avaient soudoyé un des préposés à la Ronéo pour avoir les sujets d'examen, et ils eurent l'idée d'envoyer Bec de Lièvre chercher la feuille imprimée. Celui-ci, croyant à une simple commission, y était allé bravement. Malheureusement, la fuite fut découverte par les autorités qui changèrent aussitôt les sujets, sans toutefois trouver les coupables. Vivant désormais dans la crainte d'être dénoncé, le pauvre commissionnaire devint l'objet d'un chantage permanent. Il jouait auprès du gang, qui le pliait à ses caprices, le rôle du « nain du roi ». Une fois, pour s'amuser, les membres du gang, à la fin des cours, lui ôtèrent pantalon et culotte et le laissèrent à demi nu dans la salle de classe. Il y serait resté jusqu'au soir, si je ne m'étais pas enhardi à lui apporter un pantalon au grand déplaisir de ses bourreaux. Moi, qui d'ordinaire n'attirais pas beaucoup l'attention, j'eus droit à leurs regards hostiles. Je ne le regrettai pas. Car c'est au cours d'une bagarre collective que je fis la rencontre de Haolang qui me sortit enfin de ma solitude.

Originaire de Mandchourie, Haolang, à dix-neuf ans passés, avait déjà toute une histoire derrière lui. Orphelin de mère, puis de père, il avait été élevé par son oncle. Deux ans avant le début de la guerre, il avait été placé dans une manufacture qui fabriquait des outils de métal, à Tientsin. A la suite d'une dispute avec le contremaître, il avait quitté la manufacture sans savoir où aller au juste. Il s'en était suivi pour lui une série de petits métiers avant qu'il ne versât dans la semi-délinquance. L'adolescent de seize ans qu'il était alors avait tout de même assez de lucidité pour savoir que sa vie n'était pas faite de la seule force brute, qu'un feu sans complaisance le brûlait de l'intérieur. Sur la foi d'une affiche il alla suivre des cours du soir organisés par d'obscurs intellectuels progressistes. C'est là que la guerre, par miracle, est venue le cueillir. Incorporé dans l'un des groupes artistiques « Résistance aux Japonais et salut de la patrie », il connut la vie itinérante et puis celle du front. Faisant partie des « petits », mais entouré d'artistes chevronnés, il découvrit la poésie et se découvrit poète. Malheureusement, à peine deux ans après, les groupes, dominés par les communistes et de plus en plus mal vus du gouvernement, furent dissous. C'est alors qu'il échoua dans ce lycée. Homme du Nord, il était d'une taille plus haute que la moyenne. De teint légèrement foncé, comme coulé dans du bronze, il en imposait par sa seule présence, sombre et tranquille. Après la guerre, regardant un film américain, je fus frappé par la ressemblance de Haolang avec l'acteur Marlon Brando. Lors de la bataille en question, afin de me protéger le ventre sur lequel s'acharnaient mes adversaires, je me courbai en deux et reçus une pluie de coups sur la tête et les épaules. Haolang, passant par-là, intervint et réussit à me dégager. Dans la mêlée, un livre échappé de sa poche tomba sur le sol envahi d'herbes sauvages. Je le ramassai avant de m'éloigner avec mon « sauveur ». En le remettant à ce dernier, je remarquai qu'il s'agissait d'un recueil de poésies portant le titre *Feuilles d'herbes* (de Whitman). Nous avons ri tous deux de bon cœur à cause de la coïncidence entre ce titre et l'endroit où le livre venait d'être ramassé.

Commença alors un échange passionné avec mon nouvel ami, échange que tous deux nous vivions comme des marcheurs du désert devant une oasis soudain offerte. En un premier temps, comme pour rattraper le temps perdu, pour conjurer, une fois pour toutes, le spectre de la solitude, nous ne manquions aucune occasion de nous retrouver. Séchant les cours, négligeant les devoirs, le sommeil, voire le repas — Haolang alla jusqu'à redoubler sa classe délibérément pour être dans la mienne —, nous passions de longues heures à confronter nos expériences vécues, chacun faisant part à l'autre de ses aspirations les plus intimes. Foncièrement poète, épris de littérature, Haolang apporta dans l'échange sa culture déjà vaste, acquise par la lecture. Guidé par lui, je pénétrai dans un royaume dont la splendeur m'éblouit, me bouleversa. Bien plus démuni sur le plan des connaissances, j'apportai néanmoins, me semble-t-il, ma part de lumière. Par ma sensibilité plus secrète, plus « maladive », par mon expérience de peintre aussi, je me sentais plus apte à saisir, par-delà l'apparence des choses, les interstices et les brisures qui se glissent entre elles.

Cette amitié ardemment vécue me fit prendre conscience que la passion de l'amitié, vécue dans des circonstances exceptionnelles, peut être aussi intense que celle de l'amour. Je ne manquai pas de comparer ma rencontre avec Haolang à celle que j'avais eue avec Yumei. Si cette dernière m'avait ému jusqu'à l'extrême racine de mon être, les larmes de nostalgie ou de gratitude qu'elle avait suscitées étaient pareilles à une source jaillie d'une terre native, pleine d'une douceur confiante. A travers le regard de l'Amante, tous les éléments qui composent l'univers se sont révélés sensibles, reliés par une lumière diffuse, mais unique et par là unifiante. La rencontre avec mon ami, en revanche, fut une véritable irruption qui provoquait en moi de violentes secousses, m'entraînant vers l'inconnu, vers de continuels dépassements. L'attirance physique, confusément ressentie, n'était pas dans l'urgence de nos soif et faim l'aimant principal. Ce que l'autre ouvrit devant moi était un univers insoupçonné, insondable, celui de l'esprit. A côté de la nature brute, il y a donc une autre réalité, celle des signes. Les paroles exaltées du jeune poète, ainsi que ses écrits m'ont fait comprendre qu'à l'homme qui pense et crée tout demeure non clos mais infiniment ouvert. En compagnie de l'Ami, mon être littéralement éclaté avançait désormais vers un horizon lui aussi éclaté.

Haolang connaissait aussi bien la littérature chinoise classique que moderne. Par ailleurs, il était entré en relation avec un groupe de jeunes poètes qui, venant après la génération des poètes de Juillet découverts et promus par Hu Feng, commençaient à s'affirmer du côté de Kunming, capitale de la province du Yunnan où avaient été transférées plusieurs universités prestigieuses. Notamment avec Mu Dan qu'il estimait le meilleur. Je n'ignorais pas cette littérature moderne pour en avoir lu les grands auteurs, à commencer bien sûr par Lu Xun. Grâce à mon ami, j'appris à connaître d'autres œuvres moins connues qui exploraient la réalité chinoise comme une mine décidément inépuisable de rêves et de tragédies. Néanmoins, ayant un penchant pour des interrogations plus radicales ou des révélations plus « renversantes », je demeurais insatisfait de ces descriptions qui répétaient à satiété les faits d'injustices subies et de destins contrariés. Je savais déjà que l'âme humaine recelait de terribles passions devant lesquelles le langage littéraire se montrait jusqu'ici trop timoré.

De son côté, au moment où je fis sa connaissance, Haolang voyait son intérêt se porter ailleurs. Il dévorait systématiquement tout ce qui paraissait concernant la littérature occidentale. D'autant plus que l'époque y était particulièrement propice. Il est vrai que la littérature occidentale n'était nullement inconnue en Chine. Dès les années vingt et tout au long des années trente, on avait abondamment traduit, « à tour de bras » pour ainsi dire, dans un grand désordre, et de manière inégale ; car beaucoup le faisaient non à partir de l'original mais de versions anglaises ou japonaises. Toutefois, le mouvement était lancé. En 1925, Lu Xun, avec tout le poids de son autorité, ne conseillait-il pas à un jeune lecteur de lire résolument « le moins possible de livres chinois et le plus possible de livres étrangers ». Durant les années quarante, ces années de bouleversement et d'intense besoin d'ouverture, les conditions favorables furent mieux réunies pour l'introduction de la littérature qui venait d'ailleurs. Il y eut, du fait de la guerre, une concentration massive d'intellectuels et d'éditeurs dans les grandes villes du Sud-Ouest, Tchoungking, Kunming, Guiyang, Guilin, etc. Il y eut aussi le fait qu'en raison de la censure de plus en plus sévère sur le plan politique et de l'épuisement momentané de l'énergie créatrice, de nombreux écrivains s'adonnaient aux activités de traduction, encouragés en cela par la présence active des représentants des pays alliés, les Russes et les Anglais d'abord, puis les Américains qui arrivèrent avec, outre des tonnes de matériels et de denrées, leurs riches collections de livres de poche.

Nous nous jetions sur tout ce qui paraissait, poésie et romans, pièces de théâtre et essais, sans négliger aucun auteur, y compris ceux de l'Europe du Nord et de l'Europe centrale. A ce moment-là, j'étais à dix mille lieues de penser que j'aurais plus tard un lien particulier avec la France. Pourtant, deux écrivains français de ce siècle allaient exercer une influence décisive sur nous, comme sur toute la jeunesse chinoise : Romain Rolland et Gide. Ils s'étaient imposés grâce à deux traducteurs hors pair, Fu Lei et Sheng Chenghua, tous deux ayant fait des études en France et entretenu des relations avec ces auteurs. Ah, le mystère du langage humain ! Ceux qui affirment que les cultures sont irréductibles les unes aux autres s'étonnent-ils jamais assez qu'une parole particulière, à partir du lieu d'où elle est issue, arrive tout de même à franchir les entraves et atteigne l'autre bout du monde, pour y être comprise. Plus la parole est porteuse de vérité humaine, plus rapidement elle est comprise. A cet autre bout du monde, ne nous a-t-il pas suffi d'ouvrir l'un de ces livres imprimés sur papier rudimentaire, pour qu'aussitôt nous nous immergions dans un univers autre, bientôt familier ? Nous vivions alors dans le dénuement le plus total. Il y avait les maladies. Il y avait les bombardements.

Notre vie ne tenait qu'à un fil. Combien pourtant elle était, par l'imagination, imprégnée de saveur. Les jours ensoleillés, invariablement, amenaient l'alerte. Le vrombissement des avions ennemis fonçant vers la capitale semait au passage la mort. Nous n'en avions cure. Tous cours cessant, nous nous réfugiions près des abris creusés à flanc de montagne. C'était l'aubaine pour nous. De longues heures durant, dans la senteur de l'humus et des résines, nous laissions la brise feuilletter les livres que nous tenions dans la main. Nous étions en compagnie de Jean-Christophe, de Prométhée, de l'Enfant prodigue. Nous nous repaissions des *Nourritures terrestres*. Ces œuvres sont-elles le sommet de la littérature ? Cette question nous importait peu. Elles avaient su nous parler directement. L'histoire tumultueuse de Jean-Christophe qui cherche à s'accomplir à travers trois cultures, allemande, française et italienne, avec tous les drames qu'elle comporte nous inspirait, à un moment où nous tous, nous aspirions aux métamorphoses. Nous savions qu'au point où était parvenue la culture chinoise, après son long dialogue avec l'Inde et l'Islam, l'Occident était l'interlocuteur plus qu'essentiel, incontournable. Gide, lui, parle à un Chinois comme ce fils prodigue de retour qui se confie à son jeune frère. Il l'exhorte à puiser en lui-même ses propres ressources, à retrouver la ferveur, à élargir le champ de son désir, à oser s'affranchir de la contrainte forgée par la tradition familiale et sociale, ce dont souffrait justement tout Chinois épris d'idéal dans ce vieux pays en décadence.

Ce vieux pays, pour se sortir de là, devra passer, hélas ! par bien des soubresauts et des tourments. Aucun des deux traducteurs émérites n'atteindra l'âge de celui qui avait dit : « J'ai résolu d'être heureux », ni de celui qui avait prôné la « tardive sérénité d'un héros ». A peine un quart de siècle plus tard, lors de la Révolution culturelle, lorsque la campagne féroce contre la tendance bourgeoise occidentale battra son plein, Fu Lei verra tous ses livres et manuscrits dispersés ou brûlés devant lui. Sa maison ayant été perquisitionnée, lui et sa femme seront contraints de vivre dans une seule pièce étroite. Devenu « ennemi du peuple », il sera traîné nuit et jour devant les Gardes rouges pour subir d'interminables interrogatoires et sévices physiques. Finalement le couple décidera de mourir ensemble pour ne pas laisser de survivant. De son côté, Sheng Chenghua sera envoyé dans un camp de travail. En dépit d'une santé déficiente, il sera astreint à tous les travaux. D'abord à ceux de la construction même du camp, ensuite à ceux des champs, où à longueur de journée il aura les jambes enfoncées dans l'eau boueuse des rizières, sans protection aucune contre les insectes qui attaqueront son corps de soixante ans brutalement exposé. Un jour, sous un soleil de feu, il s'affaissera en plein champ et enfouira sa tête dans l'eau, sans un mot.

13

Appel de l'Occident. Ou plus exactement de l'Europe. Malgré l'atroce drame qui s'y passait, on ne pouvait s'empêcher de l'idéaliser, d'y voir un sol « béni des dieux ». On se familiarisait avec le Rhin et le Danube, les Alpes et les Pyrénées. Et le seul nom de Méditerranée suffisait à faire résonner toute une charge de mythes et de légendes. Oui, au « parfum exotique » de Baudelaire, on ne songeait pas à quelque île des tropiques mais bien à l'extrémité occidentale du vieux continent Eurasie. Ce mot magique éveillait alors dans ma mémoire toute une suite de sensations premières, que j'avais éprouvées à l'époque où, enfant encore, j'habitais au mont Lu, cette montagne « colonisée » par les missionnaires occidentaux. Tout ce passé resurgissait, infiniment présent.

Entre tous les parfums, inaugural en quelque sorte, le parfum du livre. Celui qui m'avait marqué lorsque le missionnaire anglais avait ouvert son coffre en bois sombre, un coffre long et bas qui bordait le mur de son salon et dont le couvercle plat recouvert de coussins servait de siège. Odeur rendue plus présente par celle du bois de santal du coffre, de ces briques de papier ayant traversé les océans, patinées par le temps et légèrement moisies. À la demande du missionnaire, mon père venait, ce jour-là, lui livrer quelques calligraphies de sentences parallèles de circonstance en vue d'une fête paroissiale. En attendant que mon père traduise et explique longuement les formules proposées, j'avais tout le loisir de plonger dans l'univers fascinant de ces livres dont les textes en lignes horizontales étaient parsemés d'images aux couleurs vives. Certaines d'entre elles représentaient des personnages qui terrifiaient presque par leur aspect « diaboliquement » réaliste — un réalisme que la peinture chinoise avait depuis toujours refusé ; on évitait de les toucher du doigt de peur qu'ils ne sortent du livre...

Mais, plus que le contenu qui m'échappait totalement, c'était la matérialité même des livres qui d'emblée me frappait. Ces volumes de taille si variable, qui pesaient dans la main et qui faisaient sentir toute la solidité de leur corps, contrastaient singulièrement avec le livre chinois fait de papier fin, quasi translucide, si souple et si léger, irradiant de l'encre ancienne au reflet irisé et qui distillait encore ce parfum indéfinissable, mélange d'herbe fraîche et de branches séchées. Si le livre chinois relève du végétal, le livre occidental, à mes yeux, relève soit du minéral, soit de l'animal. Certains ouvrages à couverture de carton épais et à papier dur, dont la blancheur était rompue quelquefois par d'anciennes taches auréolées aux teintes brunâtres, me faisaient penser à des « pierres de rêve » (pierres de marbre ou de jade dont les veines tortueuses évoquent des paysages imaginaires), des pierres d'une espèce magique qu'on pouvait, feuille à feuille, ouvrir à son gré. D'autres, à couverture de peau, étaient relativement plus souples, néanmoins résistantes, voire rugueuses au toucher.

On aurait cru caresser le pelage d'une bête qui sent le musc : un daim ou un sanglier.

Alors, comme naturellement, dans mon souvenir, à l'odeur du livre venait se mêler celle du corps des Occidentaux. Celle qui alerte la narine de tout Chinois lorsqu'il croise, dans une de ces rues étroites des villes chinoises, des Occidentaux, seuls ou en groupes. C'est une odeur difficile à définir (que les Occidentaux eux-mêmes ignorent et qu'on ne sent plus pour peu qu'on vive parmi eux), qui tient essentiellement au laitage. Malgré l'expression dont certains Chinois usent pour la qualifier : « Ça sent le lait », il n'y entre pas nécessairement de nuance péjorative mais avant tout une constatation physiologique. Cette vieille race d'agriculteurs, éleveurs de porcs et de volailles, a depuis toujours ignoré le lait animal. L'enfant chinois, à part le lait maternel, ne connaît que le lait de soja. Aussi, lorsqu'un Chinois goûte pour la première fois le lait de vache ou de chèvre, ne manque-t-il pas d'avoir un haut-le-cœur, voire une envie de vomir. Quant à moi, l'odeur du corps occidental liée à celle du lait, loin de m'incommoder, suscitait en moi une sorte de connivence. Car j'en avais eu la primeur un matin d'été radieux, sur un sentier du mont Lu, en croisant un groupe de jeunes femmes aux épaules nues — incarnation vivante des images des nus du Louvre —, qui allaient se baigner dans un petit lac au pied d'une cascade.

Vers la même époque, mon père, pour vendre ses plantes médicinales et en acheter d'autres, m'emmenait souvent à Guling, cette colline en pente douce qui se trouve au cœur du mont Lu, entièrement aménagée et environnée de villas et de jardins. Sur la grand'rue s'élevaient de nombreux bâtiments administratifs, hôtels, restaurants et boutiques tant chinoises qu'occidentales. Un jour, passant devant une boutique, je fus littéralement « terrassé » par les effluves enivrants qui s'échappaient du soupirail. Sur le moment, ignorant en la matière, j'étais bien incapable de distinguer l'odeur du beurre de celle de la vanille, le parfum de la crème de celui de la mousse au chocolat. Je reconnaissais seulement, à travers les effluves, l'élément de fond qui me faisait une fois de plus palpiter : le lait. La façade claire et rutilante de la boutique me le confirma ; c'était une pâtisserie occidentale nouvellement ouverte. Les fois suivantes, pendant que mon père traitait avec les pharmaciens chinois, invariablement, j'allais me poster devant le soupirail. Moment de pur ravissement pour. moi ! Enveloppé de la chaude odeur retrouvée, je n'étais plus qu'yeux face aux choses lumineuses exposées dans les vitrines. Comment ne pas être dépaysé ? Comment ne pas voir la différence entre ce à quoi j'étais habitué et ce qui est autre, et qui avivait mon désir ? La couleur par exemple. Les pâtisseries chinoises, à base de céréales ou de légumes, ont en général une surface mate, aux tons pastels. Certaines, cuites à la vapeur, conservent même la couleur écrue de la farine utilisée. Frits à l'huile de sésame ou au saindoux, d'autres gâteaux et galettes, croquants, se recouvrent d'une croûte d'un brun très foncé comme s'ils étaient grillés avec de la sauce de soja. Les pâtisseries occidentales, telles qu'elles sont présentées dans les vitrines, si elles comportent aussi des gâteaux aux tons pastels, frappent surtout par leur éclat doré, aux nuances parfois somptueuses que seuls peuvent donner, il faut croire, le lait, le beurre ou la crème sous l'effet de la cuisson. Il existe également des gâteaux couverts de fruits aux couleurs vives. La forme tendre et arrondie des fruits contraste harmonieusement avec les barquettes bien moulées ou découpées dans lesquelles ils sont posés. Oui, la forme même des pâtisseries occidentales, c'est autre chose qu'elle évoque. A la forme souple, dodue, comme ayant poussé naturellement, des gâteaux chinois s'opposent ici des pièces aux contours nets, géométriques, miniatures de quelque ouvrage sculpté ou de quelque construction architecturale. Et à travers les jeunes femmes qui servaient à l'intérieur, dont la naissance des seins séparés par un délicat sillon semblait être une réplique de ces petits pains blonds légèrement fendus au cœur, je finis par constater combien ces pâtisseries étaient en accord avec leur corps, avec les teintes de leurs cheveux et de leurs yeux, avec leur peau laiteuse virant vers le rose et imperceptiblement veinée de bleu. Il n'était pas jusqu'à leur ossature charpentée et angulaire qui ne trouvât son écho dans ces produits appétissants. On aurait dit que les Occidentaux, inventeurs de ces gâteaux, se projetaient en plein dedans, qu'ils y cherchaient le reflet exact de leur image. Ils n'avaient de cesse en quelque sorte de manger et de savourer leur propre image.

En manger, ce n'était certes pas l'envie qui me manquait. Durant toute cette période, je fus littéralement hanté par le mot « lait », par les expressions composées avec ce mot en chinois : « chambre à lait » pour désigner le sein de la femme, « huile de lait » pour le beurre, etc. Je venais justement de lire, dans une revue pour les enfants, l'histoire d'un homme devenu invisible. M'imaginant à mon tour devenu invisible, je n'avais qu'une idée, celle de pénétrer nuitamment dans la pâtisserie. Tout à mon aise, je regarderais, dans une pièce illuminée, le lait couler en jet continu depuis les mamelles gonflées de ces jeunes femmes jusqu'aux coupes de cristal. Puis, pendant qu'avec ce lait elles préparaient de nouvelles pâtisseries, je serais allé dans le magasin goûter, un à un, et sans hâte aucune, toute la variété des gâteaux exposés là... Cette envie qui me taraudait ne put échapper longtemps à mon père. Lui qui, toujours mal vêtu, n'entrait jamais dans une boutique « chic », décida, un jour qu'il avait bien vendu ses plantes, d'acheter à son fils un gâteau parmi les moins chers. C'était un cornet fourré de crème pâtissière. Avec quelle gratitude je reçus le présent. Avec quelle avidité précautionneuse ma bouche en épousa la rondeur conique, mes dents croquèrent la croûte friable, avant que ma langue ne fonde enfin dans le moelleux de la crème tant rêvée ! La saveur exotique que j'éprouvais, je n'aurais su la définir avec les mots de ma langue maternelle qui n'avait pas prévu cela ; néanmoins, j'eus la satisfaction de découvrir que cette saveur, de fait, était conforme à ce que j'avais intensément imaginé. En somme, la satisfaction de tout désir est dans le désir lui-même. Maintenant, parvenu à l'âge de dix-neuf ans, je n'avais plus la fraîcheur d'âme de mon enfance, mais cette expérience, anodine, de mon premier contact avec l'Occident m'avait préparé à accueillir tout ce qui venait de plus loin.

Un jour, pour exprimer la terre qui m'a nourri, je serai peintre ; inévitablement je rencontrerai la peinture occidentale. Je saurai entrer dans l'intimité d'un Gauguin et d'un Monet, d'un Rembrandt et d'un Vermeer, d'un Giorgione et d'un Tintoret, tous ces grands maîtres qui ont exalté la forme par la couleur. Je comprendrai — avec la curieuse impression d'avoir depuis longtemps compris — que là où l'extrême Orient, par réductions successives, cherche à atteindre l'essence insipide où l'intime de soi rejoint l'intime de l'univers, l'extrême Occident, par surabondance physique, exalte la matière, glorifie le visible et, ce faisant, glorifie son propre rêve le plus secret et le plus fou.

14

Les œuvres de Romain Rolland et de Gide, *Jean Christophe, La Vie de Beethoven, La Symphonie pastorale*,... avaient aiguisé chez nous l'envie d'entendre de la musique classique occidentale. Si la littérature et la peinture nous étaient plus ou moins accessibles par la traduction et la reproduction, la musique nous demeurait quasiment inconnue, à part celle glanée par-ci par-là au hasard de films américains ou de vieux disques. La fièvre nous saisit à la vue d'une banale affiche annonçant un concert symphonique — où figurait justement *La Symphonie pastorale* — au Conservatoire national qui se trouvait dans une ville à plus de trente kilomètres de distance. Il nous fallut marcher un jour entier pour l'atteindre. Arrivés le soir, nous demandâmes l'hospitalité au Conservatoire. On nous accorda de dormir sur les tables dans une salle de classe, le concert ayant lieu le lendemain, le dimanche dans l'après-midi.

Ce premier concert de notre vie fut d'autant plus mémorable qu'il fut marqué par l'intrusion inopinée — ou miraculeusement opportune — du Dehors. Au milieu du troisième mouvement de *La Symphonie pastorale*, couvrant les sons des timbales qui faisaient tonner l'orage, retentit la sirène de l'alerte. Le chef n'interrompit pas l'exécution, car la première alerte devait être suivie d'une seconde qui annonçait l'arrivée imminente des avions japonais. Finalement, entre les deux alertes, les auditeurs eurent le temps de suivre le troisième mouvement jusqu'au bout, puis de gagner les abris en bon ordre. Quand deux heures plus tard le concert reprit, ce fut dans un intense recueillement, teinté de sourires de joie, que tout le monde communia avec le chant apaisé du quatrième mouvement.

Après le concert, munis d'une lanterne, nous marchâmes toute la nuit pour revenir au lycée. De toute façon, il n'était plus question pour nous de sommeil, tant nous étions exaltés. La musique chinoise, retenue et confidentielle, souvent plaintive, ne nous avait guère habitués à ce chant aux accents si souverains, si conquérants. Celui-ci n'accompagne pas la nature ; il en déchire la peau, en transperce la chair pour en devenir la pulsation même. Ce que cette symphonie évoque, ce sont certes les champs de blé et les pâturages de la lointaine Europe. Comme elle était proche cependant du battement de cœur de ces deux marcheurs perdus dans la nuit de Chine ! Répondant à nos pas cadencés, les rizières en terrasses, inondées de lune, bruyantes de coassements de grenouilles, semblaient s'élargir de rond en rond dans un formidable déploiement rythmique. A l'homme enfin éveillé, toute terre, aussi vieille soit-elle, ne se fait-elle pas éternellement vierge ?

Il fallut attendre plusieurs mois pour que fût annoncé un deuxième concert, par un orchestre américain avec un soliste chinois. Sous aucun prétexte nous n'aurions voulu le manquer. Le programme se composait de deux œuvres de Dvorak : le *Concerto pour violoncelle* et la *Symphonie du Nouveau Monde*. Dès les premières notes du concerto, la magie que distillait l'orchestre agit. La fois précédente, j'étais impressionné ; je me laissais emporter par la musique de Beethoven. Cette fois-ci, j'étais atteint au plus intime, « au creux des entrailles ». Lorsque commença le mouvement lent, une main amicale vint me prendre et m'entraîna dans cette mélodie qui s'élevait, qui s'exaltait à devenir autre chose, mais qui sans cesse revenait à elle-même, chaque fois par des détours différents. Curieusement, cette musique si lointaine, si « étrangère », me fut d'emblée proche, aussi proche que certains morceaux chinois anciens. Si différence il y avait, c'était sans doute que dans le mouvement lent qui se jouait là, avant chaque retour du motif, il y avait comme un terrible arrachement, une plainte inconsolable. Et cette idée de l'arrachement et du retour fit naître en moi l'image d'un voyageur qui retourne au pays après une longue absence, telle qu'elle est maintes fois décrite dans la poésie chinoise. A mesure que le voyageur approche du village, ses pas se font plus lourds, saisi qu'il est par la crainte de ce qu'il va trouver : un accident ou un décès survenu à la maison pendant son absence. Pour peu qu'il croise quelqu'un venant du village et que celui-ci le rassure spontanément, voilà que ses pas s'allègent, deviennent aériens. Il se sent chargé d'un pouvoir souverain, puisque c'est lui qu'on attend, c'est à lui à présent d'apporter le réconfort à ceux qui sont restés au pays et qui ignorent tout de son aventure... Tant que durait la mélodie, le pays natal semblait être à portée. L'écoutant, je me laissais porter par la vague d'émotion, celle qui me faisait sentir que d'un instant à l'autre j'allais retrouver les êtres chers qui m'attendaient : ma mère, ma sœur, l'Amante...

Pendant le concert je fus fasciné par le musicien et son instrument. C'était la première fois que je voyais un violoncelle. Je fus d'emblée frappé par la disproportion entre cet instrument à la dimension imposante et le soliste, un jeune Chinois pâle et malingre — mal nourri comme tous les jeunes Chinois à l'époque —, de taille apparemment insuffisante pour le dominer. Quand il commença à jouer, il donnait à son jeu tant d'ardeur qu'on ne remarquait plus ce qu'il pouvait y avoir de dysharmonie, tout comme un sorcier en transes dont les gestes même disgracieux étaient perçus comme naturels voire indispensables. Après un corps à corps pathétique au cours duquel il serrait de ses jambes et entourait de son bras droit le corps bombé de l'instrument, le violentait et le caressait tour à tour, il finissait par faire corps avec cet être si mystérieux qu'est le violoncelle, aussi attirant qu'impénétrable. Au point d'ailleurs qu'on craignait à présent que le joueur ne puisse plus s'en détacher. Cette crainte était accentuée par le fait que le thème de la mélodie revenait toujours. Un instant, je me suis demandé si l'interprète n'avait pas oublié la partition, captif de son jeu et contraint de le prolonger. Mais comme l'orchestre continuait impertubablement, je fus rassuré. Dans la lumière dorée de cette fin d'après-midi, je regardais, halluciné, ce bloc vivant, là sur la scène, bloc composé de deux êtres solidaires et hostiles, impliqués dans un va-et-vient interne où misère et élévation, douleur et extase se faisaient face puis s'entremêlaient.

Comme décidément le thème revenait une fois encore, je me berçai soudain de la folle illusion que cela ne s'arrêterait plus et que je m'enfoncerais définitivement dans le terroir matriciel où étaient réunies les présences féminines. Mais déjà le mouvement prenait fin. Arrachement soudain, tel que je l'avais connu lors du départ sans adieu de l'Amante. Et ce même goût de larmes et de cendres qui m'étranglait, sauf que cette fois-ci je me sentais peut-être moins seul, à cause de la présence de l'Ami à côté de moi, et de cette nouvelle conviction germée en moi. Je me surpris à murmurer aux êtres chers qui peu à peu s'éloignaient de ma vue : « Tout est perdu, tout est retrouvé. Je n'arrive pas à vous toucher, mais je vous rejoindrai autrement. Autrement nous serons. Oui, je n'oublierai pas la promesse faite ce soir, ce soir du 30 mai 1943. »

Cette nuit-là, sur le chemin du retour, pour la première fois et longuement je parlai de l'Amante à l'Ami. Avec une telle acuité qu'elle semblait être là et cheminer à nos côtés. Depuis notre rencontre, tout à notre passion d'amitié et de découverte, nous n'avions guère eu le loisir d'aborder la question de la femme. Je savais seulement que sur ce chapitre Haolang avait des expériences complexes. Notamment durant la période où il vivait au sein du groupe artistique Résistance aux Japonais et salut de la patrie, où les jeunes avaient des mœurs libres. Au lycée, il eut deux ou trois conquêtes faciles et décevantes. Moi au contraire, j'étais pauvre en expérience, mais fertile en imagination. Grâce à la marche nocturne, je pus aller très loin dans mes confidences. Parmi les échos que fit mon ami poète à mon récit, je retins, gravé dans ma mémoire, celui-ci : « C'est merveille de voir que cette vieille terre dégénérée est encore capable d'engendrer des figures comme celle-là ! C'est peut-être juste ce que pensait un Dante, ou un Goethe : nous serons sauvés par la Femme. »

15

La musique de Dvorak, originaire d'Europe centrale, avait pour effet de rendre moins lointain l'Occident extrême, en sorte que la terre russe paraissait
presque proche. Cette terre plus que jamais actuelle
du fait des batailles décisives qui s'y déroulaient.
Avec ferveur, nous nous replongions dans la littérature russe que nous connaissions déjà un peu pour
avoir lu des traductions des années vingt et trente.
En ces années quarante, de nouvelles traductions, de
meilleure qualité, paraissaient les unes après les
autres. En lisant ces œuvres, nous faisions nôtre le
destin d'un pays si chargé de chaînes et de désirs de
délivrance, de tourments et de rêves. Nous apprenions
à aimer l'immense espace si marqué par des saisons
désolées ou ardentes. Nous aimions jusqu'à cette
Sibérie, terre des damnés, et qu'un Tolstoï aurait
voulu lieu de résurrection. Là où nous étions, dans
l'argile chaude de ce fin fond de la Chine, nous pen-
sions avec une incroyable nostalgie à cette contrée
extrême peuplée de tant de personnages aimés, sans
savoir qu'un jour nous nous trouverions à ses confins,
séparés d'elle seulement par un fleuve.

Pour l'heure, les questions en cascade, provoquées
par l'expression « âme russe » ou « âme slave » que

se plaisait à utiliser Dostoïevski, venaient effleurer nos esprits. « Qui sommes-nous ? Quel est ce pays trop vieux et moribond qu'on appelle la Chine ? Où est son âme ? Quel est son destin ? Et quelle est notre propre voie de création ? A force de tourner le regard ailleurs, n'allons-nous pas nous égarer ? A moins que nous ne soyons déjà perdus, et perdues avec nous toute voix intérieure et toute valeur authentique ? » Ces questions me troublaient moins que mon ami, enclin que j'étais à croire à l'aventure de l'âme singulière et à l'errance. Lui qui avait le souci de renouveler le langage poétique se sentait plus concerné. Après quelques jours de réflexion, il fit part de sa position sur un ton ferme : « Non, il n'y a pas trop à tergiverser. Moi, je me range résolument du côté de Lu Xun. L'âme, on l'a ou on ne l'a pas. Si on l'a, on ne la perdra pas. Ou alors, c'est au moment où nous nous avisons de la chercher que nous la perdons. Si nous devons renaître, nous renaîtrons. Si nous devons disparaître, acceptons de devenir cendres, d'où naîtra peut-être quelque chose d'autre que nous ignorons. Pour le moment, le salut vient d'ailleurs, de l'étranger. Et en premier lieu, de l'Occident. C'est là qu'ont été formulées des interrogations et accomplies des créations que nous n'avons pas faites et que nous ne pouvons pas contourner. Attention, ce n'est pas l'Occident en tant que tel que nous prendrons aveuglément comme modèle. Ce rationalisme à outrance et cette volonté de puissance qui dans leur forme exagérée isolent l'homme occidental de l'univers vivant et du reste du monde conçu uniquement comme objet de conquête, nous en avons souffert dans notre chair, par toutes ces guerres désastreuses et ces occupations asphyxiantes depuis plus d'un siècle, qui nous sont imposées sans répit. Et eux-mêmes quand, ayant soumis le monde entier, ils n'ont plus d'autres conquêtes à faire, ou quand leurs propres intérêts sont en jeu, ils s'entre-déchirent furieusement. Regarde comme cette belle Europe est transformée en ce moment en un champ de ruines ! Moi, je parle des vrais créateurs, de ceux qui tentent justement de dévoiler le vrai. Leurs cris ou leurs chants, dans la liberté conquise, proprement inouïs pour nous, déchirent notre horizon. Oui, il faut bien cet extrême autre pour nous secouer, pour nous arracher à la partie dégénérée, pourrie, de nos racines. Sans la fécondation de sang nouveau, de lumières nouvelles, comment veux-tu que nous accédions à l'authentique vie, qui seule en réalité nous permettra de repérer avec discernement, dans tout le fatras de notre héritage, les valeurs qu'il faut garder ? Curieusement d'ailleurs, c'est bien après avoir lu toutes ces œuvres occidentales que je commence à y voir plus clair dans notre propre culture. J'y distingue une centaine de grands créateurs, irréductibles, indispensables, que nous n'abandonnerons jamais. Tu me diras qu'une culture vieille de cinq mille, ce n'est pas beaucoup. Cela suffit pour se forger une âme, si âme il y a. » Puis, comme pour rompre le ton trop solennel de son discours, il sourit, esquissa du bras un geste en l'air et dit : « Tant que nous pratiquerons tous les jours le Tai-chi-chuan, nous ne nous perdrons pas. Comme dit le maître : "Au centre du Grand Vide, nous saurons capter le souffle qui relie Ciel et Terre, ici et ailleurs, et pourquoi pas, passé et futur." »

Le lendemain de sa déclaration, le poète inspiré me montra les vers qu'il venait de composer :

> *Quand te submerge la nostalgie*
> *Repousse-la vers l'horizon extrême*
> *Oie sauvage fendant les nuages*
> *Tu portes en toi la morte-saison*
> *Roseaux gelés arbres calcinés*

Ployés en bas sous l'ouragan
Oie sauvage délivrée des haltes
Libre enfin de voler, ou mourir...
Entre sol natal et ciel d'accueil
Ton royaume unique : ton propre cri !

Ce poème, je l'appris une fois pour toutes par cœur. Je savais que par ces vers mon ami s'engageait définitivement dans sa voie.

Je compris que pour moi aussi l'heure du choix était proche. Le déclic vint à la vue de tableaux impressionnistes reproduits dans le magazine américain *Life* fraîchement arrivé en Chine. Combien je sentais, déjà, l'extraordinaire qualité de peintre d'un Monet, d'un Cézanne, d'un Gauguin mais combien, surtout, je me sentais proche de Van Gogh, de cette représentation fragmentée des formes, de cette alchimie audacieuse des couleurs et de cette vision personnelle captée au cœur même du temps vécu ! Son œuvre résonnait en moi comme un appel fraternel. Ce bas monde, aussi provisoire soit-il, demande à être exprimé. Malgré mon dénuement je le ferai par la peinture. Je n'ai pas à chercher ailleurs. Est-ce là une question de vocation ? Non, de fatalité.

16

Tandis que nous nous adonnions à nos créations personnelles, la situation du pays empirait de jour en jour. La guerre s'éternisant, la misère se répandait partout, cependant que d'autres profiteurs, bien nombreux parmi ceux qui détenaient le pouvoir, s'enrichissaient de façon éhontée. La corruption à tous les échelons régnait en maître. Par les routes de l'Inde et de la Birmanie, construites au prix de sacrifices énormes durant cette guerre pour que la Chine pût communiquer avec l'extérieur, certains importaient des objets de première nécessité, les vendaient au marché noir et gagnaient des fortunes insolentes. Le champagne coulait à flots dans les dancings ; pendant ce temps, le petit peuple et les nouveaux réfugiés qui affluaient vers cette capitale en temps de guerre crevaient de faim. Face au mécontentement qui grondait dans la population, le gouvernement n'avait d'autre recours que d'intensifier la répression policière. Des abus joints à la désorganisation générale, engendrant d'autres abus, aboutissaient à l'absurde, au tragique. Les scandales s'étalaient dans les journaux. De mon coin, j'étais le témoin de scènes révoltantes. Ainsi, dans un bourg voisin, proche d'un site connu pour ses bains de sources chaudes, un haut dignitaire, le puissant ministre des Finances, qui avait amassé une fortune colossale déposée dans des banques américaines, possédait une villa. Dans les dépendances de celle-ci était installée une garde, commandée par un officier et chargée de la sécurité. A l'exemple de leur supérieur, les soldats de la garde commettaient des exactions de plus en plus abusives sur la population. Devant la menace d'une émeute, le commandant fut contraint d'infliger à un de ses soldats une punition exemplaire. Celle-ci consista en une bastonnade en public. Entre deux rangées de soldats, le « condamné » est étendu à plat ventre à même le sol. De chaque rang sort un soldat qui le frappe au niveau des fesses à l'aide d'un de ces longs bâtons qu'utilisent les coolies pour porter leurs fardeaux. Cela sous les ordres : « Plus fort, plus fort », du commandant ; car, frappant un camarade, ils essaient au début d'y aller mollement. Après un certain nombre de coups, les deux exécutants regagnent leur rang, remplacés par deux autres. Au début, le « bouc émissaire » endure la bastonnade stoïquement, s'efforçant de réprimer ses plaintes. On n'entend de sa part que des gémissements sourds. Comme la séance se prolonge, il a tout d'un coup la conviction que son chef a l'intention de le mettre à mort. Ses cris, retentissants à présent, s'accompagnent de supplications : « Ayez pitié, commandant ! Épargnez-moi la vie, commandant ! » Au bout d'un certain temps ses appels faiblissent ; il est sur le point de s'évanouir. On le soulève et lui fait faire un tour de terrain en le traînant. Il revient à lui, et on recommence le supplice. A la fin, c'est un mourant, le derrière bardé de sillons sanglants et les intestins sans doute brisés, qu'on emmène enroulé dans une natte.

Cette punition à grand spectacle, loin d'apaiser l'opinion publique, provoqua une manifestation de protestation de la part de la population, à laquelle se joignirent les étudiants. On réclama le procès du commandant pour son acte illégal, qui relevait de la « barbarie féodale ». Le ministre, pour toute réponse, ferma simplement la villa et muta ailleurs la garde. Il ne souffrit point de ne plus descendre dans cette villa, puisqu'il en avait acquis une autre dans une station thermale récemment aménagée et réservée aux seuls privilégiés.

Une fois de plus, la jeunesse chinoise était en éveil, cette jeunesse éprise d'idéal en dépit de tout et soucieuse du destin de son pays. Qui depuis le début du siècle était à l'avant-poste chaque fois que le pays était en danger d'étouffement ou de mort. Qui au début de cette guerre n'avait pas hésité à participer en masse à toutes les activités de résistance. Beaucoup de ces jeunes, ayant embrassé la cause révolutionnaire, avaient franchi les lignes de démarcation pour se rendre à Yan'an ou dans d'autres zones occupées par l'armée communiste. A présent, en ces années sombres, la coulée de lave révolutionnaire sortait à nouveau de terre et, sur son passage, sourdement mais sûrement, embrasait les cœurs.

Dans les maisons de thé et dans les rues des bourgs voisins de notre lycée et de l'université la plus proche, on pouvait constater la présence de jeunes communistes et d'autres jeunes nouvellement convertis à leur cause. Ils se remarquaient — c'est ainsi d'ailleurs que la police secrète les repérait — par leur maintien sobre et digne, par une conscience claire, sereine et déterminée qui émanait de leur regard. Leur allure et leur parler tranchaient au milieu de la vulgarité et de la déliquescence ambiante. Cette impression de net contraste, je m'en souviendrai lorsque après la guerre j'aurai l'occasion de voir un film américain sur la vie du Christ, film au demeurant médiocre, où une scène tout de même me frappera : l'apparition des premiers chrétiens dont les visages épris de pureté contrastaient singulièrement avec ceux des autres Romains, repus de graisse et de luxure. Par la suite, l'occasion me sera fournie de voir des photographies anciennes qui montraient des chrétiens chinois de la fin du siècle dernier, dont le regard tranchait, de façon plus saisissante encore, avec le monde environnant.

Parmi ces jeunes assoiffés de justice et prêts à se sacrifier — ils le seront effectivement plus tard —, circulaient des livres interdits. Ils tomberont bientôt dans les mains de Haolang. Ce dernier se mit à lire et me fit lire les écrits de Marx, Engels, Lénine, publiés à Moscou et d'autres de Mao Zedong, Liu Shaoqi, Ai Siqi, le philosophe officiel du Parti communiste, ainsi que des revues littéraires. Un jour, se rappelant son expérience d'action collective au début de la guerre, il m'annonça : « Nous serons révolutionnaires. Nous œuvrerons à côté des communistes, ou au besoin nous entrerons dans leurs rangs. Non que je me fasse à leur doctrine — sauf à certaines analyses historiques qui me paraissent justes —, mais nous n'avons pas le choix. C'est la seule force révolutionnaire efficace à l'heure actuelle. En ce temps où règnent autour de nous tant de misère et d'injustice, où il faut faire quelque chose pour sortir la Chine de là, pouvons-nous nous préoccuper uniquement de notre accomplissement personnel ? » Si j'approuvais pleinement toute action contre l'injustice, si j'étais prêt à y participer, je demeurais foncièrement réfractaire à l'idée de me laisser incorporer dans une discipline réputée implacable, qui exigeait obéissance absolue et abandon de toute pensée individuelle. Et plus profondément, je ne croyais pas, là encore, au destin de l'homme en tant qu'être définissable à l'avance, ni au destin de cette terre en tant que finalité en soi. Il y avait aussi le Mal qui était toujours présent, que je n'arrivais pas à extirper de mon imaginaire. Comment dès lors un groupe d'hommes, si nombreux soient-ils, pouvait-il prétendre « bâtir » aussi rationnellement une société « idéale », pour lui-même, et surtout à la place des autres ? Instinctivement proche de l'esprit taoïste, j'acceptais plutôt la conception de la création ou de la transformation continue de l'Univers au sein duquel la Terre n'est qu'une halte provisoire. Haolang avançait l'idée que pour le moment il convenait d'aider à détruire l'ordre ancien ; une fois le joug levé, on entrerait dans un autre contexte, et on chercherait à s'épanouir autrement. Je lui faisais alors remarquer qu'une telle force d'organisation de la part des révolutionnaires, depuis si longtemps implantée et partout ramifiée, une fois le pouvoir conquis, ne saurait se retirer toute seule. Mes arguments l'ébranlaient jusqu'à un certain degré. Mentalement, il se préparait néanmoins à un éventuel engagement en cas de nécessité. Afin d'être en mesure d'affronter les épreuves physiques, y compris la torture, il alla jusqu'à demander au médecin qui devait l'opérer d'une appendicite de ne pas avoir recours, ou très peu, à l'anesthésie.

Été 1944. Haolang et moi, très en retard dans nos études à cause de la guerre, terminions enfin notre cycle secondaire. Nous étions en train de nous demander que faire et où aller, lorsque frappa le destin. Des messages de Yumei étaient parvenus à ma mère, dans lesquels elle exprimait son ardent désir de me revoir. Après sa fuite dramatique, elle avait vécu un temps à Tchoungking avec l'officier d'aviation, puis elle s'en était séparée. A présent, elle vivait à N., une ville portuaire, où elle faisait partie d'une troupe d'opéra du Sichuan. Sans hésiter, nous décidâmes de la rejoindre en traversant la vaste province à pied. Nous ne nous doutions pas que, ce faisant, nous nous engagions inexorablement dans la véritable aventure de notre vie.

17

Et avant tout, comment ne pas céder à l'appel de la grande ville. Nous en avions été trop longtemps sevrés. Tchoungking (Double Célébration), ce nom résonnait en nous telle une chanson en vogue dont on ne connaissait pas très bien les paroles, mais qu'on ne pouvait s'empêcher de fredonner à des moments de désœuvrement. Ce fut goulûment, fébrilement que nous nous jetâmes en son sein, grouillant de monde, encombré de véhicules de toutes sortes. Rien de ce qui en constituait les gênes ne nous rebutait. Nous nous repaissions de ses vacarmes, de ses poussières, de sa chaleur de fournaise en cette fin de mois d'août, de ses odeurs fortes de cuisine excessivement pimentée que dispensaient des échoppes plantées en pleine rue. Il n'était pas jusqu'à la puanteur échappée des voitures de vidange dont nous ne fassions nos délices.

Le site est superbe, encadré par deux fleuves — la Jialing au nord et le Yangzi au sud. Les dominant de haut, Tchoungking se présente comme une presqu'île formée d'une suite de collines aplaties au sommet, et à son extrémité, là où les deux fleuves confluent, d'un immense éperon rocheux. Au sommet et sur les flancs des falaises en pente s'étale, sur plusieurs strates, tout un enchevêtrement de masures basses, de hauts buildings, pareils à une multitude de coquillages fermement incrustés dans les roches. Les rues et les ruelles sont partout reliées par d'innombrables marches.

Sur les hauteurs s'étendent des avenues, larges ou étroites selon la configuration du terrain, qui convergent vers des carrefours, gorgés de magasins, de restaurants, de théâtres et de cinémas, de dancings, de maisons de thé, de bars à l'américaine.

Certains lieux, chargés d'arbres et de rocailles, sont aménagés en jardins publics, pourvus de terrasses qui offrent des vues grandioses, comme seule la peinture chinoise en long rouleau sait les représenter.

De part et d'autre de ce promontoire, venant tous deux de l'ouest et coulant vers l'est, la Jialing, couleur d'émeraude, qui, malgré son cours rapide, offre un aspect plus gracieux, plus féminin, et le Yangzi, ample, rougi par tous les limons qu'il charrie depuis les plateaux du lointain Tibet. Ces deux fleuves mêlent leurs eaux à la pointe de la presqu'île, provoquant des remous sonores, bigarrés, avant de former un seul courant majestueux qui s'avance et qui bouleverse tout sur son passage, écartant d'un revers de manche les champs en terrasses, brisant d'un mouvement d'épaule la chaîne de montagnes qui s'étend toujours plus loin en aval, à perte de vue.

Plus proche, surtout lorsque tombent les lumières chaudes du soir, un spectacle animé, coloré, jamais lassant retient longtemps le promeneur sur place. De quelque côté que l'on se tourne, vers le nord, vers le sud, de l'autre rive des deux fleuves, le regard est attiré par un foisonnement de collines de formes variées qui, tout en rivalisant entre elles de beauté, semblent se répondre par-dessus les eaux pour composer intentionnellement, par leur contraste même, un panorama d'une audacieuse harmonie. Les collines du nord sont habillées de hauts arbres de couleur sombre, entrecoupés de rochers dressés à pic dans lesquels se lovent quelques temples inaccessibles ; celles du sud, plus riantes, dont le vert déjà tendre est adouci encore par des brumes roses, sont parsemées de jardins très fleuris et de maisons pittoresques. Et ce qu'il peut y avoir de statique dans cet ensemble est rompu par les deux fleuves avec leur constant mouvement d'écoulement et surtout l'intense activité humaine qu'ils entretiennent. D'une rive à l'autre, ou venant de plus loin, d'innombrables bateaux de toutes sortes, de toutes tailles, des vapeurs sûrs de leur puissance, des sampans luttant avec les vagues, s'entrecroisent, s'évitent du mieux qu'ils peuvent pour arriver au point précis de leur destination. Le port se trouve non loin de la pointe de la presqu'île. Il y règne une agitation permanente ; les hommes débarquent ou embarquent, chargés de fardeaux ou de marchandises. Quand vient la nuit, depuis cette hauteur, on n'entend plus que les cris des hommes mêlés aux bruits des vagues. Environné des lumières qui s'allument de part et d'autre du fleuve, on s'identifie à quelque divinité qui depuis la Voie lactée contemplerait le monde d'en bas.

En cette année 1944, sept ans après le début de la guerre, la ville poussait comme une excroissance qui prenait une dimension monstrueuse. Malgré la pauvreté engendrée par sept ans de guerre, malgré les réfugiés qui y affluaient, la ville, maintes fois détruite et maintes fois reconstruite, maintenait une façade de prospérité, dont profitait une classe de nouveaux riches. Dans l'attente de l'issue de la guerre qui tardait à venir, la ville respirait une odeur de fin d'empire, pareille à ces relents de cadavres non déterrés sous les ruines calcinées.

Dans les quartiers de plaisirs, les restaurants et les maisons de thé étaient bondés nuit et jour. Au milieu

des musiques nauséabondes de mièvrerie et de vulgarité, des clients aux visages rougis par le vin et bouf-
fis se jetaient sur les plats qui jonchaient les tables,
cherchant un instant d'oubli. Dans la foule, on voyait
traîner de bar en bar des soldats américains en permission, dépassant les gens d'une tête, et accompagnés de *jeep-girls*.

Ce qui nous attira au premier abord, ce furent justement les films américains. Nous arpentions avec
fièvre les rues du centre jalonnées de cinémas. Nullement découragés par les queues interminables, nous
courions de l'un à l'autre. Une fois dans la salle, quel
saut dans l'ailleurs, quel dépaysement ! Un autre
espace, un autre rythme de vie, une force physique
débordante émanant de la nature et des hommes.
Comment ne pas être frappé par cette vitalité à toute
épreuve, cette manière directe, frontale, que les
hommes avaient d'aborder la vie, de faire exploser
leur trop-plein d'énergie, cette confiance insouciante
et cette opulence matérielle presque insoutenable
pour un Chinois en ce temps de guerre. On pénétrait
un univers fait d'un autre type d'environnement et
d'une autre forme d'architecture. Les habitants de cet
univers avaient un autre rapport avec les paysages,
un autre rapport aussi entre eux. Ils avaient d'autres
besoins, d'autres satisfactions, d'autres frissons,
d'autres plaisirs, pris qu'ils étaient dans un mouvement perpétuel et effréné. Les vedettes, tant masculines que féminines, étaient trop vernissées, trop
maquillées pour être vraies. On eût dit qu'elles
n'étaient pas de cette terre, qu'elles arrivaient d'une
autre planète.

Si le dépaysement venait de ce décalage dans l'espace, le décalage était aussi dans le temps. Les Chinois vivaient dans un certain siècle, les Américains
dans un autre, et on ne franchit pas les siècles, on

ne change pas de mœurs si facilement. Les scènes d'amour, avec des femmes montrant sans retenue leurs attraits, et les baisers prolongés transperçaient la carapace de pudeur des Chinois jusqu'à la douleur. Dans le noir, les spectateurs subissaient le choc d'abord avec gêne et stupeur, puis avec ravissement ; ils sentaient le sang bouillir dans leurs veines et les fanges enfouies de leur imaginaire remonter à la surface. Les histoires des films étaient souvent grandiloquentes ou mélodramatiques. Cela nous importait peu. A travers les décors et les personnages, nous arrivions, en imagination, à recréer les romans américains que nous avions lus, ceux d'Hawthorne, de Jack London, de Steinbeck, etc.

Dans le centre, à côté des cinémas, se trouvaient de nombreux théâtres. Anticipant notre rencontre avec Yumei et tout le milieu de l'opéra traditionnel, nous découvrîmes avec passion des pièces jouées. Il s'agissait du « théâtre parlé », c'est-à-dire à l'occidentale, qui diffère du théâtre ancien en ce que ce dernier comporte outre le dialogue parlé le chant, le mime et l'acrobatie. Dans le théâtre moderne, on ne trouve plus les masques, les accessoires, ni l'ensemble des gestes symboliques qui permettent à l'acteur, sur une scène presque vide, de tirer à lui l'espace et le temps, de se jouer d'eux. Le drame se déroule dans un décor réaliste, sur une durée déterminée. L'intrigue y gagne en intensité, et le thème abordé est plus proche, plus actuel. On jouait quelques auteurs étrangers, des Anglo-Saxons et des Russes, mais avant tout des auteurs chinois. Toute une génération de dramaturges, encouragés par la ferveur du public, était en pleine création. Car l'époque était plus que propice, avec une concentration extraordinaire de talents rassemblés dans un espace restreint. La guerre avait fait affluer de toute la Chine un grand nombre d'écrivains, d'artistes et de comédiens vers quelques villes de l'arrière : Kunming, Guiyang et surtout Tchoungking. Une majorité d'entre eux, pour ne pas dire la totalité, étaient de gauche ou de tendance « progressiste » ; leur propos n'était pas d'amuser. Les uns s'attaquaient directement aux problèmes actuels, d'autres abordaient les grands thèmes, tous étaient conscients de participer à un moment exceptionnel et de préparer la renaissance de la culture chinoise.

Cette effervescence artistique contrastait singulièrement avec le sévère contrôle exercé par la censure, et avec le vaste réseau de surveillance et de répression organisé par la police secrète. Étrange situation, étrange époque ! Tchoungking était la capitale du gouvernement nationaliste en guerre, gouvernement légal de la Chine. Celui-ci, tout en menant une guerre de résistance contre les Japonais, massait une partie de ses troupes autour de la région de Yan'an, où s'étaient installés les communistes après la Longue Marche. Au début de la guerre, au nom de l'unité nationale, face à l'envahisseur étranger, nationalistes et communistes s'étaient unis un temps. Ce répit avait permis aux communistes de se répandre dans les campagnes des zones occupées par les Japonais. Flairant le danger, le chef du gouvernement avait choisi la rupture, tout en maintenant une union de façade. C'est ainsi que, paradoxalement, il tolérait dans la capitale la présence d'une délégation communiste qui déploya tout au long de ces années une activité intense. Elle publia un journal, ouvrit une librairie et organisa tout un réseau de cellules clandestines. Elle noua des relations étroites avec les intellectuels, les milieux artistiques et les journalistes américains auprès desquels elle gagna de nombreuses sympathies. Ces sympathies lui assurèrent un prestige international et par là une certaine protection. On aboutit à cette situation paradoxale : le gouvernement qui disposait du pouvoir absolu était obligé de ruser pour exercer sa répression anticommuniste. Un important budget était attribué à la police secrète, laquelle disposait de centres pour les interrogatoires, de camps de regroupement, des armes les plus sophistiquées et d'innombrables agents. Ces derniers, jour et nuit, surveillaient et traquaient les suspects, les arrêtaient dès que les circonstances le permettaient, les envoyaient dans les camps ou les faisaient disparaître. Leur action était impuissante à freiner les aspirations de ceux qui rêvaient de changement et de renouveau. Malgré la sourde terreur régnante, les hommes gagnés à la cause révolutionnaire, armés de patience et rongés d'impatience, cherchaient dans l'ombre à communiquer avec d'autres. Sans s'être jamais vus, ils se reconnaissaient par des signes sûrs. Les regards échangés et les sourires de connivence semblaient toujours dire : « Ah, tu es des nôtres ! » Et chacun de se laisser entraîner dans le vaste mouvement souterrain. Plus tard, bien plus tard, je me rendrai compte que ces brèves années précédant la fin de la guerre avaient constitué un précieux temps de liberté. L'histoire de la Chine, ce pays où avait régné l'ordre impérial, était d'ailleurs ponctuée de ces moments de liberté, relatifs certes, lorsqu'une dynastie finissait et avant qu'une autre impose un nouvel ordre. Dans ces périodes de transition, des hommes de valeur et des héros exceptionnels surgissent d'un peu partout. Ils sillonnent le vaste empire, rencontrent d'autres hommes de leur espèce et, ensemble, ils vivent un compagnonnage sans faille et un partage sans limites. A l'instar de ces personnages qui peuplent les romans populaires anciens, les révolutionnaires de ces années quarante, bravant tous les dangers, savouraient leur vie de clandestinité : rencontres secrètes, messages furtifs, étreintes muettes ; et l'intensité de leur émotion était augmentée par la répression même, à l'image de ces amants qui vivent un amour interdit. Le châtiment qui les menaçait ne faisait qu'ajouter au frisson de délice.

Ce frisson à vivre dans la terreur, nous l'éprouvâmes à notre manière en allant dans les librairies « progressistes » ou à Xinhua, « Chine Nouvelle », gérée par les communistes. Les logements en face de ce type de librairies étaient systématiquement loués par la police secrète. A l'intérieur des boutiques, des agents en civil se mêlaient aux clients qu'ils suivaient à la sortie. On les repérait sans peine à leur façon négligée de feuilleter des ouvrages et à leur regard fureteur. Beaucoup de lecteurs étaient conscients du danger ; ils n'en venaient pas moins chercher des livres tant était grande leur soif de lire et de rencontrer d'autres visages. Le danger diminuait si l'on se contentait de lire sur place ; il augmentait si l'on faisait des achats, car un livre « rouge » suffisait amplement comme pièce à conviction pour la police secrète. En dépit du risque couru, nous sortîmes tous les deux de Xinhua chacun avec un livre en poche.

Une fois dehors, nous marchâmes à pas rapides. Haolang me recommanda à voix basse de ne pas me retourner. Engagés dans une avenue animée, nous nous sommes arrêtés un instant pour regarder une affiche de cinéma et nous avons constaté en effet que nous étions suivis par un *tewu* [1] qui, tout en maintenant une certaine distance, se cachait à peine.

« Je vais lui régler son affaire, dit Haolang tout en marchant.

— Attention, il est sûrement armé.

— Je serai prudent », puis d'un ton joyeux, il

---

1. Agent de la police secrète.

ajouta : « Ah, cela me ramène au bon temps où j'étais au Groupe artistique ; on a eu affaire à ces types-là. »

« Entrons dans cette ruelle, dit le téméraire. C'est bien, ici. Je me mettrai derrière cette grande porte. Toi, tu continues ton chemin, plus vite, comme si de rien n'était. »

Trop tard pour protester, et malgré mon dos soudain raide et mes jambes flageolantes, je tentai d'accélérer le pas. La ruelle, déjà obscure, était assombrie par le fameux brouillard de Tchoungking qui y planait dès ce début de septembre.

Un moment après, j'entendis un cri étouffé et le bruit d'un corps qui tombait. A peine eus-je le temps de me retourner que mon ami courait déjà vers moi. Tous deux nous sortîmes rapidement de la ruelle, descendîmes quelques marches, tombâmes sur une autre avenue, où nous nous fondîmes dans la foule. Deux coups de feu tardifs, assourdis par le brouillard et le vacarme des véhicules, saluèrent notre délivrance.

« Un coup de poing dans les reins, un coup de poing aux mâchoires, un coup de pied au bas-ventre, rien d'autre. » Haolang récita la règle des arts martiaux comme un *haiku*, en éclatant de rire.

Le lendemain, nous laissions derrière nous cette grande ville, aimée et maudite.

18

Après Tchoungking, ce fut la plongée dans le fin fond du Sichuan. Notre voyage aura duré plus d'un mois. Munis de peu d'argent — nos bourses d'études accordées par l'État ne furent plus renouvelées à la fin de nos études secondaires —, nous étions tenus de nous arrêter souvent, d'accepter de menus travaux en échange du gîte et du couvert. A part quelques trajets en autocar ou en bateau quand les circonstances l'exigeaient, nous ne nous déplacions qu'à pied, dans des conditions plus qu'éprouvantes. Rien, cependant, n'avait su nous décourager. La joie anticipée de voir bientôt Yumei et la découverte de cette immense province que nous épousions au rythme de notre marche étaient pour nous une expérience unique, proprement initiatique. Toute notre vie durant, nous aurons le temps de nous souvenir, de nous rendre compte que, là encore, comme à Tchoungking, en dépit du poids de la tradition la plus obscure et du contrôle exercé par le régime, ce fut finalement la période la plus incertaine et dans le même temps la plus éclatée pour la Chine comme pour nous-mêmes.

En dehors du mont Lu de mon enfance, je ne connaissais de la campagne chinoise que les régions limitrophes des grandes villes. Mon ami, en revanche, avait bourlingué un peu partout en Chine. Il était familier des plaines de lœss jaune du Nord, ainsi que des régions du bas Yangzi sillonnées de canaux et parsemées de lacs. Mais ce pays intérieur, de climat continental, formé de paysages fortement contrastés, le frappait néanmoins par son allure altière et sa beauté flamboyante.

Il n'est nullement nécessaire de courir les sites connus, tels que les monts Emei ou Erlang. Le moindre recoin de cette terre montre, sans retenue, sa présence charnelle. Ces vallées profondément creusées, à l'argile tendre et rouge, couleur sang, évoquent, avec leurs sentiers qui se croisent, les entrailles ouvertes d'un sol originel. Des sentiers en lacets escaladent les deux versants, serpentent au milieu des champs en terrasses, ou grimpent vers les cimes, les unes couronnées d'une épaisse végétation, les autres flanquées de gros rochers surplombant le vide. Au-dessus des rochers, à l'ombre des arbres à ample feuillage, on jouit aisément d'une vue panoramique sur la vallée aux teintes bigarrées, aux formes jaillissantes, souvent enveloppée d'une vapeur qui s'élève de l'eau scintillante des rizières.

Cette province, considérée de tout temps comme dotée de la « faveur céleste », a nourri la moitié de la Chine réfugiée là durant ces longues années de guerre. Les produits que fournit cette terre généreuse frappent par leur variété et par leur abondance tous ceux qui viennent d'ailleurs. A côté des fruits extraordinairement juteux tels que les oranges, les pomélos et les mandarines, les pêches, les kakis et les prunes, les jujubes et les cannes à sucre, se trouvent des légumes, aux couleurs vives et aux senteurs fortes. Ils offrent souvent l'aspect d'une insolente sensualité. Ces pousses de bambou dégagées de leurs feuilles, ces navets géants couverts de radicelles ressemblent à des sexes en érection. Ces choux aux longues feuilles lisses et enveloppantes, couleur de jade ou d'émeraude, évoquent des bras dodus de femmes aisées, tandis que les aubergines et les courges, par leurs formes rondes et luisantes, rappellent irrésistiblement les cuisses bronzées des lavandières accroupies qu'on rencontre au détour d'un cours d'eau.

Cette richesse naturelle rendait d'autant plus insupportable l'indigence dans laquelle vivaient la plupart des paysans, victimes d'un système foncier injuste ; même s'ils étaient avantagés par rapport à bien d'autres régions de la Chine. La guerre, dans une certaine mesure, les avait favorisés, les produits agricoles étant devenus des denrées infiniment précieuses ; mais les plus « privilégiés » d'entre eux ne jouissaient que d'une toute petite aisance. Quelles que soient leurs conditions de vie, tous sans exception respectaient la tradition de l'hospitalité. Ils partageaient facilement leur repas avec les honnêtes voyageurs qui frappaient à leur porte. Ils offraient un coin pour dormir à ceux qui se proposaient de participer à leurs travaux, notamment en période de moissons.

Une fois de plus, je constatai combien les gens de cette contrée, qui se nourrissaient de ces produits riches et généreux, étaient à leur tour façonnés par eux. Les paysans étaient rarement grossiers. Le travail de repiquage du riz qui exigeait patience et minutie avait engendré une race dure au travail, mais fine d'esprit. Leur parler était ample, cadencé, avec cette intonation persuasive qui rendait savoureux les mots qu'ils utilisaient, lesquels étaient émaillés d'expressions imagées, piquantes comme le piment grillé qui accompagnait tous leurs repas.

Nous n'oublierons pas notamment cette famille

chez qui nous avions demandé de l'eau bouillante pour accompagner notre pitance de midi. Nous entendant frapper à la porte, un paysan âgé, une longue pipe à la main, vint ouvrir.

« Lao-fu (vieux père), est-ce qu'on peut avoir un peu d'eau bouillante ? » lui demanda Haolang. Comme pour le rassurer, il ajouta en désignant notre sac posé au pied de l'unique arbre : « Nous faisons une petite halte, là, à l'ombre. »

Rassuré en effet par la mine fatiguée mais souriante des deux voyageurs, il répondit avec bienveillance : « Mon fils et ma bru sont aux champs. Je vais demander à ma petite-fille de préparer l'eau et de vous l'apporter. » Et d'appeler à l'intérieur : « Grande sœur, fais bouillir un peu d'eau ! »

Quand, suivi de sa petite-fille — une jeune fille de quinze ou seize ans —, le vieux paysan vint avec un pot d'eau bouillante, il nous vit en train de sortir de notre sac quelque nourriture pour notre repas de midi. Spontanément il nous proposa : « Mais il fait chaud ici. Venez donc manger à l'intérieur. Nous avons déjà déjeuné ; vous pouvez vous servir de la table. »

Une fois installés, nous nous apprêtions à manger lorsque voyant que nous n'avions pour nourriture que des *mantou*[1] et des *shaobing*[2] froids, la jeune fille se précipita dans la cuisine et peu après nous apporta un riz sauté aux œufs dans lequel elle n'avait pas manqué d'ajouter quelques petits pois et une pincée de ciboulette. Le riz parsemé de morceaux d'œufs jaunes et de légumes verts dégageait un parfum exquis rehaussé d'une harmonie de couleurs des plus agréables. Émue par l'appétit féroce avec lequel les deux étrangers dévoraient le riz, elle disparut à nou-

---

1. Petits pains cuits à la vapeur.
2. Galettes de sésame.

veau et réapparut avec une assiette de légumes marinés dans de l'eau salée et pimentée, ces fameux *paocai* du Sichuan. Grâce à un procédé spécial, ces légumes marinés conservent leur fraîcheur et leur couleur originelles, que les pots en terre peinte de motifs bleus dans lesquels ils sont conservés rendent plus éclatante encore. Chaque bouchée de riz sauté, accompagnée de ces choux ou de ces navets croquants à souhait, procurait une rare saveur de terroir. Le repas fut couronné par un potage au *doufu*[1]. Ce repas improvisé, le plus frugal qui fût, resta mémorable.

Pendant que nous mangions, surmontant sa discrétion, le maître de maison nous demanda : « Qu'est-ce que vous faites ?

— Nous sommes étudiants. Nous venons de terminer nos études secondaires.

— Vous êtes donc des *dushuren*[2]. C'est bien, c'est bien. "Dans les livres, il y a maison en or." »

Puis, avec un sourire malicieux, il ajouta : « Dans les livres, il y a beauté de jade. » Le vieillard puisait ici dans le riche réservoir des proverbes qui fondent le savoir populaire. Les deux proverbes qu'il avait cités voulaient dire que les études assurent bonne fortune et belle épouse à ceux qui les mènent à bien.

« Rien n'est moins sûr ! Regardez, nous vivons comme deux vagabonds.

— Ça viendra. Dans notre famille, depuis toujours, on a espéré que quelqu'un puisse faire des études. Mais la vie est si dure ; il y a tant de travail. Et avec quoi peut-on les payer ? Mon grand-père ne savait pas lire, pas plus que mon père, pas plus que moi et mon fils non plus. »

---

1. Pâte de soja.
2. « Hommes qui savent lire ».

On crut deviner dans ses yeux la lueur du regret d'une autre vie possible.

Après une pause, il demanda : « Où allez-vous ? »

Je lui répondis, sans donner trop de précisions, que nous nous rendions à la ville de N. pour retrouver quelqu'un qui travaillait dans un théâtre.

« Mais c'est très loin. C'est bien, c'est bien. Comme on dit : "Parcourir dix mille *li* vaut bien lire dix mille livres." Ah, le théâtre ! Il n'y a pas longtemps, après la grosse pluie, nos villages ont fait venir une troupe de théâtre ambulant. Il y a deux ans, nous avons eu une terrible sécheresse ; nous avons vidé tous nos greniers et nous avons failli crever de faim. Cette année, cela a encore commencé par la sécheresse. Nous avons fait dire des prières par les moines. Nous avons fait je ne sais pas combien de fois des rites d'imploration. Des hommes sont restés des heures sous le soleil à se prosterner, à se cogner la tête contre le sol craquelé couvert de cadavres de sauterelles, à crier d'une seule voix des supplications au ciel, à se frapper le torse jusqu'au sang avec des roseaux coupants. Finalement, la pluie est arrivée ; une bonne pluie, une grosse pluie. C'est là qu'on a fait jouer la troupe. Rien de mieux pour remercier le dieu de la pluie. C'était bien, hein, grande sœur ? »

Celle-ci, rougissant d'être soudainement interpellée, opina de la tête, cependant que son grand-père enchaînait : « Le lendemain, ils ont vite démonté le théâtre et ils sont partis. Ce sont des gens particuliers, ils mènent une vie pas ordinaire. Mais ils apportent bien du plaisir à nos villages... »

On crut deviner à nouveau dans ses yeux la lueur du regret d'une autre vie possible. Mais il avait depuis longtemps réprimé cette nostalgie. Issu de la terre, il restera fidèle à la terre, à cette terre que ses ancêtres se sont transmise de génération en génération. Pour maintenir à tout prix la continuité d'une présence humaine ; pour pouvoir justement offrir aux passants, un jour de canicule, de l'eau bouillante et du riz sauté.

Gagnés par la sympathie de la famille, nous décidâmes de rester là quelques jours. Le travail ne manquait pas en ce début d'automne. Haolang était tout à son aise ; le travail physique ne le rebutait pas. Torse nu, il plongeait avec facilité dans le labeur commun. A côté de lui, je peinais à la tâche. Je devais limiter mon temps de participation au travail dur et passais le reste de la journée à couper de l'herbe pour les cochons en compagnie de la jeune fille et de ses petits frères. Le soir après le souper, la journée terminée, tous, y compris les deux nouveaux venus, s'asseyaient autour d'un immense baquet rempli d'eau chaude pour se laver les pieds, bavardant et riant. Nous nous y attardions longtemps sans oublier d'ajouter de temps en temps de l'eau chaude pour alimenter le bain.

Nous, les deux « saisonniers » de passage, dormions dans une petite pièce attenante à la porcherie. Nous fûmes longs à nous habituer à la lourde odeur nauséabonde qui s'en dégageait. Heureusement, la pièce s'ouvrait sur la cour derrière d'où venait par bouffées la fraîche senteur des légumes et des fruits séchés à l'air. Ces légumes et fruits étaient disposés, par les soins de la jeune fille, dans de larges paniers plats : aubergines, maïs, racines de lotus, jujubes, prunes, etc. L'ensemble, composé de formes et de nuances variées, se présentait comme un véritable parterre. Cette cour derrière était d'ailleurs le jardin secret de la jeune fille qui y venait souvent pour soigner les porcs. Comme notre petite pièce était décidément trop étouffante et notre lit infesté de puces, nous décidâmes bientôt de dormir la nuit dans la cour, à la belle étoile.

Arriva le jour où nous dûmes reprendre la route. La famille nous laissa partir presque à regret. Au bout d'une heure de marche environ, contournant une colline, nous parvint un de ces *shange* [1] chantés par une voix aiguë de femme. A travers cette voix, longue nostalgie surgie du fond des âges, nous croyions entendre toute la sensibilité enfouie et tout le sentiment frustré de la femme chinoise, paysanne destinée à passer sa vie dans sa vallée close, ou citadine condamnée à vivre dans une maison bardée de portes. Déjà bouleversés par ce chant de plus en plus poignant, nous le fûmes plus encore lorsque, levant la tête, nous avons aperçu, au sommet de la colline, la silhouette de la jeune fille. Nous savions que c'était nous qui avions provoqué chez elle cette nostalgie d'un lointain ailleurs, par notre présence « exotique ».

---

1. Chants des montagnes.

19

Si nous préférions de loin passer la nuit chez les paysans, nous ne pouvions pas éviter les bourgs. Là, au lieu d'auberges pour la plupart crasseuses et sordides, nous cherchions dans la mesure du possible des écoles ou des temples. Déballant nos couvertures enveloppées dans des toiles imperméables, nous nous contentions de dormir à la dure, sur des tables rassemblées ou sur des portes démontées pour la circonstance. Nous dépensions peu. Pour le repas du soir, nous achetions de grosses galettes bien bourratives et attendions dans un coin du restaurant la fin du service ; car, à ce moment-là, disponible, le garçon nous servait volontiers, moyennant un pourboire, un potage fait simplement d'eau bouillante versée dans la grosse poêle qui avait servi à cuire les plats, et dans laquelle on mettait quelques pincées de ciboulette ou de légumes de saison. Plus tard, dans la nuit, nous pouvions avoir recours au fameux *dandan mian* vendu par des marchands ambulants. C'étaient des sortes de nouilles fines qu'on cuisait instantanément devant le client, avec au choix une douzaine d'assaisonnements succulents. Quelquefois, nous avions la surprise agréable d'être invités chez des particuliers. En effet, dans les maisons de thé, j'avais l'habitude de sortir mon carnet et de croquer des personnes assises autour de moi, et il arrivait qu'on nous abordât : le don de la conversation de Haolang créait sans tarder des liens.

Nous restions le plus longtemps possible dans les maisons de thé. Cela nous permettait de nous reposer. Mais surtout de résoudre un problème majeur : la soif. L'eau n'était nulle part potable, sauf près des sources. Le voyageur était donc toujours en quête d'eau bouillie. L'avantage dans une maison de thé est qu'il suffit de commander un thé pour pouvoir rester des heures sur une chaise longue sans être dérangé. Le garçon, muni d'une immense bouilloire, circule au milieu des tables et remplit votre théière dès qu'elle est vide. Avec un art consommé, par-dessus votre épaule, il verse l'eau bouillante à longs jets directement dans la théière ou à même la tasse sans jamais éclabousser ni déborder.

Loin des bourgs, en pleine nature, la soif est une cruelle épreuve pour le voyageur. En cette province de l'intérieur au climat continental, le soleil d'été, intraitable, rend toute chose brûlante. A ce climat s'ajoutent encore les conditions géographiques. Les chemins, capricieux, tantôt grimpent vers les terres élevées, tantôt dévalent vers les vallées profondes. (Quand on demande à un paysan la distance d'un village à l'autre, il répond toujours : pour aller tant de *li*, pour revenir tant de *li*. Car dans son calcul il prend en compte la configuration des terrains, un *li* sur un chemin montant compte pour deux !) Si, dans un désert, on s'attend naturellement à la soif, ici la soif vous frappe de plein fouet sans crier gare. A force de transpirer, de se sécher, de transpirer à nouveau, on se sent soudain vidé de toute son eau, prêt à fondre dans l'argile rouge. Tout dans cette région tend vers l'extrême : transpiration totale et soif totale.

Mais satisfaction totale aussi. La nature semble adresser des clins d'œil au voyageur écrasé, en faisant pousser sur toutes les hauteurs des *huanggo*, ces arbres au feuillage fourni et aux branches étendues qui dispensent une large ombre bienfaisante. Sous ces arbres rafraîchis par la brise, on est sûr de trouver des marchands bien installés, qui offrent force fruits, oranges, pastèques, cannes à sucre. Et surtout, le thé aux chrysanthèmes chaud qui provoque d'abord chez le buveur un surcroît de transpiration avant d'étancher complètement sa soif.

Toutefois, le temps, en cette période de changement de saison, n'est nullement uniforme ; il réserve au voyageur des moments de ravissement. Sans que rien ne le laisse prévoir, le ciel incandescent se couvre de nuages. Dans l'air d'une luminosité aveuglante, tandis que l'atmosphère s'alourdit, les verts foisonnants de la nature deviennent de plus en plus légers et transparents. A un moment donné, tout se fixe dans l'attente. La vallée retient son souffle pour écouter les chants du *dujuan* (espèce de tourterelle), qui commencent à résonner dans toute la campagne. Puis, c'est l'arrivée de l'averse. Une averse généreuse et équitable pour tous. Les voyageurs, reconnaissants, se laissent laver de fond en comble. La campagne, détrempée elle aussi, réverbérante d'émeraude, fait éclore une myriade de fleurs rouges ou violettes qui portent le même nom que l'oiseau *dujuan*. Car ces fleurs aux couleurs vives qui éblouissent les yeux sont, selon la légende, le sang que crachent, en chantant, les *dujuan*, lesquels sont la réincarnation de l'âme de l'empereur Wang, un souverain de l'Antiquité en éternelle quête de l'âme de sa bien-aimée défunte. Tout ce pays qu'habite la légende, en cette saison partagée entre regret et attente, résonne d'un écho surnaturel.

A l'époque, nous étions imprégnés de la lecture de Gide. Nous éprouvions dans notre corps l'expression favorite de l'écrivain : la « soif étanchée ». Plus tard, je lirai Rimbaud. Au lieu de ses poèmes les plus connus, je serai immédiatement happé par la « Comédie de la soif ». Lisant Rimbaud, je me souviendrai aussi de la pensée qui m'avait visité dans les vallées du Sichuan : si l'homme est un animal toujours assoiffé, la nature, pourvoyeuse d'eau, a de quoi combler son désir. Il faut croire que la création n'engendre point de désirs qu'elle ne puisse satisfaire. En somme, l'homme a soif parce que l'eau existe. L'homme, certes, est libre de désirer, mais il ne peut désirer que ce que le réel insondable recèle déjà. Même lorsqu'il va jusqu'à désirer l'infini, c'est que l'infini est là, prévu pour lui. Tout se passe comme si ce que l'homme désire le plus était là, par avance contenu dans le désir ; sinon aurait-il pu le désirer ? Une fois de plus, j'étais persuadé, comme pour les gâteaux occidentaux goûtés dans mon enfance, que l'accomplissement du désir de l'homme se trouvait dans le désir lui-même.

Cette liberté conditionnée du désir humain, loin d'abaisser ou de rétrécir l'existence humaine, la rehausse, l'élargit. Elle la met au cœur d'un vaste mystère. Et rend l'aventure de l'homme moins chimérique. Dans ma marche à côté de l'Ami vers Yumei, fort de cette conviction peut-être naïve, je me disais que si mon destin sur terre était d'errer, qu'au moins je le transforme en une quête passionnée dont le but me serait forcément révélé un jour.

Du côté de Haolang, la soif éveillait en lui une vieille passion, assoupie durant les années de lycée : l'alcool. Tout au long de la route, assez à l'écart, il y avait des fabriques qui produisaient de l'alcool de sorgho ou de riz, et qui, propageant une odeur de fermentation dix lieues à la ronde, attiraient comme un aimant tous les amateurs d'alcool. Afin d'accompagner Hàolang dans sa délectation à vider un pichet, je m'adonnai aussi un peu à ce breuvage au goût âcre.

C'est au sortir d'une de ces fabriques qu'un jour je fus saisi d'une douleur violente à l'estomac et aux intestins. Ne pouvant pas faire un pas de plus, je m'effondrai au pied d'un arbre, recroquevillé sur moi-même. Voyant la situation, Haolang courut à un bourg proche et réussit à y trouver une chaise à porteurs. On me transporta dans un bourg plus important où il y avait un hôtel. Celui-ci, de style traditionnel, était bruyant. La chambre avec ses parois en bois finement sculptées et incrustées de carreaux, protégeait mal contre le brouhaha et la musique qui venaient du hall ou des chambres voisines. Il fallut d'abord se défendre aussi contre les nombreux passages insistants du garçon d'étage qui, bien intentionné, apportait des serviettes chaudes, du thé, proposait des petits mets et des gâteaux et, discrètement en passant, des prostituées. Enfin, la chambre retrouva sa vocation de chambre, avec une porte close. Pendant tout le temps du transport et de l'installation, je n'avais pas cessé de souffrir. Je ne demandai pourtant pas de médecin, sachant d'expérience que la médecine ne pouvait rien contre ce mal qui vient du fond de moi-même et qu'il ne me restait que la patience et l'endurance pour le surmonter. Afin de calmer un peu ma douleur, Haolang me tint la main, longuement, silencieusement. Puis, fatigué lui aussi, il s'étendit à côté de moi. Sentant la musculature puissante et la respiration paisible de mon ami, je me calmai peu à peu. Cet être, qui dormait à côté de moi, était doté d'un corps du terroir. A l'instar des paysans chinois, il était capable de boire l'eau des rizières sans tomber malade, et d'endurer toutes les piqûres de moustiques et de punaises sans broncher. Ce fut ce corps à la fois robuste et souple qui sembla drainer de mon corps maladif tout le mauvais sang et toutes les sécrétions amères pour ne plus me laisser que le reste de l'ivresse procurée par l'alcool, ivresse purifiée cette fois. A minuit passé, lové dans le corps endormi de mon compagnon, j'éprouvai une sensation de délivrance et de bien-être rarement connue auparavant.

20

Ne pas être capable de boire, quelle infirmité !
C'est tout bonnement se couper de la vraie réalité
chinoise. Je finis par le reconnaître. Cette réalité
n'est-elle pas imbibée d'alcool de riz, cette boisson
jaune qu'on chauffe au moment de boire et dont la
vapeur vous transporte peu à peu ailleurs ; de vin de
sorgho aussi, ce liquide fort qui, lorsqu'il vous traverse le corps, le transforme en un gong violemment
frappé qui résonne de part en part. Enivrant breuvage
qui, telle une source ininterrompue, irrigue la vie courante au travers de toutes ses strates. Et depuis l'Antiquité, parmi des milliers de poètes, y en a-t-il un seul
qui n'ait glorifié le vin et chanté ses vertus ? Heureusement, durant toute la randonnée, l'Ami était là pour
sauver l'honneur et faire face aux rencontres les plus
inattendues.

Un jour, dans un bourg, attablés dans un coin
sombre d'une taverne, nous avons vu arriver un personnage aussi imposant qu'inquiétant. En lui, on
devinait aisément un de ces petits chefs de sociétés
secrètes qui aimait faire sentir son pouvoir de tyran
local. Il choisit la table la plus centrale pour s'installer. Au garçon qui, toutes affaires cessantes, s'em-
pressait auprès de lui, il jeta quelques mots en guise

de commande. Immédiatement, le garçon apporta plusieurs pichets d'alcool et force petits plats : gésiers croquants, tripes marinées, cacahuètes grillées, œufs de mille ans, etc.

Le brouhaha cessa dans la salle. On n'entendit plus que le bruit du liquide que l'homme versa dans son bol et qu'il but avec ses grosses lèvres, en poussant des « ah, ah... » de satisfaction.

« Alors, personne ne veut m'accompagner ? »

Personne ne bougea. On connaissait la réputation de buveur de ce personnage et l'humiliation qu'il ne manquerait pas d'infliger à celui qui n'arriverait pas à se mesurer à lui.

« Vous êtes tous des dégonflés ! » Puis, il se remit à boire.

« Ici, décidément, il n'y a que des couilles molles ! » Il poussa un gros rire ; puis il frappa la table de colère en criant : « Je vais me fâcher ! »

Dirigeant son regard vers le coin où nous étions assis, reconnaissant en nous des visages étrangers, il ajouta : « Qu'est-ce que c'est par là ? »

Haolang se leva et s'avança vers lui. Légèrement surpris par la taille du jeune homme qui n'était visiblement pas de la province, l'autre demanda :

« D'où viens-tu ?

— Je viens du pays hors des Murailles. »

Cette origine lointaine en imposa-t-elle au personnage pour qui la Mandchourie faisait partie d'un autre monde ? A moins qu'elle n'ait chatouillé la susceptibilité de ce petit tyran qui entendait imposer son autorité sur son fief. Toujours est-il qu'il versa un plein bol d'alcool et le tendit à Haolang : « Bois ça ! »

Celui-ci vida le bol d'un coup. Ce geste attira un « c'est bien » de l'autre, qui n'en continua pas moins à remplir le bol vidé, tout en buvant lui-même.

La séance dura longtemps. Haolang ne faiblit pas

136

ni ne changea de couleur de visage. Les Chinois étant un peuple qui adore l'alcool mais qui s'enivre facilement, depuis toujours on admire comme un signe de virilité les personnes capables de boire beaucoup sans être ivres. L'homme commença à comprendre qu'il avait trouvé en l'homme de Mandchourie un rival à sa mesure. Il demanda brusquement :

« Que fais-tu dans la vie ?

— Je viens de terminer mes études secondaires.

— Et plus tard ?

— Je serai poète. »

L'homme fut un peu décontenancé par cette réponse incongrue. Pour montrer qu'il en connaissait un bout, il se mit à ânonner un des quatrains des Tang que tous les Chinois connaissent par cœur. A la suite de quoi il ordonna : « Chante-moi quelque chose. »

Au tour du poète d'être déconcerté ; il ne s'y était pas préparé. Après un instant d'hésitation, il se lança dans une tirade de longs vers écrits par Qu Yuan, il y a plus de deux mille ans. L'ivresse aidant, il entra de plus en plus dans sa psalmodie qui impressionna l'assistance par son fort accent du Nord. Quand il arriva aux vers :

Je laisse mon regard errer sur l'horizon :
Le retour tant espéré, quand viendra-t-il ?
L'oiseau s'envole pour regagner son nid ;
Et le renard mourant se tourne vers son gîte.
Intègre et loyal, me voici pourtant exilé ;
Quand pourrai-je l'oublier, quel jour, quelle nuit ?

Il arracha un « *Hao !* (Bravo !) » sonore à celui qui était assis à côté de lui et qui, tout en lui donnant une accolade, sortit de sa poche un papier sur lequel étaient dessinés des signes cabalistiques. Il le lui tendit et précisa : « C'est seigneur Bao qui te le donne, cela te protégera. »

Ce papier froissé, ce talisman dessiné à la diable et portant la signature de seigneur Bao, les deux bénéficiaires dans un premier mouvement voulurent le jeter... Nous ne nous attendions certes pas qu'à un moment de notre voyage il nous serve de pièce d'identité. Le moment où le chef de la police, suivi de deux recruteurs, vint nous saisir. Un petit chef, régnant sur un bourg plus louche que d'autres et dont nous avions eu la malchance auparavant d'accrocher le regard. Sur notre mine et sur notre accent, il nous avait demandé sans ambages : « Qu'est-ce que vous faites, vous deux ? — Vous le voyez bien : on ne fait rien, on marche. » Cette réponse, simple et vraie, avait sans doute sonné trop insolent à l'oreille de l'inquisiteur. Sur le moment, il n'avait rien dit. Il s'était contenté de cracher par terre, non sans du même coup cracher l'injure : « Marche donc, marche, putain de ta mère ! » Maintenant, escorté des deux recruteurs, il venait chercher les deux « vagabonds » sur la route. Armes à la main, les trois représentants des « forces de l'ordre » s'apprêtaient à nous tondre la tête séance tenante. N'était le talisman exhibé à temps, nous aurions été envoyés, la corde au cou, à l'armée, cette armée pourrie, composée à présent uniquement de pauvres gens réquisitionnés de force.

Nous vérifiâmes donc à nos dépens ce que nous savions déjà : cette campagne si laborieusement domestiquée par les paysans, cette nature généreuse, éclatante, était quadrillée par de noires puissances. Derrière les fonctionnaires déjà féroces agissaient des pouvoirs occultes : police secrète, sociétés secrètes... Les honnêtes gens étaient tenus de se faufiler pour ne pas être pris dans leurs rets. Il ne faut jamais « chatouiller la moustache des tigres », comme on dit. Mais que faire lorsque devant le petit temple des dieux du Sol, à l'entrée du pont, tel groupe de vauriens appartenant à la milice locale tenta de dépouiller cette vieille propriétaire esseulée qui, ignorant banque, coffre-fort ou autres systèmes de cachette, avait ses maigres économies cousues dans sa robe râpée ? L'intervention de Haolang eut pour résultat qu'ils l'immobilisèrent et lui braquèrent un poignard sur le visage afin d'y tracer une marque de sang. Pour se défendre, il ne sut qu'articuler, une fois de plus, le nom magique : « Attention ! seigneur Bao ne sera pas content quand je le reverrai ! »

Délivrés, les deux intrus que nous étions dans ce monde cruel et glauque fûmes peu fiers. Nous devions de ne pas avoir été défigurés à ce seigneur Bao qui, probablement, avait, sans sourciller, défiguré, défloré, fouetté à mort plus d'un innocent. Qui donc était encore innocent ? Était-il encore quelqu'un qui ne fût pas contaminé ? Cet autre buveur ?

Dans une échoppe miteuse, en commandant du vin, nous avions remarqué la présence, dans l'ombre, à quelques tables de nous, d'un homme d'âge moyen, de taille assez grande et qui frappait par sa maigreur. Il avait le regard fixe et perçant, qu'accentuait l'effet du vin. Haolang vida sans peine son pichet et demanda au garçon d'en apporter un autre. Par la même occasion, l'homme demanda aussi un second pichet pour lui. « Ça y est, c'est la compétition ! » pensai-je, inquiet. Au milieu du second pichet, je fus soulagé quand mon ami et l'homme échangèrent un sourire de connivence. Comme, à ce moment-là, le garçon apportait un plat de tripes marinées, Haolang fit un geste d'invite dans sa direction. C'était un geste de politesse conventionnelle, sans que l'autre soit nullement obligé d'accepter. Pourtant, il ne se fit pas prier et se déplaça pour nous rejoindre. Visiblement, il était en quête de conversation.

Quand il fut près de nous, il lui suffit d'un coup d'œil pour être rassuré sur nos dispositions. Il eut tôt fait de repérer dans ma besace mon carnet à dessin, et surtout les livres dans la besace de Haolang, un recueil de poésies d'Essenine et un recueil de nouvelles de Tchekhov. Après quelques bols, gagné par l'ivresse, il s'enhardit dans la confidence.

Il avait été instituteur. Au début de la guerre, ayant embrassé la cause révolutionnaire, il était parti pour Yan'an, mais avant d'arriver à destination, il avait été arrêté et envoyé dans un camp. Au bout de trois ans d'internement et de rééducation, son cas étant jugé moins grave que d'autres, il fut relâché. Revenu à Tchoungking, il avait travaillé comme caissier dans un magasin. Il était tenu de fournir régulièrement à la police secrète un rapport sur sa présence et sur ses activités. Grâce à des relations, il réussit à échapper à la surveillance de la police. Caché à la campagne, il vécut de menus travaux et, comme jadis mon père, de leçons et d'écritures, en encourant le danger d'être découvert.

Un jour, atteint d'une crise d'appendicite, il fut transporté dans un de ces hôpitaux rudimentaires perdus dans la campagne. L'opération s'étant mal passée, on le crut mort. Mais à la morgue, il fut sauvé *in extremis* par les faibles plaintes qu'il poussait. Les médecins de l'hôpital l'adoptèrent. Depuis lors il servait d'infirmier dans l'établissement.

Il passait ses journées à se coltiner la misère physique, ou la misère tout court des petites gens. A panser des chairs gangrenées, à vider les immondices, à assister des paysans mordus par des chiens enragés, à soigner des fillettes violées au vagin infecté, à supporter des cris déchirants ou des lamentations sans échos.

Afin de lutter contre l'accablement et l'isolement,

un seul moyen pour lui de tenir : boire. « Ça aide à se prémunir contre les maladies, ça aide à dormir aussi » Toussant un peu, les yeux plus fiévreux, il ajouta : « Je crois que j'ai un début de tuberculose. »

Se ressaisissant, regardant fixement ses deux interlocuteurs dans les yeux, il dit d'un ton ferme : « La lutte sera dure, mais la délivrance est proche. Le reste n'a pas d'importance. On va balayer tout cela. Tout sera neuf, vous verrez. »

En prenant congé de lui, le poète tira de sa besace les deux livres et les offrit à cet homme qui ayant échappé par miracle à la mort ne la craignait plus.

Pour moi, la rencontre la plus réjouissante fut celle du vieux peintre-ermite. Assis sous un *huanggo*, j'étais en train de dessiner le paysage lorsque j'entendis une voix nette derrière mon dos : « Jeune homme, je vois que tu es peintre. Si vous voulez bien tous les deux, venez prendre le thé chez moi. » Je me retournai et crus revoir le moine taoïste de mon enfance : le même visage serein et impassible, n'était ce bon sourire légèrement teinté d'ironie qui l'éclairait. Nous le suivîmes jusqu'à sa demeure, une chaumière protégée par de l'herbe sauvage et bordée derrière par un jardin potager. Le vieillard nous montra sa prodigieuse collection de peintures chinoises anciennes ainsi que ses propres œuvres, les unes éthérées, les autres d'une frémissante densité, peintes avec un superbe art du pinceau et de l'encre, dans la pure tradition chinoise, mais singulièrement renouvelée. Il nous apprit que dans sa propre jeunesse — cela remontait au début du siècle —, grâce à la fortune familiale, il avait longuement voyagé au Japon et en Europe. Dans les années vingt et trente, il jouissait d'un certain renom en tant que peintre dans toute la vallée du Yangzi. Il connaissait tous les grands artistes dc sa génération. Mais depuis une dizaine d'années, il avait renoncé aux mondanités et s'était retiré dans ce coin perdu pour se consacrer entièrement à son art.

21

Ce fut en bateau que, terminant notre voyage, nous arrivâmes à la ville de N., un port qui donnait sur un important affluent du Yangzi. C'était une ville prospère, à l'activité intense à cause de tous les commerces qui s'y faisaient et des marchandises qui y transitaient. Le bateau avait passé plus d'une heure à se frayer un passage au milieu des innombrables sampans et barques qui engorgeaient le port, avant d'accoster. Le quartier du port grouillant de gens aux cris sonores et aux gestes alertes, malgré une animation fébrile, offrait une ambiance détendue et bon enfant. Marchands, transporteurs et bateleurs rivalisaient d'expressions savoureuses qui faisaient rire tout le monde. Partout, ce n'étaient que maisons de thé, échoppes, restaurants, boutiques qui regorgeaient de marchandises étalées en pleine rue. L'air était saturé de senteurs d'huile, de vin, de sel, de riz, de légumes marinés et d'épices de toutes sortes.

Au-delà du quartier du port, on pénétrait dans la ville proprement dite, traversée de nombreuses rues dont les principales étaient inhabituellement larges pour une ville de province. Dans ces rues, se côtoyaient maisons très anciennes et immeubles modernes. On indiqua aux deux arrivants que le théâtre se trouvait près du carrefour central. Comme il était déjà tard dans l'après-midi, nous nous souciâmes d'abord de trouver un gîte. Après quelques recherches, nous fûmes heureux de tomber sur une maison d'accueil gérée par la Y.M.C.A. Au bout de près d'un mois de pérégrinations dans des conditions éprouvantes, ce lieu calme et propre nous apparaissait comme un paradis inespéré, un signe de bon augure. La chambre était nue, avec deux lits simples séparés par une table de nuit sur laquelle étaient posées deux bibles en chinois. La vue des draps blancs nous fit comprendre l'urgence d'un bain.

Après nous être nettoyés et pour ainsi dire remis à neuf, nous nous sommes rendus au théâtre. Sur une immense pancarte nous avons lu le programme du soir : *Le Serpent blanc*, avec Yumei dans le rôle principal. Nous décidâmes, pour ne pas la perturber dans ses préparatifs, de ne la voir qu'après la représentation. En attendant, nous nous installâmes dans une maison de thé près du théâtre. Comme on pouvait s'y attendre, c'était le lieu de rendez-vous des acteurs et des amateurs de théâtre. Il y régnait une atmosphère peu banale, un mélange de bonhomie naturelle et d'excitation. Au milieu du brouhaha général fusaient ici des rires joyeux, là quelques phrases d'un air connu, plus loin une mélodie, jouée discrètement sur un *erhu* [1].

Quand on commença à distinguer plus clairement les visages, nous ne pûmes éviter de remarquer un personnage à la corpulence impressionnante qui trônait dans un coin de la grande salle, près d'un pilier de bois. Son corps bien calé dans un fauteuil en rotin était surmonté d'une grosse tête carrée dont seule la partie inférieure était légèrement arrondie par un

---

1. Violon chinois.

double menton. Il était assis là, économe de ses gestes, presque immobile. Il émanait pourtant de lui une impression de mobilité extrême, cela principalement à cause de son visage expressif, dont aucun élément, bien visible, n'était négligeable. Un peu sommeillant d'abord, comme sorti d'une longue sieste, il commença à bouger lorsque le garçon lui apporta une serviette chaude. Renversant la tête en arrière, il l'étala sur son visage, la pressa de ses gros doigts sur toutes les anfractuosités de son visage afin de permettre à la vapeur d'y pénétrer davantage. Durant un bon moment, il soupira d'aise ; puis il enleva la serviette et revint à sa position initiale. Le garçon, connaissant ses habitudes, apporta du vin et des mets. A le voir se concentrer pour mastiquer de toutes ses dents les choses qu'il avait piquées dans l'assiette, longuement et sans hâte, cligner des yeux pour mieux savourer chaque fragment, comme s'il avait l'éternité devant lui, on ne pouvait plus le quitter du regard. Il finit par tout avaler avec force rasades de vin. Au bout d'un moment, sans qu'il ait eu à le demander, le garçon apporta le thé, accompagné de fruits et de gâteaux. Il prit une pomme qu'il enveloppa de sa main, la mit sous son nez et la renifla ostensiblement. Il la frotta contre sa joue, avec une sensuelle délicatesse, jusqu'à ce que la morsure dans le fruit devienne une nécessité absolue. Avec résolution, il croqua un morceau, le mâcha avec une lenteur goulue et l'avala. Puis, à nouveau, morsure dans la pomme... Durant tout le temps qu'il faisait actionner sa mâchoire à plein régime, les yeux grands ouverts formant deux ronds chargés d'on ne savait quel étonnement, il poussait des grognements ponctués de « Hei, hei !... Ho, ho ! Hum ». On aurait cru voir en lui deux comparses en action : l'un tout absorbé à jouir, tandis que l'autre le regardant jouir émettait des sons d'approbation. Quand la pomme fut enfin croquée, il but une gorgée de thé. Soupirs. Silence.

C'est à ce moment-là que les gens s'approchèrent et l'abordèrent. Cela débuta par des conversations anodines, semble-t-il. Déjà tout le jeu de son visage était mis en branle. Ses prunelles roulaient comme des billes dans ses orbites ou ne laissaient émerger que le blanc quand il levait la tête vers le ciel ; son nez gras s'écrasait ou se dressait ; son menton tressaillait quand il riait, un rire étouffé qui n'éclatait jamais et qui se prolongeait en un gloussement saccadé. Il n'était pas jusqu'à ses oreilles qui, s'agitant à volonté comme deux petits éventails, ne participent à l'expression de l'ensemble. Sans entendre les mots, prononcés avec une voix de basse, on devinait à distance ses sentiments d'étonnement, de frayeur, de pitié, de tristesse ou de joie, de commisération, d'affliction ou de colère. En fait de joie, celle-ci n'était jamais franche à cause de ses deux énormes sourcils qui tombaient des deux côtés, ainsi que les commissures des lèvres également tombantes. Ces quatre barres obliques parallèlement imprimées sur son visage marquaient une sorte de foncière désillusion ou de dérision insurmontable. Il en résultait un constant décalage entre tous les sentiments vifs qu'il manifestait à tout bout de champ avec des mimiques si suggestives et ce perpétuel « air de chien battu ». Ce contraste créait un effet comique certain. D'ailleurs, tout ce que le personnage disait provoquait comme malgré lui, comme naturellement, le rire. Visiblement, il était un de ces comiques qui ont pour fonction dans le théâtre d'« encaisser les coups » et par là de prendre en charge toutes les dérisions de la vie humaine. Il ne pouvait résister, même en dehors du spectacle, à user de son pouvoir. Déjà, avec cette intonation sinueuse et persuasive du parler sichuanais, il tenait en haleine son auditoire...

Dans un autre coin de la salle, plusieurs personnes, dont quelques belles femmes, venaient s'asseoir autour d'un autre personnage d'une rare distinction. Il portait simplement une robe bleu turquoise ornée d'une longue écharpe de soie blanche qui lui tombait depuis les épaules. Son apparence avait quelque chose d'irréel comme s'il sortait d'une gravure ancienne. Son visage fin, racé, avec de beaux yeux en amande, illuminés de temps à autre par un sourire, dégageait un charme indéfinissable où le masculin rejoignait le féminin. Il parlait paisiblement sans jamais hausser le ton. A un moment donné, on le vit frapper des doigts sur la table un rythme, puis il fredonna un air. Visiblement, il était en train de raconter ou d'expliquer une pièce. Quand il faisait une pause, il versait le thé dans sa tasse et la portait à ses lèvres. Tout dans ses gestes respirait l'élégance et la grâce. A mon étonnement, ces gestes me paraissaient familiers. Mais oui, Quatrième oncle aux mains si agiles ! N'est-ce pas ainsi qu'il versait le thé et tenait sa tasse ? « Tout change dans le monde, me dis-je, mais il reste ces gestes qui se transmettent depuis l'Antiquité tel un filet d'eau qui ne s'interrompt pas. »

Comme la salle s'animait de plus en plus, devenant une véritable salle de spectacle, nous nous amusâmes à assigner un rôle de théâtre à tous ceux qui arrivaient. Tous étaient typés, acteurs comme amateurs ; ces derniers, par mimétisme, s'identifiant à tel ou tel acteur qu'ils admiraient le plus. Il ne fut point nécessaire d'attribuer un rôle à l'un des arrivants, un homme âgé d'environ soixante-dix ans, aux cheveux et à la barbiche blanchis : il se signala de lui-même. Devant la maison de thé, avant d'entrer, il s'aperçut que ses lacets étaient défaits. Au lieu de se courber pour les nouer, il leva le pied à la hauteur de ses mains, ne se tenant plus que sur une seule jambe à la manière d'une grue, et il prit alors tout le temps nécessaire pour nouer ses lacets. La besogne terminée, il fit un bond en l'air d'une extraordinaire légèreté et retomba au sol dans la posture d'un général qui, une arme invisible à la main, s'apprêtait à un combat singulier. Des gens s'amassaient, nombreux, autour de lui et applaudissaient à tout rompre. Il les salua, les mains jointes, à la ronde. C'était un ancien *wusheng* (un acteur-acrobate spécialisé dans les rôles martiaux), qui venait régulièrement hanter ce lieu de vie de sa jeunesse et encourager ses cadets. Son entrée dans la salle, électrisant l'atmosphère, marqua le prélude à la représentation qui allait bientôt commencer au théâtre, juste à côté.

Quand, annoncée par une brève cadence de l'orchestre, l'héroïne entra à pas mesurés sur la scène, mon émotion fut à son comble. « Tout est miracle avec l'Amante, me dis-je, à moins que tout ne soit qu'illusion. »

Dans l'ambiance chaude du théâtre et dans les lumières savamment composées, tout paraît plus que réel et dans le même temps, irréel. Est-on là ? Est-on ailleurs ? Est-on quelque part dans un espace fictif rêvé par les hommes ? Les larmes et les souffrances mêmes ne seraient que des ingrédients pour agrémenter un passage à vide, avant que tout ne sombre dans l'oubli du sommeil ?

Miracle, c'est pourtant le seul mot que tout le souffle qui m'animait à cet instant parvint à murmurer. Miracle, ma première rencontre avec Yumei dans le jardin au détour d'un sentier. Miracle, ces retrouvailles. Avec mon ami, j'avais fait un long périple semé d'épreuves au terme duquel tout devenait soudain si facile, comme soigneusement préparé à l'avance. Le soir même de notre arrivée, cette représentation qui s'offrait. Elle était là, indéniablement là, à portée de main, hors de portée. Combien elle-même, combien autre !

Le public d'ordinaire si bruyant écoutait en silence. On eût dit qu'il était en quelque sorte purifié par la figure de cette héroïne pourtant *a priori* impure : un serpent. Cet être qui vient du fond de l'univers obscur, qui, à force de désir sincère et de patience concentrée, devient un être humain, une femme à la beauté d'autant plus fascinante qu'elle est d'origine animale.

Elle s'initie à l'amour, un amour tout humain mais si grand qu'il viendra à bout de toutes les forces tyranniques et maléfiques.

Une des forces maléfiques est le moine Fahai, doué de pouvoir magique auquel se soumettra d'ailleurs Xuxian, l'amant du Serpent blanc. Trahi par tous, délaissé par son amant même, le Serpent doit puiser dans son amour indéfectible des forces insoupçonnées pour poursuivre son destin terrestre. Il est poignant de voir cette bête à l'origine si humble, si au ras du sol, promise à l'écrasement, s'élever à une dignité telle que la noblesse de son âme dépasse celle de l'homme, en sorte que le drame, de supranaturel qu'il est, revêt un éclat surnaturel. Elle ne trouve plus devant elle qu'un pur espace mû par la seule force de son désir, qu'aucune figure humaine ne saurait plus combler...

Yumei était entièrement maquillée selon les règles du théâtre, portant une coiffe richement ornée. Son visage peint, qui représentait la beauté idéale de la femme chinoise, pour impersonnel qu'il fût, comment n'en aurais-je pas reconnu tous les traits maintes fois imaginés dans mes rêves durant toutes ces années d'absence : ce parfait ovale, ce nez fin, ces lèvres sensibles et sensuelles, ce regard profond et limpide. Par rapport à autrefois, les seuls changements qu'on pouvait déceler dans sa personne : une voix plus mûre, un port plus souverain. Cet être, naguère si ébranlé par des interrogations, était devenu, à force d'ardentes recherches, une vraie artiste en possession de tous ses moyens, capable d'exprimer tant de passions obscures.

Absorbée dans son rôle, Yumei n'aurait pu remarquer ma présence. Je me félicitais d'être dans l'ombre et de pouvoir ainsi me laisser absorber, moi aussi, par l'histoire, dans l'oubli total de soi. C'est seulement à la fin de la pièce que je me tournai vers Haolang, pour le voir figé par l'émotion, comme hypnotisé.

Après le spectacle, nous allâmes derrière la scène. A distance nous vîmes l'actrice de profil qui s'attardait à parler avec quelqu'un avant de regagner sa loge.

« Yumei ! »

Se retournant, elle ne marqua qu'une légère surprise, comme si elle m'attendait : « Ah, te voilà ! » Puis, regardant mon compagnon : « C'est Haolang. Ah, Tianyi, comme ton talent de peintre a encore progressé ! Il ressemble comme une image au dessin que tu m'as envoyé ! »

Un rire joyeux couronna le premier instant de la rencontre des trois.

En attendant que Yumei ait fini de se démaquiller, nous allâmes l'attendre à la maison de thé. J'étais incapable de dire un mot, envahi par un sentiment de reconnaissance envers le destin qui m'avait accordé de revoir Yumei en chair et en os, libre et souveraine. Retrouver l'Amante, c'était pour moi retrouver la terre natale, c'était fouler à nouveau, pieds nus, la douce argile tiède et familière au parfum d'humus et de mousse.

Enfin elle était à nouveau là, assise en face de moi. A près de vingt-trois ans, c'était une jeune femme mûre. Dans ses beaux yeux, abrités sous de longs cils, se mêlait à un air souriant et étonné non plus la mélancolie mais une gravité et une détermination, à l'image des héroïnes qu'elle incarnait. Façonnée par le théâtre, elle montrait plus de grâce encore dans les gestes. Ses mains, plus dodues que jadis, étaient creusées de fossettes.

« Où logez-vous ce soir ? s'enquit Yumei.

— On a trouvé une chambre au Y.M.C.A.

— C'est très bien là-bas. Le foyer est dirigé par un groupe de jeunes très sympathiques ; j'ai chanté pour eux lors d'une fête de Nouvel An. Quand êtes-vous arrivés ?

— Cet après-midi.

— Pourquoi n'êtes-vous pas venus me voir tout de suite ?

— Nous n'avons pas voulu te déranger. Nous nous sommes installés ici en attendant. »

Et moi de raconter les personnages que nous avions vus avant la représentation. Quand je mentionnai le gros homme comique, je m'entendis expliquer par Yumei : « C'est un être extraordinaire. Sous son air bougon, il est plein de chaleur et de compassion. Il m'a prise d'ailleurs sous sa protection. Dans sa jeunesse, il a souffert à cause d'un amour contrarié. Lui et son amante voulaient se suicider ensemble en se jetant d'une hauteur. Sautant le premier, il a atterri en bas avec une jambe cassée, tandis que sa partenaire, terrifiée, est restée là-haut. Leur amour s'est achevé là ; et lui, il est devenu infirme. Au sortir de ce drame, il a décidé de ne plus se soucier de ses propres malheurs et de jouir de la vie telle qu'elle vient. Au début de sa carrière, le voyant jouer sur scène en boitant affreusement, les gens le prenaient pour un clown. Mais grâce à sa personnalité et à ses dons exceptionnels, il a fini par s'imposer comme un acteur comique de premier ordre. Il ne joue plus guère maintenant. Quand il monte sur scène, les gens viennent de très loin pour l'applaudir. »

Pressés par le trop-plein des choses à se dire, nous nous lançâmes dans une conversation animée. A minuit passé Yumei montra des signes de fatigue. Nous prîmes congé.

« Vous allez rester quelque temps ici, n'est-ce pas ?

— Nous n'avons pas de projets, répondis-je. Nous restons jusqu'à ce que tu en aies assez de nous.

— Oui, quand j'en aurai assez de vous, je vous chasserai. » Puis, avec un sourire malicieux, elle ajouta : « Je vous chasserai comme un chasseur. Je vous poursuivrai jusqu'à ce que je vous rattrape ! »

22

A partir de ce jour, nous nous immergeâmes totalement dans la vie du théâtre. Très rapidement, nous nous sentîmes comme des poissons dans l'eau parmi ces gens du spectacle entièrement voués à leur art ; après tout, nous étions de leur race. Nous nous efforcions de participer de notre mieux à tout, chacun avec le talent qui lui était propre. Je tentais d'améliorer les grandes affiches annonçant le programme ; je m'intéressais aussi à tous les problèmes touchant aux décors. Haolang, lui, se proposait de rédiger un texte de présentation pour tout nouveau programme. Il ne se contentait pas dans ses textes de faire le résumé de la pièce ; il avait le souci chaque fois de replacer la pièce dans son contexte historique. Parfois il allait jusqu'à analyser la pièce ainsi que les principaux rôles. Sur sa lancée, il eut l'idée d'installer un panneau vertical à côté de la scène sur lequel étaient inscrites les paroles des airs les plus importants. Cela permettait aux spectateurs de mieux comprendre le contenu de la musique et ainsi de goûter chaque phrase, chaque mot. Ces innovations, si elles agaçaient les véritables amateurs qui connaissaient les pièces sur le bout des ongles, contribuaient cependant à gagner de nouveaux spectateurs, notamment parmi la jeune génération.

Nouveaux arrivés, nous étions d'autant plus incités à proposer des innovations que le théâtre en question portait le qualificatif de « réformé ». Le directeur du théâtre appartenait à une très grande famille de la région, famille enrichie grâce au commerce du sel et de l'huile. Épris de théâtre dès sa jeunesse, il s'était fixé pendant les années trente à Shanghai et s'était initié à toutes les formes du théâtre traditionnel, en particulier celui de Pékin et celui de Shanghai. La guerre, paradoxalement, avait créé des circonstances particulièrement favorables. Sa ville natale, ce port fluvial, devenait un grand centre commercial avec une population accrue et une ouverture vers le monde extérieur. C'était aussi l'époque où, en raison de la concentration d'hommes de théâtre autour de la capitale, celui-ci connaissait un véritable renouveau. Notre passionné de théâtre décida donc d'en fonder un dans sa propre ville, dont l'intention affichée était de réformer le théâtre chanté du Sichuan. Les principales mesures de la réforme consistaient à épurer le répertoire, à enlever tout le fatras inutile qui encombre le décor et le jeu des acteurs, à raccourcir la durée de chaque pièce en rendant l'intrigue plus concentrée et plus dramatique. Personnage de grande envergure, ce mécène, doublé d'un professionnel, consacrait toute sa fortune à ce théâtre. Il avait fait bâtir une nouvelle salle de spectacle et mis à la disposition de la troupe son immense demeure seigneuriale. Ne s'embarrassant pas de coterie, il engageait des artistes même inconnus, du moment qu'ils montraient des dons certains. Il faisait appel aux femmes pour interpréter des rôles féminins. C'est ainsi qu'il avait fait confiance à Yumei qu'il avait repérée à Tchoungking lors d'obscures représentations. Il encourageait aussi toute idée nouvelle sans avoir peur de heurter la sensibilité des puristes, et il finit par se bâtir une grande réputation. Les artistes de Tchoung-king venaient le consulter et, de toutes les régions environnantes, les gens accouraient en foule pour assister aux représentations.

C'est la première fois que je m'intégrais pour un temps dans une collectivité, une communauté en tous points exceptionnelle, vivante et colorée, composée d'individualités fortes et variées. Je me suis rendu compte que dans la société chinoise ancienne les gens de théâtre, de même que les lettrés-ermites, comptent parmi les personnes les plus libres, et les plus pauvres aussi. Tout comme les lettrés-ermites qui ne possèdent que leur pinceau pour pratiquer le triple art poésie-calligraphie-peinture, eux ne possèdent que leur propre corps et quelques maigres accessoires pour exercer le leur. Un corps utilisé à plein cependant, capable de chants, de mimiques, de danses et d'acrobaties. En dehors de ce corps qui constitue tout leur bien, ils ne possèdent ni fortune personnelle ni maison permanente. Plus ils sont pauvres, plus ils sont libres, et entre eux ils pratiquent l'esprit de solidarité et de partage.

Ce sont eux qui conservent, à côté des lettrés-ermites, la quintessence de la vraie culture chinoise, en la traduisant sur la scène, certes, mais aussi dans la vie courante, dans leur moindre parler et leur moindre geste. Il est vrai que, pour ces artistes, il n'y a point de hiatus entre le théâtre et la vie. D'instinct et par discipline, ils maîtrisent aussi bien ce qui est nécessaire pour se comporter sur la scène que ce que requièrent les actes quotidiens. Tout, chez eux, prend cet aspect précis, élégant et économe que confère le professionnalisme. En se déplaçant, ils répandent autour d'eux une onde d'énergie souple.

La plupart d'entre eux n'avaient pas fait d'études ou peu. Leur parler était populaire, jamais vulgaire ;

au contraire, il paraissait quelquefois savant. Car leur riche répertoire théâtral, fondé sur la langue classique, fournissait à ces artistes des mots et des expressions justes, d'une tournure cadencée et stylisée que les Chinois modernes ont perdue.

Un même sens du rythme et du style réglait l'ensemble de leurs actes les plus utilitaires. C'était plaisir de les voir marcher, se saluer, s'asseoir, manger et boire, ou même soulever des charges. On les eût dits constamment accompagnés par un invisible orchestre, un orchestre installé au-dedans d'eux-mêmes, une fois pour toutes. En sorte que les choses qu'ils touchaient acquéraient une présence et une saveur inconnues jusque-là, qu'eux seuls savaient révéler. Et il n'était pas jusqu'à leur façon de boutonner un vêtement, de nouer un ruban, d'allumer une pipe qui n'ait un côté rituel comme si, dans la vie, rien n'était négligeable et que tout détail avait son importance.

Baignant dans cet esprit dynamique, qui conférait une dignité à tout, qui permettait d'affronter l'adversité avec plus de panache, j'avais parfois honte de mon propre état, le plus souvent pessimiste. Il m'arrivait de me surprendre devant le grand miroir installé derrière la scène, de voir cet air sombre qui barrait mon front, ainsi que mon corps sans réel élan, légèrement voûté, comme recroquevillé sur lui-même.

23

Yumei disposait, dans un coin reculé de la demeure, d'une pièce assez spacieuse et donnant sur un jardinet qu'elle divisait en deux au moyen d'un paravent. Nous y allions les jours de relâche. De temps à autre, nous y prenions un repas en sa compagnie lorsque, au lieu d'aller à la cantine du théâtre, elle préparait quelques plats dans la cuisine commune.

Une chambre — ce lieu à soi. Dans ma vie d'errance, en ai-je vraiment connu ? En connaîtrais-je jamais plus tard ? Certes, si paradis il y a, il serait dépourvu de cloisons. Mais ici, sur terre, par besoin d'abri, il arrive que l'être humain réussisse, le temps d'une grâce, à cerner avec quatre murs un espace élu qui n'a rien à envier au séjour des divinités. Ce lieu à soi, cette chambre de Yumei, transforme tout ce qui est à l'intérieur en présence attendue et tout ce qui vient de l'extérieur en don inespéré, cela dans une simplicité absolue. Ce miroir ovale au cadre d'argent, cette coupe en porcelaine ajourée, ce parapluie jaune qui fait paire avec l'ombrelle verte, ces livrets d'opéras posés pêle-mêle à côté du brûle-encens... Toutes ces choses qui se trouvent là au hasard d'une vie, deviennent présences grâce à la présence de celle qui les a réunies. Elles s'attirent entre elles, formant un champ d'attraction où aucun élément ne pourra plus manquer. Elles se laissent posséder par leur propre silence, ou plutôt par ce bruissement continu qui répond en sourdine au chant triste ou joyeux qui s'élève. Chant d'attente. Chant d'accueil. Accueil de ce qui vient le long du jour. Le bref rayon du matin, mêlé de gazouillis, qui redit chaque jour l'innocence du monde. Le lent rayon de l'après-midi, étiré comme un écheveau de soie qu'on dévide, pareil à ces échos de conversations anodines venant du couloir, venant de la cour, de ceux qui, sirotant du thé, croquant des graines de pastèques, égrènent l'éternelle mémoire humaine. Puis, imperceptiblement, on se laisse toucher par la lente approche du crépuscule. Au cœur de la pièce, on redevient cet être depuis toujours partagé entre la confiance en une douceur promise et le désespoir devant la fuite du temps. Jusqu'à ce que, du fond de la pénombre, jaillisse la chère voix : « Mais il n'est pas tard ; faisons quelque chose encore... »

Par beau temps, nous faisions des excursions dans les environs. Souvent, je partais peindre sur le motif des paysages que Yumei connaissait bien. Pendant ce temps, mes deux amis se promenaient. Un soir, après le spectacle, Yumei, ne se sentant pas fatiguée, proposa tout d'un coup : « Cette nuit, la lune est trop belle. On va au bois ! » C'est un bois dont elle avait maintes fois parlé et que jusqu'ici elle ne s'était pas décidée à nous montrer. Le bois se trouve à quelques *li* en dehors de la ville. En une heure de marche nous y arrivâmes. Après avoir suivi un sentier, nous parvînmes à un petit lac entouré de roseaux et d'arbres. D'emblée, je reconnus en ce lieu l'autre coin de bois, à côté du domaine familial de l'Amante, où jadis elle et moi nous avions passé des moments inoubliables. Pendant que Haolang se jetait à l'eau pour nager,

158

Yumei se mit à parler : « N'est-il pas vrai que cette vie est un mystère qui dépasse notre entendement ? Nous étions dans la nuit la plus obscure où tout nous était refusé. Un destin aveugle nous guidait, sans que nous sachions pourquoi nous marchions ni où nous allions. Voici qu'une nuit lumineuse s'offre ici où tout nous est donné. Je suis là, tu es là, nous sommes là. Rien n'est donc perdu, tout est retrouvé. Oui, nous nous retrouvons et cette fois-ci nous ne nous perdrons plus, n'est-ce pas ? »

A cette question, tout mon être ne fut qu'un immense oui, tant ces paroles étaient celles que je voulais entendre, ou que j'aurais voulu prononcer moi-même. Je fus à ce point ému qu'aucun son ne sortit de ma gorge. Mais le mouvement d'acquiescement de mon corps était bien plus éloquent.

L'Amante continua : « A Tchoungking, me trouvant seule, j'ai touché le fond du délaissement et du désespoir. Je me suis engagée dans un petit théâtre pour chanter de petits rôles. Dans la nuit, pour ne pas sombrer totalement, je parlais aux personnages que j'interprétais, personnages dont le sort était semblable au mien.

« Un jour, monsieur L. est passé et m'a remarquée. Il m'a fait confiance, bien que je n'aie aucune vraie formation professionnelle. Petit à petit, grâce à la patience et à l'enthousiasme de tous les membres de sa troupe, je me suis formée et j'ai trouvé une plénitude dans cette forme d'art.

« J'ai perdu ma famille, tu le sais. Dans cette troupe, je suis entrée dans une nouvelle famille. Avoir une vraie famille est une chance pour chacun ; on est au sein d'une serre chaude et on ne se sent jamais seul. Seulement, une famille est composée de personnes du même clan, les siens. Et l'on sait que l'on ne peut pas éternellement vivre parmi les siens. Une profonde nostalgie me hante. Je sais au fond de moi-même que je suis sollicitée par quelque chose d'autre, non, par quelqu'un qui vient d'ailleurs. Un jour, j'ai eu la claire conscience que ce quelqu'un d'autre n'est autre que toi, Tianyi. Qui es-tu ? Un ange tombé du ciel ? Un être né du même sol originel que le mien ? En tout cas, un être infiniment moi-même et infiniment autre. Et surtout tu es apparu à ce moment de ma vie, dans mon domaine familial, avec ton visage, ton regard, ta voix, ta sensibilité qui ne ressemblaient à aucune personne de ma connaissance. Une alliance était nouée entre nous, une alliance de sang que tous deux nous sentions et que nous étions incapables d'expliquer à nous-mêmes et encore moins à quelqu'un d'autre. J'éprouvais un besoin impérieux de t'appeler. J'ai écrit à tout hasard à ta mère, sans être aucunement sûre que la lettre parvienne à destination. Par miracle, tu as entendu l'appel, et tu es venu avec Haolang.

« Je ne sais pas ce qu'il adviendra de nous, mais je sais qu'entre nous cette alliance, née à un moment décisif de nos deux vies, est désormais scellée... »

Elle ne pouvait plus continuer. Mais elle avait dit ce qu'elle avait à dire, ces paroles qui ne pouvaient être dites à aucun autre moment que cette nuit, devant ce lac. Comme délivrée d'un aveu, elle parut soudain apaisée. Dans la clarté qui filtrait entre les branches, l'instant se cristallisa en une pièce de jade sur laquelle scintilla une traînée de rosée.

24

Depuis notre arrivée, l'automne était passé, puis l'hiver. En ce deuxième mois du calendrier lunaire, le printemps pointait déjà son nez au bout des branches des arbres, un timide signe de vert tendre, une velléité de bourgeon. Le trio que nous formions vivait une expérience de communion totale. Celle-ci bénéficiait, il est vrai, de circonstances exception-nelles : un milieu favorable, celui du monde du spec-tacle ; une époque favorable aussi. Comme nous l'avions constaté à Tchoungking et lors de notre tra-versée du Sichuan, on assistait à un moment de l'his-toire où l'ancien ordre essayait coûte que coûte d'imposer ses lois sans y parvenir et où, profitant d'une sorte d'anarchie, toutes les libertés étaient pos-sibles. D'autant plus qu'on sentait que la guerre tou-chait à sa fin. On s'interrogeait sur l'avenir : guerre civile ou réconciliation nationale ? A l'image de la saison, ce fut une époque chargée de mort et de la promesse d'une naissance inconnue. Ce qui se passait au plan national, le trio le vécut dans sa vie intime.

Un jour de février — comment l'oublier ? —, nous faisions une excursion jusqu'à une clairière, à une dizaine de kilomètres de la ville. Nous passâmes l'après-midi à visiter une fabrique de porcelaine, à regarder les artisans, absorbés corps et âme dans leur travail, actionner à l'aide du pied le plateau tournant et modeler des deux mains l'argile tendre et docile. Un après-midi entier, à admirer leurs gestes habiles et caressants, infiniment délicats et précis. Gestes transmis de génération en génération depuis toujours, depuis ce moment inaugural où, fixé sur un terroir, le Chinois a découvert le pouvoir magique de modeler et de cuire la matière pour la transformer en ustensiles propres aux humains. Un après-midi entier donc, à regarder ces façonneurs de bronze et de porcelaine. Un peuple à la parole brève et aux gestes longs, peu doué pour le discours, et dont le génie réside dans les mains et dans les pieds, mains et pieds sortis de l'argile, couleur d'argile.

Par leurs actes cent mille fois répétés, ces artisans perpétuent un mouvement circulaire, qui répond fidèlement au mouvement de la rotation universelle. Mouvement apparemment monotone mais chaque fois renouvelé, subtilement différent. C'est ainsi que l'Univers lui-même, mû par une nécessité née de soi, a dû commencer ; c'est ainsi probablement qu'il finira.

Ce cercle spatial qu'effectuent les mains en connivence avec l'argile posée sur le plateau tournant, aussi parfait, aussi enivrant soit-il, me fascine moins qu'un autre cercle invisible qui me frappe comme une révélation. Ces mains nées de l'argile originelle, qui ne sont autres qu'argile, un jour se sont pourtant mises à malaxer et à façonner cette même argile, à en faire quelque chose d'autre qui n'avait jamais existé auparavant, qui était l'emblème même de la vraie vie. D'où venait ce mystère ? Comment l'argile inerte a-t-elle été capable de susciter des mains aussi habiles, et surtout de les inciter à tendre vers un état rêvé qui la dépasse ? A moins que l'argile ne fût pas

162

seulement argile, qu'à son insu elle eût gardé de quelque humus originel suffisamment de désirs virtuels, lesquels n'auront de cesse qu'ils ne se soient accomplis ?

Ces mains donc, ces mains humaines qui utilisent comme un instrument l'argile dont elles sont issues, sans savoir qu'elles ne sont elles-mêmes que l'instrument de l'argile. Cercle mystérieux, cercle enchanteur, tournant sur lui-même sans cesse. Voilà qu'en tournant, la forme apparaît, d'abord hésitante, tremblante, puis elle s'affirme dans une volonté consciente, comme émergeant de sa résolution d'être, en vue d'une existence pleine. Car, dès le premier instant, tout est déjà là, comme un fœtus d'enfant dans la matrice maternelle. Un corps d'emblée constitué et non une addition successive d'éléments. Captant la clarté du jour, cherchant son équilibre entre grâce et fermeté, puis se décidant enfin, frayeur et joie mêlées, à prendre une forme définitive. A voir cette forme qui émerge du tas d'argile, on éprouve l'impression d'assister à la miraculeuse apparition de la vie ou de l'être humain sur terre. Le mythe chinois ne dit-il pas justement que le Créateur a mélangé l'eau et l'argile pour façonner l'homme et la femme ?

Sur le chemin du retour, le trio, un peu fatigué mais ravi de ces heures de plénitude vécues ensemble, marchait d'un pas lent et rythmé. Dans un sentier qui traverse un vallon, tenant à la main le vase que nous venions d'acquérir, je marchais en tête. A un moment, je ne résistai pas au plaisir de prendre l'objet dans mes deux mains pour en sentir la forme, pour en éprouver le doux éclat. Mon air d'officiant portant une offrande en tête d'une procession provoqua le sourire de mes compagnons qui marchaient à ma suite. J'en ris moi-même, puis songeai en silence à la place exacte, dans la chambre de l'Amante, où je mettrais le vase dans lequel je changerais régulièrement les fleurs. A commencer, bien entendu, par les fleurs de prunus qui étaient en pleine floraison en cette saison. Le prunus qui fleurit pendant la froidure, avec sa silhouette noble et sa couleur discrète soulignée par la neige, symbolise la pureté inaltérable. Il est l'emblème même de Yumei ; son nom ne signifie-t-il pas « Prunus de Jade » ? Cette année, il n'y avait pas eu de neige. En ce mois de février, quand le vent passait, on frissonnait encore. Mais dans ce vallon, à l'abri de tout, l'air était immobile, transparent. Les éléments environnants, les collines, les arbres, le sol même, longuement dépouillés, avaient un aspect étonnamment net, lisse, lumineux. Comme de la porcelaine ! me dis-je. Oui, ce vallon lui-même est un bol d'offrande, cuit juste à point. Comme dans l'attente de quelque dieu de passage, qui se pencherait pour consommer l'offrande.

A cet instant précis, un cri d'oiseau se fait entendre là-haut. D'une clarté et d'une force sans pareilles, et avec une détermination effrayante. On dirait que l'oiseau a attendu toute sa vie pour pousser ce seul cri, avec toute l'énergie de son corps. Ce cri, résonnant très haut dans l'air, tombe tout droit sur ma tête comme la foudre. Je me retourne brusquement vers mes amis en disant : « Vous entendez ce... » Je ne termine pas ma phrase et je vois. Ce que je vois me cloue un instant sur place, m'anéantit littéralement. Tout comme la foudre que je viens de recevoir sur la tête et qui perce mon crâne, ce que rencontre mon regard fait éclater mon cœur. Que vois-je ? Oh, presque rien. Un geste furtif. C'est sans doute par ce genre de geste furtif que l'Ange exterminateur frappe. Haolang tient la main de Yumei dans la sienne, leurs doigts intimement entrecroisés. A mon regard, les deux mains se séparent brusquement, sans que le sourire quitte leurs visages. Comme j'aurais souhaité que les deux mains ne se séparent pas et que mes deux amis marchent dans l'innocence ! Mais les deux mains se sont brusquement séparées, et j'ai eu l'impression de violer une intimité. Soudain, je me sens de trop, je suis exclu, exclu de tout ce qui constitue mon rêve. Une exclusion renforcée par la réponse de mes deux amis : « Qu'est-ce que tu entends ? »...

La nuit, en proie à des palpitations et au tremblement de tout mon corps, je ne trouve pas une seconde de répit pour reprendre mes esprits. Je sens seulement qu'autour de moi le monde s'écroule et qu'au-dedans de moi, ce qui fait le fondement de mon être m'est retiré. Tout s'émiette. La gravitation universelle semble désintégrée, et les astres indéfiniment tombent et avec eux mon corps tombe aussi. Chute vertigineuse. Je m'accroche un instant au bord du lit, puis m'évanouis.

Le lendemain et les jours suivants, mes amis ne remarquent pourtant pas le changement en moi. Le sang qui cogne dans ma tête rend mes yeux exorbités mais dissimule un peu ma pâleur. Je suis travaillé par un sentiment qui m'horrifie. Mon besoin de pureté et d'innocence me pousse à souhaiter que nos trois personnes n'aient jamais existé et que notre rencontre n'ait jamais eu lieu. Mais comme je ne peux pas nier l'évidence, j'en viens à désirer la disparition des deux autres, quelles qu'en soient les conséquences pour moi-même, fût-ce au prix de ma propre destruction. En un mot, je suis obsédé par une irrésistible envie de meurtre. Un après-midi, j'ai un sursaut d'horreur contre moi-même : je me surprends à m'attarder devant une boutique de ciseaux et de couteaux, à regarder complaisamment toute la variété de ces instruments efficaces, fasciné par la couleur mate de l'acier qui semble respirer le parfum du néant et par l'éclat sans merci des tranchants... Me sentant pris dans l'étau de la violence haineuse, je comprends que si je ne veux pas commettre l'irréparable, la seule chose qui me reste à faire est de m'enfuir. Mais un instinct me retient. Tout en étant gagné par la certitude d'une liaison entre mes deux amis, je ne peux écarter le doute qui plane et je désire tirer tout au clair.

Qu'est-ce qui me soutient, durant les jours suivants, pour continuer à faire semblant de vivre, à me lever, à répéter des gestes convenus, à manger, à rire même quand les autres rient ? Je ne le sais. Peut-être une certaine énergie qui vient de ma complaisance à m'analyser et à me voir tel que je suis réellement. J'ai toujours su d'instinct, sinon d'expérience, que le Deux n'est pas de mon destin. Qu'il ne me sera pas donné de connaître la vie à deux. Ce face-à-face durable avec un autre est étranger à ma nature. Combien, en revanche, ai-je cru aux vertus du Trois ! Je n'y ai pas seulement cru, j'ai connu réellement la plénitude de la vie à trois, et je n'imagine pas de vie plus complète, plus conforme à ce dont je rêve à côté de Haolang et de Yumei. A présent, je suis renvoyé à mon être singulier, sans semblable, à mon destin d'éternel exclu, contraint de dérober des parcelles de vie à partir de la marge, de vivre par la passion des autres. Oui, durant ces jours atroces, je suis taraudé par des images charnelles autrefois dérobées à Yumei et qui, alimentant mon imaginaire, me donnent un sentiment d'horreur et d'indignité. Je me vois à nouveau réduit à ce rôle lamentable de voleur, de voyeur, d'éternel épieur.

Au reste, que puis-je faire, sinon épier ? Tout en craignant d'être témoin de la cruelle vérité, je brûle d'avoir la certitude de cette vérité, dussé-je en mourir, en tout point pareil à un papillon de nuit devant la flamme.

Commencent alors pour moi des jours affreux, où

j'essaie de surprendre des preuves de mon infortune, tout en étant furieux de ma mesquinerie, de mon abaissement.

Dans la maison de thé où nous avions l'habitude de nous attarder aux heures de loisir, quand je devais m'absenter tout seul, je ne pouvais m'empêcher, une fois dehors, de regarder l'attitude de mes deux amis restés à l'intérieur, à travers la vitre et l'agitation des clients. Tout me crevait le cœur : la manière dont les deux autres se regardaient, se souriaient, ignorant le monde qui les entourait, dans une sorte de complicité muette. Je les voyais surpris de leur propre audace, conscients de leur inconscience ; mais ils étaient impuissants à résister aux flots charnels qui semblaient déferler d'une digue rompue.

D'habitude, nous nous rendions au théâtre bien avant la représentation. Naguère, aucun des trois ne faisait attention aux mouvements des deux autres. Mais là, durant ces jours d'intenable soupçon, par deux fois je remarquai l'absence momentanée des deux autres. A nouveau je les imaginai réfugiés dans quelque coin intime pour s'enlacer. Et irrésistiblement des images perturbantes vinrent m'empoigner.

Tout cela ne constituait cependant pas une certitude. Parfois, au comble de la tension, un sentiment de tendresse m'effleurait et je consentais à l'intimité des deux autres ; ma douleur se mêlait alors d'une douceur complice et d'un secret ravissement. Leur bonheur s'installait en moi comme mon propre bonheur. Habitué à l'écartèlement, j'assistais, une fois de plus, à la division de mon corps en deux parties : l'une qui se rebellait dans la souffrance, tandis que l'autre se complaisait dans une bienveillante jouissance.

Cette torture aurait-elle une fin ? Connaîtrais-je un jour la vérité ? Un jour tout de même le coup de grâce

tomba. Les deux amis proposèrent une sortie à trois ;
je me résignai à accepter. Prétextant que je devais
passer au Y.M.C.A. pour prendre des affaires, je les
laissai un instant. A peine dehors, hardiment, je
revins sur mes pas. Je vis la scène, sans trop de surprise, comme si je m'y attendais, comme si j'en étais
le metteur en scène et que les deux autres n'étaient
que des acteurs dociles. La scène se présentait ainsi :
Haolang et Yumei se tiennent la main dans la main,
puis se serrent l'un contre l'autre, et la tête de Yumei
se penche dans le creux de l'épaule de Haolang, s'y
enfouit, le tout sans aucune vulgarité, avec une émou-
vante pudeur. Cette scène, toute de grâce, est gravée
pour l'éternité dans ma mémoire.

Je n'eus point le courage de rejoindre les deux
autres. J'eus toutefois la force de tracer un mot que
je laissai dans la chambre du Y.M.C.A. à l'adresse de
mon ami : « Je m'en vais. Ne me cherche pas. Adieu
à toi et à Yumei. »

25

Marchant à l'aveuglette, j'arrivai sur un pont. Un pont étroit, passablement long, sans rien qui le borde, et qui enjambe une rivière au courant assez vif. Je sentis que je ne pouvais pas le traverser, attiré que j'étais par la surface miroitante de l'eau qui s'écoulait sans arrêt, sans l'ombre d'un regret. L'eau ne m'attirait pas, elle m'aspirait littéralement par ses remous. Combien il serait bon de ne plus affronter la vie, de s'abandonner enfin, de se laisser entraîner par ce liquide qui avait l'air de savoir où il allait !

Je m'assis au bord du pont, les jambes dans le vide, bercé par le glouglou du courant qui frottait les pierres du pont. Machinalement, mes yeux scrutaient l'horizon pâle d'une terre indifférente où je n'avais plus aucune attache. Pendant ce temps, sous mes pieds, la rivière scintillant de mille regards semblait me murmurer : « Rien qu'un geste et tout le poids de honte et de crainte sortira de ton corps. Ton âme redeviendra errante, libre. » Libre, vraiment ? Une voix s'éleva de la rive là-bas, c'était une lavandière qui chantait tout en battant son linge :

> *Glaciale, glaciale est l'eau,*
> *Mais clair, clair le printemps ;*

Glaciale, glaciale est l'eau,
Mais doux, doux mon linge blanc...

C'est alors seulement que je pensai à ma mère, cette mère qui était encore là, sur cette terre, et dont la vie n'était que patience résignée et attente sans relâche. Je me rendis compte de mon incroyable inconscience. Depuis mon arrivée à la ville de N. je ne lui avais envoyé en tout que deux lettres. Si je disparaissais, j'entraînerais pour sûr ma mère avec moi. Comment alors faire face au père ?

Dans mon total désespoir, je me dis que, si mon père continuait à veiller de là où il était sur ma mère et sur moi, il devrait, en cette heure fatidique, faire un signe. Oui, un signe. La chanson de la lavandière n'était-elle pas un signe ? La providence n'est-elle pas justement la chance de percevoir le signe au moment opportun ? Mon père n'avait peut-être jamais cessé de me faire signe. Au creux de mon oreille résonna la voix de celui-ci, essoufflée par l'asthme : « Ne fais pas de bêtises. Ne cause pas de chagrin à ta mère ; elle ne s'en consolerait pas, même dans une autre vie.

« Quittons un peu ce sentier tracé. Suis-moi par ici. » Mon père se retourne vers moi. Nous sommes en train d'escalader le mont Lu. « C'est plus dur et plus dangereux — surtout pas de faux pas —, mais c'est sous ces rochers suspendus que doivent se trouver les meilleures plantes. Au début, quand je venais au mont Lu chercher des plantes, je ne les trouvais pas. Un jour, j'ai rencontré deux vieux montagnards assis sous un arbre. Ce sont eux qui m'ont appris comment les repérer. Comme quoi Confucius a bien raison de dire : "Parmi les trois hommes que tu rencontres par hasard, il y en a au moins un qui peut être ton maître." » A ce mot de maître, perdu sur ce pont au-dessus de l'eau, je songeai que je n'avais jamais eu de maître dans ma vie. A part mon père. Je pensai à mon père qui m'apprit à tenir le pinceau, à le tremper dans l'encre et à calligraphier le premier caractère. C'était cela ma véritable naissance au monde. A ce souvenir, vint alors se superposer à son image celle du vieux peintre calligraphe rencontré sur le chemin, en compagnie de Haolang.

Étais-je en train de vivre une de ces scènes tant de fois répétées dans l'histoire chinoise ? Un jeune à la recherche de sa vérité rencontre, au détour d'une route déserte ou au fond d'une vallée obscure, un vieillard qui, en réalité, l'attendait là. Si le jeune ne sait pas voir, il passera son chemin. S'il sait voir, il entrera dans sa vraie vie. Le vieillard, avant de disparaître aussi mystérieusement qu'il est apparu, délivre par quelques gestes ou par quelques paroles un message décisif. C'est ainsi que le signe du père continue ; c'est bien par ce signe, n'est-ce pas, que la Chine depuis tant de millénaires survit.

Est-il un autre père possible à présent, sinon ce vieux calligraphe qui, l'air de rien, m'avait fait signe ? Il me prendra la main, mettra dans celle-ci un gros pinceau imbibé d'encre et m'initiera à tracer le vrai signe de la vie. C'était la seule chose que je savais faire. Un seul pinceau suffit à refaire une vie, comme une mince planche suffit pour sauver quelqu'un de la noyade.

Tel le fils prodigue, je repris en sens contraire le chemin que j'avais fait avec Haolang pour venir retrouver Yumei.

26

Retrouver le chemin qui menait au logis du vieux peintre ne fut point chose facile. Ne songeant pas à le revoir, je n'en avais pas retenu les indications précises. Chemin douloureux aussi, car tout me rappelait ma randonnée si pleine d'espoir en compagnie de Haolang. Pendant tout le temps de la recherche, je ruminais, marchant seul sur la route, le discours à la fois humble et édifiant que je devrais adresser à l'ermite pour le convaincre de m'accepter comme disciple. Un jour, enfin, je me trouvai devant la porte de l'ermitage et, le cœur battant, je frappai. A mon immense surprise, le maître qui vint m'ouvrir ne marqua aucun étonnement. « C'est bien que tu reviennes, je t'attendais », dit-il.

Peu de temps après, il m'annonça sans détour : « Ce que je peux t'apprendre, c'est la grande tradition ancienne. Tu es jeune, tu vis dans un temps ouvert à toutes les influences, certaines viennent de très loin. Mais ce serait regrettable pour toi d'ignorer ces trésors vivants du passé qui ont fait la preuve de leur valeur. D'abord, donc, posséder ce que la tradition offre de meilleur. Comment ? Oh ! la voie que tu as déjà suivie : commencer par la calligraphie, continuer par le dessin qui permet de maîtriser la technique du trait, puis s'attaquer à l'art de l'encre pour aboutir enfin à une composition organique dans laquelle le plein incarne la substance des choses et le vide assure la circulation des souffles vitaux, reliant ainsi le fini à l'infini, comme la Création même. »

Plus tard, m'ayant initié à l'art du trait et de la composition organique, le maître me dit : « La peinture chinoise est fondée sur un apparent paradoxe : elle obéit humblement aux lois du réel, dans toutes les manifestations de la vie visible et invisible, et dans le même temps, elle vise d'emblée la Vision. Il n'y a en fait pas de contradiction. Car le véritable réel ne se limite pas à l'aspect chatoyant de l'extérieur, il est vision. Celle-ci ne relève aucunement du rêve ou d'un fantasme du peintre, elle résulte de la grande transformation universelle mue par le souffle-esprit. Étant mue par le souffle-esprit, elle ne peut être captée par l'homme qu'avec le regard de l'esprit, ce que les Anciens appelaient le troisième œil ou l'œil de Sapience. Comment posséder cet œil ? Il n'y a pas d'autre voie que celle fixée par les maîtres Chan, c'est-à-dire les quatre étapes du voir : voir ; ne plus voir ; s'abîmer à l'intérieur du non-voir ; re-voir. Eh bien, lorsqu'on re-voit, on ne voit plus les choses en dehors de soi ; elles sont partie intégrante de soi, en sorte que le tableau qui résulte de ce re-voir n'est plus que la projection sans faille de cette intériorité fécondée et transfigurée. Il faut donc atteindre la Vision. Tu t'accroches encore trop aux choses. Tu te cramponnes à elles. Or, les choses vivantes ne sont jamais fixes, isolées. Elles sont prises dans l'universelle transformation organique. Le temps de peindre, elles continuent à vivre, tout comme toi-même tu continues à vivre. En peignant, entre dans ton temps et entre dans leur temps, jusqu'à ce que ton temps et leur temps se confondent. Sois patient et travaille avec toute la lenteur voulue. »

Cependant ma vie auprès du maître ne se passait pas exclusivement en leçons austères. Ponctuée de promenades et d'études à l'extérieur, elle était pour moi une fête continuelle. Pas une minute que, l'œil à l'affût, le cœur dilaté, on ne fût en communion avec l'inépuisable richesse de la nature. Par de secrets sentiers, le maître menait son disciple vers des lieux reclus où la Chine de rêve se perpétuait. Le plus souvent du côté d'une vallée aux terrains très pentus émaillés de rochers escarpés, peu propices aux cultures. Pourtant de minuscules champs, de véritables bijoux sertis, se logeaient entre les rochers, égayant le paysage de leurs couleurs toujours renouvelées. Ces champs étaient cultivés par des paysans-ermites chez qui, lorsque nous pénétrions dans la vallée, nous ne manquions pas, de temps à autre, de nous arrêter pour déguster un vin nouveau ou goûter un plat de légumes frais cueillis. Puis nous continuions notre chemin, poussant le plus loin possible vers le fond, où résonnait une chute d'eau, où chantaient comme en écho loriots et tourterelles. Où, la barrière de ronces et de lianes franchie, on accédait à un royaume dans lequel on se sentait attendu : à mi-hauteur de la montagne, abrité par de hautes futaies, un tertre rond, composé de pierres lisses en forme de gradins. Ignorés de tous, on s'asseyait et on contemplait.

Comme au fond d'une crique, nous étions entourés d'herbes et de plantes aux arômes aigus, de pins sans âge dont le chant s'élevait à chaque passage du vent, et surtout de rochers, les uns nobles, sévères, déployant leurs parois aux plis rythmés, les autres tourmentés ou apaisés, jouant avec le vide un dangereux jeu d'équilibre. Plus loin, la montagne d'en face

174

rayonnant sans fin de verdure dévoilait, sous mille facettes changeantes, sa figure unique. Enfin, nous nous décidions à dessiner, au pinceau, mais bien plus souvent, avec un simple roseau ou un bambou taillé. Car, plus que la minutie naturaliste, le maître exigeait de moi que je capte les poussées internes, les lignes de force qui animaient les choses. N'est-il pas vrai que de tout temps à travers ces choses et en correspondance avec elles — les rochers, les arbres, les montagnes, les cours d'eau —, les Chinois expriment leurs états intérieurs, leurs élans charnels aussi bien que leurs aspirations spirituelles ? En compagnie du maître, j'apprenais donc à observer les choses en leur devenir, à sentir, derrière leurs formes solides, l'invisible flux dynamique à l'œuvre. A de rares moments, je ne doutais pas que mes pulsions intimes ne se trouvaient en parfait accord avec les pulsations de l'Univers.

Au terme d'un intense travail quotidien, je sentais qu'un nouvel être émergeait, grandissait en moi. Ayant fait un bref calcul, je me rendis compte que depuis mon arrivée trois mois seulement s'étaient écoulés, alors que, oubliant le temps, j'étais persuadé d'avoir vécu trois ans ou même trente ans sous le toit de l'ermitage.

Un jour, le maître me convoqua. D'un air mi-grave, mi-joyeux, il me dit : « Je sais que de temps à autre tu t'interroges et je sais quelle est ta question. Que faire aujourd'hui ? Comme je te comprends. Moi aussi je me suis interrogé au milieu de ma vie. A trente-cinq ans passés, après quelques succès faciles, grâce à l'argent gagné j'ai fait un voyage au Japon et en Europe. C'était au début de ce siècle. A l'époque, les grands peintres reconnus étaient ceux qui s'étaient affirmés au XIXᵉ siècle : Delacroix, Ingres, Millet,

Corot, Courbet, et d'autres. On découvrait certains impressionnistes, sans mesurer encore leur importance. Tout en admirant sa richesse et son accomplissement, j'étais profondément troublé, perturbé par la peinture occidentale, dont la technique et la vision étaient si différentes. Elle se présentait comme un phénomène extraordinaire mais extérieur à moi. J'ai bien entendu visité le Louvre. J'y ai vu des œuvres de quelques grands peintres du passé, avant tout les maîtres italiens de la Renaissance. Ceux-là s'étaient éveillés à un nouvel idéal, s'adonnant avec passion à toutes les possibilités offertes, tout en s'astreignant à une exigence de métier. Ces artistes des XIVe, XVe, XVIe siècles me renvoyaient à nos propres maîtres des VIIIe, IXe, X^e, XIe siècles. Je compris alors qu'au lieu de tenter quelque syncrétisme artificiel où je ne serais qu'un imitateur, un opportuniste, il me faudrait, tant que notre propre tradition était encore vivante, retrouver nos propres sources, afin de les renouveler. Pour tout dire, à mon époque, le moment de la rencontre avec une autre tradition n'était pas encore arrivé. Mais la tradition vivante n'est pas un carcan, elle n'est pas un enfermement sur soi ; elle est liberté. Elle prépare à la vraie rencontre avec un autre, à l'affronter sans se perdre. Nos maîtres, du VIIIe au XIe siècle, n'avaient-ils pas justement intégré l'art indien ? Forts de leur propre tradition vivante, ils avaient pu assimiler toute l'influence venue de l'extérieur sans se renier. C'est surtout dans la mesure où ils connaissaient la meilleure part de leur propre tradition qu'ils étaient à même de reconnaître la meilleure part de l'autre. C'est là où je veux en venir, car toi, tu ne peux pas éviter d'affronter l'autre. Je sens qu'à l'issue de cette guerre, la rencontre de la Chine et de l'Occident en profondeur est inévitable, d'autant que l'Occident lui-même s'est libéré ; il accueille même des influences de l'Asie. Tu dois donc te préparer, afin d'affronter un autre grand art et parvenir à une vraie création qui soit à toi. Pour cela, il serait bon qu'auparavant tu revives la grande aventure par laquelle nos maîtres anciens sont passés. Après avoir assimilé l'art indien, ils ont finalement créé leurs propres formes. »

Les yeux du maître se mirent à briller, éclairés d'un sourire presque juvénile. Il dit : « Peut-être une chance extraordinaire t'est-elle offerte ; à toi de voir si tu sais la saisir. Il y a quelques jours, j'ai reçu une longue lettre de mon ami, le professeur C. — un peintre qui a étudié en France et qui enseigne à l'École des beaux-arts. Dans sa lettre il décrit comment, à la suite de quelques autres, il a découvert au fin fond du Nord-Ouest — ce grand Nord-Ouest qui se développe en ce moment grâce à la guerre — les grottes de Dunhuang. Dans ces grottes sont conservées intactes d'innombrables fresques qui incarnent toute l'aventure de la peinture chinoise du passé, propre à inspirer selon lui les artistes d'aujourd'hui et à renouveler la peinture chinoise moderne. »

C'était la première fois que j'entendais ce nom de Dunhuang. Pour me tirer de mon ignorance, le maître m'expliqua brièvement. Dunhuang se trouve dans l'extrême ouest de la Chine, dans l'actuelle province du Gansu, au cœur de l'ancienne Route de la soie. Dès le Ve siècle environ, cette ville prospère a servi de lieu d'échanges entre la Chine et l'extérieur, et de halte pour les pèlerins bouddhistes. Tout autour se sont alors fondés des monastères. C'est non loin de là aussi qu'au pied d'une longue colline ont été creusées à même les parois des grottes — plus de trois cents — dans lesquelles des artistes, inspirés par le bouddhisme et par leurs rencontres avec d'autres traditions artistiques, indienne et persane notamment, ont peint, durant plusieurs siècles, des fresques représentant des scènes religieuses et des scènes de la vie courante, pour l'édification des voyageurs.

Vers le XVᵉ siècle, à la suite d'événements historiques, la route a été fermée, et la région gagnée par le désert a connu la désolation, puis le délaissement total. Seuls un certain nombre de moines y ont maintenu une présence. C'est vers la fin du XIXᵉ siècle seulement que des sinologues occidentaux y ont découvert des manuscrits emmurés par les moines pour les soustraire au pillage. Ils en ont emporté de grandes quantités, sans toutefois toucher aux fresques qui sont restées là depuis, intactes. A présent, dit le maître, à cause de la guerre, nous autres Chinois, forcés par l'ennemi à nous regrouper dans ces régions de l'ouest, nous commençons à redécouvrir tous ces trésors enfouis.

Le maître pouvait me recommander auprès du professeur C. qui cherchait à recruter des collaborateurs capables de le seconder dans son projet de copies des fresques. Je n'aurais su résister à une telle offre : pour la première fois de ma vie, en l'acceptant, je m'engageais enfin sur une voie concrète qui devait me mener quelque part.

Le jour de mon départ, le maître m'accompagna jusqu'à la croisée des chemins. Il s'arrêta et dit : « Ce que je pouvais te donner de mieux, je te l'ai donné. A partir de maintenant, suis la Voie, la tienne, et oublie-moi. Ne prends pas la peine de m'écrire. De toute façon, je ne répondrai pas. Je m'en irai d'ailleurs bientôt. » Ces paroles, dures à entendre, furent dites non sur un ton sévère, mais avec une douceur paisible dont tout son visage était illuminé, un visage comme transfiguré. Puis, le vieillard se retourna et s'en alla en direction de son ermitage. Sa robe flottait au vent, et son pas était léger. D'un coup, je me transportai à cet instant de mon enfance, quand j'avais vu s'éloigner pour la dernière fois le moine taoïste.

La voie du renoncement et du détachement est une voie cruelle. Elle implique privations et renoncements aux plaisirs immédiats et faciles. Mais c'est ainsi que le flambeau de la spiritualité chinoise se transmet : un maître s'impose à un disciple, lui donne tout, puis s'efface pour que le disciple devienne lui-même. Longuement je regardai de dos le maître qui ne se retourna pas. Sa silhouette fragile finit par s'effacer complètement. Je sentis les larmes me monter aux yeux et inonder mon visage. J'étais là, au croisement des chemins, à nouveau perdu et seul. Au bout d'un moment, je me ressaisis, sachant que je devais résolument avancer, d'autant que le maître m'avait indiqué le chemin à suivre. Muni d'une lettre de recommandation, je me rendis à Tchoungking pour rencontrer le professeur C. Celui-ci m'engagea aussitôt et les choses allèrent très vite. On était aux premiers jours de mai, et le départ pour Dunhuang était prévu pour le début du mois de juin. Je ne disposais donc que d'un mois pour regagner Douziba, le domaine de la famille Lu, et revoir ma mère.

Après la joie des retrouvailles, je me mis en devoir d'expliquer à ma mère, vieillie avant l'âge à force de labeur et de chagrin contenu, que j'étais obligé de repartir bientôt. Que pouvait-elle faire d'autre que d'accepter avec résignation ? Toute sa vie était faite d'acquiescement et d'attente, de l'attente de ce fils unique, instable et insaisissable. Toutefois elle se consola de voir que j'étais enfin engagé dans un vrai travail, qui de plus était rémunéré. Je n'osai guère lui préciser que Dunhuang était à plusieurs milliers de *li* de distance. Je m'employai à lui expliquer que c'était de là qu'étaient venus les premiers missionnaires du bouddhisme en Chine et qu'il s'y trouvait encore des soutras manuscrits d'une valeur inestimable. L'âme populaire de ma mère s'enflamma à l'idée que son fils allait vers le lieu d'origine du bouddhisme chinois. A propos des soutras, ma mère se plaignait justement de commencer à oublier des versets ou des passages de litanies apprises autrefois, dont elle aurait aimé posséder une version écrite. Par un acte de piété, et comme pour me racheter, je me proposai de les copier, après les avoir transcrits sous sa dictée. Durant le mois que je passai auprès de ma mère, je calligraphiai de la manière la plus soigneuse possible, avec toute la vénération dont mon âme était capable, des versets dans un cahier somptueusement relié.

Durant ces heures de copie, je remarquai que ma mère prenait de plus en plus l'habitude de se parler à elle-même. Je m'alarmai en constatant que sa mémoire déficiente engendrait par instants chez elle des confusions mentales. Elle oubliait le présent et se situait dans un moment du passé. Un jour, pendant que j'écrivais, elle me regarda avec ce regard candide d'autrefois et me dit : « Va jouer avec Xiaomei (le nom de ma petite sœur) dehors. Attention aux scorpions. Je vais chercher des médicaments pour papa. » Une autre fois, au milieu du silence, elle demanda soudain : « Papa n'est pas encore rentré ? »

Une autre épreuve affective m'attendait : comment ne pas être meurtri en retrouvant le domaine familial de Yumei ? Le moindre recoin me rappelait les moments innocents et éblouissants passés en sa compagnie. Sans ma nouvelle résolution de m'engager dans la création artistique, j'aurais été écrasé par le chagrin. Au début, j'osais à peine circuler autour du domaine, de peur de rouvrir la plaie, de sentir ce saignement continuel à la pointe du cœur. La présence constante de ma mère, peu à peu, m'apaisa. Ma mère, ignorant le drame qui s'était produit, parlait souvent de Yumei avec une affection infinie. Dans son souvenir, Yumei était tout simplement sa fille et je finis aussi par savourer la pureté du souvenir : je savais que ce que j'avais connu ici avec l'Amante n'était plus soumis à la loi du temps. Ce souvenir était fixé une fois pour toutes comme un diamant unique. Il ne dépendait ni de moi, ni même de l'Amante, d'en altérer l'éclat.

27

Début juin 1945. Le visage brûlé de soleil et les cheveux jaunis par le sable, je me trouvais haut perché sur un camion en train de rouler sur une piste cahotante en direction de l'ouest, vers des contrées inconnues, environnées du désert de Gobi, loin de la Chine habituelle. Partis de Tchoungking, nous étions passés par Chengdu, Xian et Lanzhou. Cette dernière ville, capitale du Gansu, avec le fleuve Jaune qui la traverse et la présence de ses nombreuses mosquées, annonce déjà un ailleurs riche d'histoire. A présent, le camion parcourait un long corridor de plus de mille kilomètres qui enfilait, comme autant de perles, d'anciennes villes de garnison qui de nos jours n'ont de glorieux que les beaux noms qu'elles portent : Eaux célestes, Fontaine de Vin, Or pourpre, Porte de Jade... Ce corridor qui traverse de bout en bout l'étroite province du Gansu, début de la Route de la soie, est bordé au sud par la chaîne Qilian. Au nord, la monotonie désertique est rompue par des collines et des oasis, et par quelques vestiges de citadelles ou de fortifications. L'équipe dont je faisais partie, dirigée par le professeur C., ne se composait que de trois artistes peintres, d'un historien et d'un spécialiste de la littérature populaire. D'une façon générale, nous passions la nuit dans des relais administratifs qui offraient gîte et repas. Il nous arrivait aussi de camper. Étendu au creux du sable encore tiède, je regardais le ciel étoilé, d'une luminosité presque insoutenable, trop vaste, trop proche, comme je ne l'avais jamais vu. Sauf une fois, loin dans le passé, la nuit où mon père et moi nous nous étions égarés sur les hauteurs du mont Lu. Tout comme cette nuit-là, j'éprouvai en même temps que de la frayeur une connivence intime, corporelle, avec le cosmos. A la vue des étoiles filantes qui traçaient leurs sillons sans attache puis sombraient dans le bleu-noir sans fond, je pris à nouveau conscience de la voie singulière de mon âme, celle de l'errance. A nouveau, je fus envahi par une indicible nostalgie. Un rayon dardé par une étoile particulièrement rouge me fit saigner le cœur, rouvrir ma blessure mal fermée. Perdu dans cette immensité dépeuplée, où rien ne s'est enraciné, les visages de tout un peuple, tels ces insectes qui la nuit sortent du sable lorsque la chaleur décroît, viennent en cortège me hanter. Au milieu d'êtres chers se détache l'image obsédante de l'Ami et de l'Amante, en dépit de l'effort que je fais pour la repousser.

Au terme d'un voyage éprouvant de presque un mois, la petite équipe arriva à Dunhuang, un bourg moyen qui réussissait à se maintenir au cœur du désert. Cette agglomération, assoupie, ruminait ses heures de gloire passées, lorsque bien des siècles auparavant, nomades, voyageurs, marchands, pèlerins s'y croisaient en foule. Accueillis par l'administrateur local, nous restâmes deux jours pour nous reposer et régler des problèmes pratiques. Escortés par des soldats, nous nous rendîmes enfin aux grottes à une trentaine de kilomètres de là.

Au cœur d'un désert parsemé de dunes de sable et

de plaques de rochers, une oasis à peine entretenue, bordée par une rivière presque à sec et adossée à une longue colline qui se dressait là telle une muraille ou un paravent. Sur toute la façade de cette colline étaient creusées, à même la roche, un nombre impressionnant de grottes, étagées sur trois ou quatre niveaux, avec des sentiers et des marches qui serpentaient au milieu : patiné par le temps qui avait effacé ce qu'il pouvait y avoir de désordonné, l'ensemble offrant un aspect organique évoquait un corps né de quelque nécessité vitale, une bête géante qui n'aurait plus d'âge et qui s'accorderait un repos prolongé.

Quelle rencontre ! lorsque nous pénétrâmes dans ce corps vivant qui respirait pour ainsi dire par tous ses pores. Au milieu d'une grotte où nous étions entrés par hasard, nous fûmes saisis de stupeur et demeurâmes immobiles, cois. Nous nous sentions enveloppés, aspirés, par ce qui s'animait tout autour : couleurs et formes représentant des scènes intimes ou grandioses, qui tapissaient entièrement les murs et les plafonds, la plupart depuis plus de mille ans, dans toute leur fraîcheur intacte.

Dunhuang sera plus tard mondialement connu, mais en ce milieu des années quarante, les Chinois venaient seulement de le redécouvrir. Nous étions là, quelques personnes, vivant dans un total dénuement matériel, en ce coin perdu, oublié du monde. Hors le sable qui sifflait par à-coups au passage du vent, nous étions environnés d'un silence absolu. L'écho de nos voix et la flamme vacillante des grosses bougies que mes compagnons et moi tenions dans la main étaient, pour le moment, les seuls signes de vie. Pourtant, c'était la vie même qui ressuscitait, qui s'éveillait au contact de notre regard. Miracle de l'instant. Le temps était mort ; voilà qu'il renaissait, déployant devant nous, avec superbe, tout ce qu'il contenait de mémoire et de promesse. Au cœur de l'espace clos, un espace d'outre-monde, jadis habité par tout un peuple d'adorateurs qui, avant de disparaître, avaient confié là, dans ces secrets abris, tous leurs trésors : leurs souffrances comme leurs joies, leur vécu comme leurs rêves, leurs amours, leur vérité, dans une sorte de glorification à la fois exaltée et sereine. Un chant inouï émanant de cet espace portait le visiteur, le transportait, le poussait plus loin, vers une autre grotte, puis une autre encore. Mais au bout de trois ou quatre grottes, nous n'osions plus continuer, tant le choc émotionnel était puissant. Voilà pour le premier matin. Et je ne doutais pas que cela inaugurait pour moi le premier jour d'une nouvelle vie.

Lorsque le visiteur commence à se familiariser avec l'ensemble des grottes et qu'il en possède une vision plus globale, il voit véritablement se dérouler devant ses yeux, panneau après panneau, toute l'évolution de la peinture chinoise, non certes depuis son origine — loin s'en faut — mais à partir de ce moment où, ayant rencontré un art venu d'ailleurs, les peintres ont pris conscience de leur pouvoir et ont transformé leur production en un art indépendant, cela sur une durée de presque mille ans, à partir du IVe siècle environ. A l'abri de tous les bouleversements et de tous les changements de dynasties, ce coin, situé à une distance idéale de la grande route, point de jonction de la Chine et des petits royaumes qui la bordaient, par où transitèrent les marchandises que la Chine exportait, ainsi que celles qui vinrent de l'Inde et plus tard de la Perse, était resté préservé.

Surprenante découverte : c'est en ce lieu, à l'extrême bord de la Chine, au bout de l'interminable corridor semi-désertique où soufflait le vent du large, maintes fois traversé par les chevauchées sauvages que lançaient des tribus frontalières, c'est là que je sentis pour la première fois la respiration de l'énorme corps qu'était la Chine. Ce « far-west » ouvert avait beau être en périphérie du vieux pays, n'en était-il pas devenu, durant presque deux mille ans, le point névralgique ? C'est peu dire que la Chine sédentaire, si ancrée dans son terroir, a toujours été hantée par cette béance impossible à refermer, puis contrainte de se laisser entraîner dans l'aventure militaire, puis dans l'aventure tout court.

Batailles féroces en plein désert ; innombrables morts laissés sans sépulture, brûlés par la soif ou ivres de vin de raisin, crevés par la faim ou rassasiés de viandes grillées aux épices... La Chine monolithique, immuable ? Rien n'est moins vrai. Déjà il y a eu à l'intérieur de la Chine une interaction entre le Nord parcouru par le fleuve Jaune et le Sud traversé par le Yangzi. Cela on le savait. Mais avec ce « far-west », l'empire du Milieu, protégé au nord par la Grande Muraille, au sud par l'Himalaya, s'exposait ici aux flèches d'un soleil sans merci et aux coups de fouet donnés par des forces aussi menaçantes qu'insaisissables venues d'ailleurs.

Dès le commencement de l'Empire donc, cette région frontalière a été le théâtre d'incessantes expéditions et d'installations de garnisons pour contrer les périodiques invasions des peuplades voisines, redoutables cavaliers rompus à l'art de la guerre. Victoires momentanées et défaites cuisantes se succédaient. Plus tard, les périodes de paix relative ont vu les armées qui s'affrontaient laisser la place à de longues traînées de caravanes. Outre les marchandises, celles-ci transportaient dans leurs bagages les ferments d'une religion, le bouddhisme, en déclin dans son propre pays et qui allait connaître une formidable éclosion en Chine.

A Dunhuang, l'aventure spirituelle s'incarnait en une exceptionnelle aventure artistique. Miracle du lieu : bénéficiant de la ferveur des dévots et des pèlerins, un art avait eu le temps d'y mûrir, de s'y développer par étapes successives. Les artistes chinois, déjà nourris de leur propre tradition et en pleine possession de leur technique, rencontrèrent ici l'art de l'Inde fécondé par le bouddhisme, riche d'images exotiques ou fantastiques. Celles-ci, provoquant des échos dans leur subconscient, les poussèrent à d'audacieuses inventions formelles. Mus par une foi fervente, ils abordaient tous les thèmes avec bonheur.

A travers cette nouvelle possibilité d'expression, ils purent donner libre cours à leurs fantasmes, à leurs peines comme à leurs joies, à leurs rêves sensuels comme à leur repentance, à leur besoin de consolation et de glorification. De leur création fiévreuse résulte tout un univers foisonnant, composé de scènes et de légendes d'une variété infinie : scènes de la vie de Bouddha et des saints, scènes d'anges en vol, scènes de fête ou de vie quotidienne, scènes de chasse ou de chevauchées...

A mesure que je pénétrais cet univers et à force de l'observer de l'intérieur, j'en saisissais les éléments particuliers, ces éléments mêmes qui avaient permis aux artistes chinois de s'extraire de leur terroir natif et de faire des bonds vertigineux dans l'art pictural.

Par rapport à la peinture la plus ancienne, celle des Han, qui se remarquait par son aspect « terrien », ici l'espace, éclaté et aérien, prenait une dimension céleste attestée certes par de superbes apsaras volantes, mais également par de multiples personnages debout ou assis, comme aspirés par une invisible force ascensionnelle. Les tableaux narratifs, libérés du souci chronologique, distribuant leurs épisodes autour d'un centre lui-même mouvant, bouleversaient l'ordre spatio-temporel. Même dans les scènes plus quotidiennes, des figures de paysans qui travaillaient la terre, des artisans qui fabriquaient des outils occupaient l'espace avec aisance, comme si, par-delà leur champ délimité ou leur atelier exigu, ils avaient l'infini devant eux. Cette libération de l'espace peint et cette audace souveraine dans la composition, confiant au vide son plein rôle de « structurateur », se constataient bien davantage encore dans le traitement du paysage ; elles avaient contribué sans doute à l'élaboration d'une vision paysagiste très spécifique dans la peinture classique chinoise.

Immergé dans l'espace suspendu des fresques, dans cet univers jaillissant de force et de verve, je sentais mon propre être craquer sous sa carcasse rigide, et mon cœur éclater en mille morceaux, en mille possibilités de créations et de vies. Trop de possibilités peut-être. Je n'ignorais pas qu'il me faudrait encore longtemps avant de trouver en moi un autre centre de gravité. En attendant, parcourant les grottes, je me laissais envahir sans résistance par les figures et par les couleurs offertes. Pour ne pas tomber dans trop de confusion, je m'efforçais d'en suivre la chronologie historique. Les fresques des premières périodes, peintes avec des couleurs rose pâle ou ocre foncé, avaient changé de teintes pour ne laisser que des contours noircis prenant un aspect incisif. Les traits de pinceau, ainsi révélés dans toute leur hardiesse, faisaient penser à ces troncs d'arbre de fin d'hiver, réduits à l'essentiel et irréductibles, prêts à bourgeonner à la moindre brise. Venait ensuite la peinture des Tang, avec ses figures édifiantes, somptueuses, aussi rigoureuses et aussi pleines que ces croupes de chevaux à l'honneur à l'époque. Parvenu à la peinture plus tardive des Song et des Yuan, je m'apaisais au fur et à mesure que celle-ci s'apaisait elle-même. Une peinture fondée sur une technique de dessins raffinés et sur une science exacte des couleurs. Chaque pan de couleur avait une existence en soi, le bleu, le vert, le violet, le brun, etc. A force de m'en imprégner, je faisais abstraction du contenu des œuvres et m'ouvrais tout entier à l'accueil de ce royaume coloré. Lorsque j'avançais vers la fresque, je me sentais peu à peu fondre en elle, je me dilatais au cœur de ses ondes diaprées, tant ses couleurs possèdent comme un sens inné de la mesure. Elles ne rivalisent pas entre elles ; chacune est consciente de sa propre valeur, tout en ayant le souci de répondre aux autres couleurs qui l'environnent et à l'harmonie de l'ensemble, un peu à la manière de ces dames d'atours, ou de ces dévots en adoration représentés dans les tableaux. Ces personnages qui portent leurs habits les plus précieux semblent conscients tout à la fois de leur dignité et de leur devoir de discrétion ; on les dirait prêts à s'effacer pour laisser le passage aux divinités qui s'avancent.

28

Après une période préparatoire, l'équipe se mit enfin au travail. Cela consistait tout bonnement à copier les fresques. Pour celles d'une dimension abordable, on procédait au décalque en tendant de larges pans de tissu ou de papier. Une fois les dessins des figures décalqués, on détachait le tissu ou le papier et on appliquait ensuite les couleurs. Ceux qui à présent sont habitués aux photos en couleurs seraient peut-être tentés de rire de ces procédés primaires, archaïques. Pourtant, les copies réalisées restituaient la matérialité et la fraîcheur des œuvres originales. Lors de leur exposition plus tard dans les grandes villes de Chine, elles seront une véritable révélation. Dans l'acte de copier, le copiste plonge littéralement dans l'espace de la fresque et s'immerge dans le courant vivifiant des lignes et des couleurs. Il revit le temps vécu par l'artiste créateur, épouse le rythme de ses gestes et ressent les battements de cœur de celui-ci en proie à l'hésitation ou au ravissement. En tout état de cause, ce long et patient travail allait constituer pour mes compagnons et pour moi une expérience plus que féconde : unique.

Des journées entières au fond des grottes — tombeaux ou berceaux —, voué corps et âme à l'ouvrage, je m'oubliais totalement. J'évoluais hors du temps, dans cette zone où vivants et morts se confondent. Mon regard n'était plus qu'une cohorte de formes et de couleurs ; mes mains n'étaient plus qu'une suite de gestes, de plus en plus apprivoisés. Achèvement et recommencement s'enchaînaient sans hiatus. L'univers était un continuum sans heurts. N'étais-je pas prêt de croire que la vie était ce courant fluide, que toute ma vie s'écoulerait à l'unisson du rythme enfin apaisé de mon sang ?

Dehors, l'espace à perte de vue et de mémoire semblait aussi inviter les hommes à l'abandon. On s'intégrait à son indifférence et à sa lenteur, aux éléments rudimentaires qui le composaient. A ces arbres proches qui dispensent un peu d'ombrage, à ce cours d'eau parfois à sec, à la colline de sable plus loin qui siffle au passage du vent, puis au désert cahotant, apaisé, qui n'en finit plus de s'étendre jusqu'à l'extrême limite que barre la chaîne de montagnes enneigée. Pur tracé de blanc minéral à peine troublé par le grondement des orages ou le feu du couchant...

Pourtant, mon intuition dans la nuit du désert était juste : on a beau être en exil et seul, on est tenu par des liens tissés comme malgré soi. Cela s'appelle le destin. Pendant tout ce temps — une éternité ? un instant ? — où je croyais être ignoré de tous, délaissé par tous, des événements se précipitaient, à des dates précises, fixées aurait-on dit à l'avance, dont certains affectaient le monde et d'autres orientaient inexorablement la suite de ma vie.

Le 15 août 1945, à peine deux mois après mon arrivée à Dunhuang, ce fut la fin de la guerre. Dans notre coin, nous n'avions que de faibles échos des foules en liesse. Le lendemain, toute l'équipe se rendit à la ville où une fête était organisée autour de moutons entiers grillés. Dans le bruit des pétards mêlé aux sons des chants et des danses des Ouïgours, nous nous passions de main en main des pichets de vin qui ne désemplissaient pas. Après les viandes fortement aromatisées et les galettes de légumes, nous nous désaltérions en enfouissant la tête dans de gros fruits dégoulinant de jus, pastèques, melons, grappes de raisin, *hami*... Sur le chemin du retour, je me dis que vivant à Dunhuang ce que je redoutais le plus — les maux d'estomac — ne s'était pas produit. Fallait-il croire qu'en fin de compte ma nature ne s'accordait qu'à des régions qui dispensent une extrême soif et qui, en même temps, disposent de merveilleuses ressources pour l'étancher ?

Mais la joie fit bientôt place à l'inquiétude. Avant que l'année ne se terminât, l'énorme population réfugiée à l'Ouest pendant la guerre fut plongée dans les affres du retour. Les moyens de transport manquaient cruellement, et l'anarchie s'installa sur toutes les routes encombrées et sur l'unique voie fluviale bientôt menacée d'étranglement. Dans la pagaille, des accidents surgirent sans nombre. Seuls les privilégiés et les nantis voyageaient en priorité et dans des conditions acceptables. Pendant ce temps, le gouvernement était assailli par d'autres soucis. Il devait faire face à des problèmes autrement plus graves pour lui, problèmes posés par la menace qu'exerçaient les communistes. Ceux-ci, ayant résisté aux Japonais pendant la guerre, occupaient à présent des régions entières au nord de la Chine qu'ils baptisaient maintenant « zones libérées ». Malgré les manifestations de bonne volonté de part et d'autre, malgré les prétendus pourparlers en vue de la paix, des affrontements inévitables entraînèrent le pays vers la guerre civile.

Début 1946, une lettre de ma mère m'apprit qu'elle se trouvait à Tchoungking avec la famille Guo. Le Centre où travaillait M. Guo y attendait de pouvoir retourner à Nankin. Avant même d'ouvrir la lettre de ma mère, je sursautai à la vue de l'écriture qui figurait sur l'enveloppe. Elle était de Yumei. Celle-ci avait écrit la lettre sous la dictée de ma mère ; toutefois, à la fin, elle avait personnellement ajouté quelques lignes discrètes par lesquelles elle m'apprenait qu'elle vivait également à Tchoungking, où se trouvait à présent sa troupe qui venait prendre le relais de nombreux théâtres fermés. Haolang, lui, était parti là-bas. Par cette expression « là-bas », je n'eus aucun mal à comprendre qu'il s'agissait de la « zone libérée » des communistes.

Peu après, une deuxième lettre de ma mère, toujours écrite de la main de Yumei, m'apprenait qu'elle avait décidé de rester à Tchoungking après le départ de la famille Guo et qu'elle vivait désormais avec Yumei. Cette nouvelle me rassura au-delà de ce que je pouvais espérer. J'allais même jusqu'à me dire : « Ça m'arrange bien. » Le programme des travaux de l'équipe ne prévoyait de s'achever que début 1948. Dans le même temps, le professeur C. parlait de me faire bénéficier d'une bourse de deux ans pour un séjour d'études en France.

« Ça m'arrange bien. » Toute ma vie, je me reprocherai d'avoir murmuré en mon for intérieur cette expression égoïste, désormais pour moi odieuse. Plus attentif aux appels, aux signes, peut-être aurais-je été moins frappé par l'aveuglement et, par la suite, par le regret ? Pourtant, je ne demandais qu'un peu de répit. Mais le fait est là. Pendant que les hommes, le dos courbé, font des petits calculs, échafaudent des plans pour les mois, les années à venir, le destin par-derrière ricane en silence. Son calendrier n'est pas celui des hommes, il a ses perspectives à lui, ses échelles de valeur à lui ; il fait fi des échéances humaines, soumises aux intérêts trop immédiats, trop visibles. De leurs sentiers précaires le destin arrache les hommes, au beau milieu de leur cheminement, pour les mettre sur une voie qu'ils ne peuvent prévoir, dont ils ne connaissent ni la distance ni la direction.

En 1947, un été torride s'abattit sur tout l'ouest de la Chine. Tchoungking se transforma en une fournaise infernale. Un télégramme que je reçus avec du retard disait que ma mère était gravement malade. Je quittai précipitamment Dunhuang et, dans un car cahotant, je traversai à toute allure des villes dont les noms m'avaient enchanté et qui maintenant me renvoyaient un écho ironique : Paix de l'Ouest, Porte de Jade, Or pourpre ou Fontaine de Vin. Dans cette dernière ville, je réussis à monter dans un avion militaire en partance pour Lanzhou. A Lanzhou, la capitale du Gansu, je fus enfin en mesure d'envoyer un télégramme à Tchoungking, cela deux semaines après avoir reçu le premier. Réponse : « Mère décédée. Sans souffrance. Sois courageux. Je m'occupe de tout. Yumei. » Le voyage de Lanzhou à Tchoungking dans la chaleur et la poussière fut pour moi une longue descente aux enfers. Pendant tout le trajet, tenaillé par le sentiment de mon indignité, je ne pouvais que ruminer des remords, sans rémission désormais. Par mon manquement, j'étais déjà pour quelque chose dans la mort de mon père. Combien l'étais-je davantage dans la disparition de ma mère, le dernier être qui me chérissait — pour ne pas dire qui me retenait au monde ! Était-ce pour me dégager un peu du poids qui m'oppressait ? Toujours est-il qu'à force de me torturer je finis par me convaincre que ma mère, puisque Yumei était là pour prendre le relais, avait senti qu'il était temps pour elle d'aller rejoindre

194

le père, ou encore qu'elle s'était résolue à partir pour le Ciel de l'Ouest, le paradis bouddhique où se trouvait déjà le père, d'où son fils n'était pas loin non plus. Dunhuang n'était-il pas situé sur la route qui y menait ? A cette pensée, une des scènes que j'avais peinte à Dunhuang me revint en mémoire : celle qui racontait comment Mulian, l'ardent bouddhiste, était descendu aux enfers pour affronter mille épreuves afin de délivrer l'âme de sa mère défunte. Moi, aurais-je trop d'une vie, d'un reste de vie pour mener à bien la même entreprise ?

29

A Tchoungking, je ne retrouvai de ma mère qu'une boîte de cendres. Est-il possible que je ne revoie plus jamais le cher visage marqué par toutes les épreuves et cependant plus que tout apaisant ? Serai-je capable de me rappeler désormais tous les traits de ce visage trop souvent délaissé ces dernières années, occupé que j'étais à courir après ce qui m'intéressait, moi ? Dans une autre boîte, je retrouvai toutes mes lettres conservées par ma mère, dont la simple vue me causait une gêne insoutenable. Espacées dans le temps, elles avaient été souvent écrites à la hâte, sans la concentration nécessaire qu'exigent des paroles vraiment affectueuses. Comme il me serait bon de pouvoir parler une fois encore à ma mère ! Une bonne fois, longuement, infiniment, sans retenue, sans pudeur inutile, comme ça, comme une eau claire qui coule, dire tout ce qui me passe par la tête, par le cœur. La mort même serait douce après. Pourquoi les hommes éprouvent-ils tant de difficulté et de gêne pour parler ? Ils parlent plus dans l'absence que dans la présence. Toute une vie de paroles refoulées jusqu'à l'absence suprême, sans rattrapage possible. Tant que ma mère était en vie, tant que j'étais sûr de revoir, quand je le voulais, la fragile silhouette courbée dans la sombre cuisine ; même ballotté par les événements, je me sentais solidement enraciné quelque part. Après ma sœur, après mon père, cette racine de sang qui me restait, la plus profonde, la plus tenace, la plus nourricière, venait de m'être brutalement arrachée. Devant moi un monde vidé, une absence béante. L'univers même se révélait être sans racines. Tous ces astres, à l'instar des foules humaines qui s'affairaient autour de moi, tournaient sans répit, sans but, tous ces astres ne s'accrochaient à rien d'autre qu'à une aveugle force de gravitation, d'une vanité sans borne. Plus que jamais, l'image de l'étoile filante venait m'habiter comme la seule réalité tangible.

Ma douleur fut un peu adoucie par la présence de Yumei, une présence douloureuse pourtant. Privée de l'affection de ma mère, elle se sentait également orpheline. Déjà elle était persuadée de ne plus revoir Haolang. En apprenant que moi aussi je devais la quitter, elle fut plongée dans le désespoir.

Sans en être sûr moi-même, je m'employais à la convaincre qu'un jour Haolang reviendrait. D'un autre côté, je lui expliquais combien il était vital pour moi de saisir l'occasion qui m'était offerte de partir pour la France : ce ne serait qu'une absence de deux ans, la durée de la bourse accordée par le gouvernement. En attendant, je prolongeai le plus longtemps possible mon séjour à Tchoungking. Presque trois mois d'un bonheur pur et singulier, malgré, ou par-delà, le drame ambigu que nous avions vécu, en ce temps d'après-guerre où le monde était en proie aux bouleversements les plus incertains.

A rester ensemble, à passer de longs moments à parler ou à communier en silence, nous retrouvions notre innocence première. Les paroles surgissaient des profondeurs, chargées d'interrogations et d'affirmations, venant surtout de l'Amante : « Qu'est-ce que la vie ? Quelle est cette vie sur terre ? Le don de la vie, n'est-il pas, ne doit-il pas être tout simple ? On sème un grain dans le sol, et peu après il pousse. Regarde ces branches d'arbre, là, près de la fenêtre, comme elles sont simples. Elles sont là, toujours ensemble, voilà tout. Oui, nous demandons au fond peu de chose : rester ensemble. Il semble que c'est trop demander. Étrange ce monde, étrange le cœur humain. Et nous voilà seuls. Chacun seul. »

Puis, s'enhardissant, elle lança dans un seul souffle : « Me crois-tu ? Un jour tu me croiras. Tu es celui que j'aime le plus au monde. Tu es mon innocence, tu es mon rêve. Maintes fois dans ma nuit, j'ai rêvé de toi, comme à une éternelle enfance. Je suis ta sœur, je suis ton amante. Mais dans cette vie, nous ne serons pas un couple. Pas dans le temps présent. Plus tard peut-être, plus tard sûrement. Lorsque nous aurons survécu à mille morts, je viendrai vers toi, comme on retourne au pays natal... Tu es venu trop tôt dans ma vie, ou trop tard au monde. Après notre première séparation, tu es venu à moi avec Haolang. Ah ! comme j'ai aimé notre amitié, elle est plus noble que l'amour. N'aurions-nous pas pu demeurer tous les trois dans l'amitié ? Il faut croire que nous n'étions pas assez patients. Si le temps nous appartenait, nous y parviendrions. En attendant, Haolang et moi, nous avons accompli, comme poussés par une force aveugle, comme malgré nous, l'acte du couple, tout en sachant que cela t'exclurait, que cela signifierait fermeture et dépérissement. Nous avons l'un et l'autre besoin de toi ; en quelque sorte tu nous portes. Si tu savais comme nous avons été malheureux lorsque tu es parti. Pas seulement à cause de la culpabilité qui nous torturait. Nous nous sommes rendu compte que notre sort était lié au tien, que sans toi nous ne nous accomplirions pas. Voilà le fait : je ne peux me passer ni de lui ni de toi. Ne m'oblige pas à choisir. Quelle affreuse égoïste je suis ! » Elle ne put s'empêcher de rire à travers ses larmes.

Vers les derniers jours, sachant que le temps était compté, l'Amante est revenue une fois encore avec franchise sur le sentiment qui la hantait et dont elle ne pouvait se départir : « Toi tu m'es une terre native, car je suis née à la vraie vie avec toi, en toi. Lui, il est l'étranger qui vient de très loin et qui, par sa source tout autre, nous féconde, nous révèle justement à notre véritable nature. Tous deux, toi et lui, m'êtes devenus indispensables. Vous êtes entrés dans mon destin ; vous êtes mon destin, sans que d'ailleurs je sache pourquoi. Ce que je sais : sans vous, la vie m'est fade, flottante, secondaire ; alors qu'avec vous, tout prend la lumière, tout prend sens. Vivre à trois, trois en un, c'est donc un rêve irréalisable aux humains... Est-ce monstrueux ce que je dis là ? Je l'ai dit, tu l'as entendu. Que va devenir le monde ? Nous reverrons-nous ? Mais où que tu sois, garde ce que je t'ai dit là comme notre trésor commun ! »

Nous demeurons serrés l'un contre l'autre comme de jeunes frère et sœur unis par le même sang, ou comme un vieux couple uni par la tendresse, à l'image de Fuxi et de Nügua, ces deux figures mythiques, frère et sœur autant que conjoints, qui sont, selon la plus ancienne légende, à l'origine de la race chinoise. Tous deux sont représentés comme ayant tête et corps humains mais une queue de poisson. C'est grâce à leurs queues toujours liées ensemble qu'ils ont survécu au Déluge.

C'est la première fois que je tiens Yumei dans mes bras. Étrange sensation que de contempler de si près, et à loisir, le profil de ce visage si familier, et pourtant inconnu de moi. Cette chevelure soyeuse aux reflets bleuâtres ; ce grain de beauté, perle noire qui orne le galbe fin de son cou ; ces cils dont le battement annonce une exclamation ou une plainte ; ce regard qu'elle lance obliquement lorsqu'elle se retourne, un regard traversé d'éclairs d'étonnement. Tous ces éléments prennent un relief inhabituel ; ils sont à une échelle si agrandie qu'ils font penser aux composantes d'un immense paysage dont moi, le contemplateur, suis une partie intégrante.

A ce point de proximité avec l'Amante, je sens qu'il me suffit d'un geste pour m'unir totalement à elle. Si j'avance mes mains, elle cédera sous mes caresses et s'ouvrira sans mot dire pour me laisser entrer en elle. Pendant qu'il est encore temps, c'est probablement l'occasion unique pour moi d'accomplir le geste tant désiré, ce geste pour lequel, je n'en doute pas, je suis venu au monde. Mais ce geste, je ne le ferai pas, pas encore, sachant pertinemment que s'il en est encore temps, ce n'est justement pas le moment de le faire. Toute ma vie n'est-elle pas ainsi, non à temps, mais à contretemps ? Elle ne s'accomplit jamais dans un présent visible et prévisible. Elle sera sans cesse différée, en vue de quelque hypothétique réalisation future. Hypothétique ? Pas tout à fait. Au fond de moi-même, j'en suis convaincu. Toujours démuni et dépossédé, j'ai certes appris à n'être sûr de rien, et j'ai néanmoins la naïve conviction, indéracinable celle-là, que toute chose semée par moi, même seulement en pensée ou par le désir, cheminera jusqu'à son terme, irrésistiblement, comme indépendamment de ma volonté, pour s'épanouir à des moments peut-être proches, peut-être lointains — peut-être dans une autre vie ? —, où je ne m'y attendrai pas. Ma tâche principale consistera plutôt à apprendre à les repérer, ces moments. Sinon, tant pis pour moi ; tout se passera quand même, sans moi.

Je me laisse lentement pénétrer par la chaleur du corps de l'Amante, par le parfum qui émane de sa chevelure, comme pour en faire ample provision pour le reste de ma vie. Prenant le visage de l'aimée dans mes deux mains, je le contemple intensément, ce visage rendu diaphane par la souffrance et par la lumière dorée d'octobre. Je lui murmure : « Yumei, Yumei, acceptons la terrible épreuve de la séparation. Nous nous retrouverons. Nous nous sommes déjà retrouvés, à jamais retrouvés. »

30

Fin 1947, je me rendis à Nankin pour y préparer le concours en vue d'obtenir une bourse. Étant le seul candidat dans cette spécialité — la peinture murale — et fortement recommandé par le professeur qui faisait partie du comité de sélection, je savais que le concours n'était en quelque sorte qu'une formalité. Je tins néanmoins à l'honorer en étudiant consciencieusement tout le programme exigé.

Je descendis les célèbres gorges du Yangzi qui s'échelonnent sur plusieurs centaines de kilomètres, un parcours que j'avais déjà effectué plus de neuf années auparavant en venant au Sichuan. J'étais alors encore un enfant, insouciant et inconscient de tout. Je me rappelais seulement qu'écrasé par l'aspect grandiose du site j'avais crié à tue-tête ; ma voix s'était noyée dans le grondement assourdissant des vagues frappant les parois des falaises qui se dressaient verticalement jusqu'à toucher le ciel. Me voici, devenu un jeune homme qui avait presque trop vécu, connaissant avant l'âge tout le poids de la fatalité.

La descente du fleuve, cette fois, était autrement plus vertigineuse, chargée de périls. Précipité par le courant, le bateau devait sans cesse virer à gauche et à droite pour éviter les récifs. De temps à autre, on apercevait des morceaux d'épaves de sampans ballottés et déchiquetés par les remous.

Comme tous les passagers massés sur le pont je regardais, fasciné autant que terrorisé par ce fleuve en fureur. Je ne pouvais m'empêcher de penser que le fleuve était l'image de mon destin. Que pouvais-je faire d'autre en effet que de me laisser entraîner, emporter par ce courant aveugle jusqu'à l'éclatement final ?

Pouvais-je cependant m'empêcher de m'interroger ? Ce courant furieux qui se jetait sans regret dans le néant ne signalait-il pas avec superbe l'immense perdition universelle ? Si tout n'est que pure perte, pourquoi alors la vie plutôt que rien ? Pourquoi tant rêver et désirer, tant souffrir et s'acharner ? L'écoulement continu de l'eau qui grondait jour et nuit suscitait une image qui hantait fréquemment mes cauchemars, celle du jeune camarade de lycée gravement blessé. Malgré garrots et pansements, son hémorragie ne s'arrête pas. Quelqu'un fait alors cette remarque que je n'oublierai pas : « Il va se vider de son sang et il mourra. » En effet, transporté sous un soleil torride vers un dispensaire lointain, il perdra la vie en chemin.

A regarder les gens autour de moi s'exclamer, rire aux éclats, ou tenter de parler plus fort que le vacarme des flots déchaînés qui roulaient sous leurs pieds, je fus pris de panique. J'eus envie de les secouer et de crier : « Danger ! » Eux qui se croyaient bien installés au cœur d'un espace sûr, ne voyaient-ils pas que le temps se jouait d'eux et emportait pièce par pièce l'illusoire fondation, plus sûrement que les termites géants ? Et moi, y voyais-je plus clairement que les autres ? Que signifiait cette fuite éperdue du fleuve et du temps en sens unique ? Qu'avaient compris et dit les Anciens pour qu'après eux tout le monde se sente si rassuré ?

Reverrais-je jamais l'Amante telle que je l'avais connue, telle que je l'avais rêvée ? Reverrais-je même mes parents, en dépit de tout, ou par-delà tout ?...

Il y avait là un groupe d'universitaires retournant à Pékin. Comme sur un bateau la conversation s'engage facilement, je les abordai et me déchargeai sur eux de mes interrogations, au risque d'en exaspérer plus d'un. Ma mine passablement ahurie rencontra cependant un visage grave qui s'ouvrit en un sourire : « Question très intéressante, essentielle même, essentielle... » C'était le professeur F., célèbre spécialiste de la pensée chinoise, que d'aucuns approchaient avec un respect craintif. J'y étais allé de ma naïveté, sans gêne outre mesure, car je ne demandais qu'à écouter.

« Oui, le fleuve comme symbole du temps ; que signifie-t-il ? Voyons, comment répondre à cette question ? » Son front se plissa derrière ses lunettes cerclées d'argent. « Il faut bien parler de la Voie, n'est-ce pas ?... Tiens, quelle coïncidence ! Demain, nous traverserons justement la région dont est originaire notre cher Laozi. Celui qui est, vous le savez bien, à l'origine du taoïsme et qui a développé l'idée de la Voie, cet irrésistible mouvement universel mû par le Souffle primordial. A demain alors ; on en parlera. »

« La Voie donc... » reprit le savant le lendemain, comme s'il n'y avait pas eu l'interruption de la nuit. « Nul doute que c'est inspiré par ce fleuve si puissamment fécond, parallèle à la Voie lactée (Regardez comme il s'élargit maintenant. Magnifique, n'est-ce pas ?), que Laozi a développé sa vision de la Voie. Tout comme le fleuve, la Voie a un rapport avec le temps. On dit : "Fleuve du temps" et la Voie affirme : "Point d'aller sans retour." Toutefois, à regarder le fleuve comme cela, on dirait qu'il fonce en ligne droite vers sa perte, alors que la Voie selon les taoïstes suit un mouvement circulaire, d'aucuns penseront donc qu'il y a contradiction entre ce que montre la réalité et la conception qu'on en tire. C'est oublier un trait spécifique de la géographie chinoise. La Chine est un continent qui jouit d'une unité en soi. Avec ses hautes montagnes à l'ouest et ses vastes mers à l'est, sa terre est penchée en sorte que tous ses fleuves, notamment les deux principaux, le fleuve Jaune et le Yangzi, coulent invariablement d'ouest en est. Ces deux fleuves, l'un fruste et viril, berceau du confucianisme, l'autre luxuriant et féminin, berceau du taoïsme, ayant la même source et coulant dans le même sens donnent l'impression aux Chinois que l'ordre temporel procède d'une origine et vise une destination.

« Comment concevoir que l'irréversibilité de cet ordre impérieux qu'est le temps puisse être rompue ? C'est ici qu'interviennent les Vides médians inhérents à la Voie. Eux-mêmes Souffles, ils impriment à la Voie son rythme, sa respiration et lui permettent surtout d'opérer la mutation des choses et son retour vers l'Origine, source même du Souffle primordial. Pour le fleuve, les Vides médians se présentent sous forme de nuages. Étant de la Voie, le fleuve, comme il se doit, participe aussi bien de l'ordre terrestre que de l'ordre céleste. Son eau s'évapore, se condense en nuage, lequel retombe en pluie pour l'alimenter. Par ce mouvement en cercle vertical, le fleuve, assurant la liaison entre terre et ciel, rompt la fatalité de son propre cours forcené. De même, à ses deux extrémités, il imprime la même sorte de cercle entre mer et montagne, *yin* et *yang*. Ces deux entités, grâce au fleuve, entrent dans le processus du devenir réciproque : la mer s'évaporant dans le ciel et retombant en pluie sur la montagne, laquelle active sans cesse la source. Le terme rejoint par là le germe.

« Le temps procéderait donc par cercles concentriques, ou par cercles tournant en spirale si vous voulez. Mais attention, ce cercle n'est pas la roue qui tourne sur elle-même, sur les choses du même ordre selon la pensée indienne, ni ce qu'on appelle l'éternel retour. Le nuage condensé en pluie n'est plus l'eau du fleuve, et la pluie ne retombe pas sur la même eau. Car le cercle ne se fait qu'en passant par le Vide et par le Change. Oui, l'idée de la mutation et de la transformation est essentielle dans la pensée chinoise. Elle est la loi même de la Voie. Le retour dont parle Laozi signifie finalement reprise de tout, certes, mais surtout changement en autre chose, en sorte qu'il y a constamment retour et que plus il y en a, plus fréquente est la possibilité de transformation, tant l'inspiration du Souffle primordial est inépuisable. C'est peut-être subtil ou paradoxal, mais c'est ainsi... » Derrière ses lunettes, le professeur F. esquissa un sourire malicieux, qui trahissait son contentement d'avoir réussi le cercle de son développement verbal.

Je m'inclinai avec gratitude devant son explication en bien des points obscure pour moi. Je retins au moins qu'elle affirmait que rien de la vraie vie ne se perd et que ce qui ne se perd pas débouche sur un futur aussi continu qu'inconnu. Explication dont je me souviendrai lorsque en France il me sera donné de lire *A la recherche du temps perdu*. Contrairement à Proust, j'aurais écrit « A la recherche du temps à venir ». La loi du temps, du moins ma loi à moi, à travers ce que je venais de vivre avec l'Amante, n'était pas dans l'accompli, dans l'achevé, mais dans le différé, l'inachevé. Il me fallait passer par le Vide et par le Change.

A Nankin, le concours eut lieu comme prévu. Comme prévu, je le réussis. Les candidats reçus furent aussitôt pris en charge par le gouvernement. Nous pûmes suivre des cours d'instruction, ainsi que des cours intensifs de français. Il me fut impossible de retourner à Nanchang, mon pays natal, pour déposer les cendres de ma mère sur la tombe de mon père. Je mis la boîte dans un coin de ma valise, avec la ferme intention de la rapporter à Nanchang à mon retour.

Avant d'embarquer sur le bateau pour la France, j'eus la joie de lire dans la revue *Espoir*, dirigée par Hu Feng, comme un signe providentiel : quelques poèmes de Haolang, envoyés clandestinement de « là-bas ». On ne pouvait pour autant se rassurer sur le sort de l'Ami : cela faisait bientôt deux ans que la guerre civile avait commencé, elle faisait rage dans tout le nord de la Chine.

DEUXIÈME PARTIE

RÉCIT D'UN DÉTOUR

1

C'est le cœur battant qu'un jour d'avril 1948, en compagnie d'une dizaine d'autres étudiants boursiers, je débarquai à Paris, venant de Marseille, après un voyage de trente jours par mer. Je fus frappé par la couleur terne des rues de Paris, contrastant avec l'image de cette ville lumière que mon imagination avait magnifiée. La plupart des maisons autour de la gare étaient d'un gris fatigué, noirci par des décennies de poussières et de fumées. La saison était fraîche encore ; les passants, engoncés dans de vieux vêtements sombres, qu'ils n'avaient guère renouvelés durant ces premières années d'après-guerre, arboraient un air indifférent, morose. Je n'ignorais pas qu'il y avait la Seine, avec ses sites célèbres devant lesquels les touristes tombent d'emblée en extase. Mais j'étais ainsi fait que je n'arrivais jamais à épouser l'opinion générale. Devant ce que tout le monde voit, je doute de mon propre regard. Le charme de Paris, je le découvrirai plus tard, à ma manière.

Quelques Chinois, qui étaient venus faire leurs études en France avant la guerre et qui y avaient traversé les dures années de l'Occupation, surgirent de l'ombre pour venir à la rencontre des arrivants, à leur descente du train. Nous ayant aidés à laisser en consigne nos valises, avant de nous diriger vers les hôtels du Quartier latin, ils nous emmenèrent dans une sombre ruelle tout à côté de la gare. Cette ruelle donnait accès à une suite d'impasses, plus sombres et plus étroites encore, aux pavés dénivelés, suintant l'humidité et bordés d'immeubles bas à la façade délabrée, anonyme. C'est là qu'habitaient un certain nombre de petits commerçants chinois tenant boutique ou restaurant. Dans un des restaurants un peu moins mal éclairé, anciens et nouveaux, nous fêtâmes notre première rencontre par un déjeuner.

Les conversations animées et les vapeurs appétissantes qui montaient des soupes aux nouilles et des plats aussi colorés qu'épicés, si différents de la nourriture rébarbative servie sur le bateau, contribuaient à chasser l'odeur de graisse moisie tapie dans les fentes des murs, à répandre une éphémère illusion du pays natal retrouvé.

Oui, j'apprendrai à aimer cette ville où je vais vivre un certain temps. J'apprendrai à aimer ce pays qui se trouve au cœur de l'Europe occidentale. Ce sera une longue initiation. En attendant, il faut passer — je le pressens, je le sais déjà — par le purgatoire, sinon par l'enfer.

L'enfer, j'estimais le connaître bien, hanté depuis toujours par le phénomène du Mal, lequel débouche sur la mort sans rémission. Il en est un autre cependant, plus subtil, où la souffrance et la mort ne sont pas apparentes, que j'allais petit à petit découvrir. Tant que j'étais en Chine, je ne m'en rendais pas tout à fait compte. J'étais dans un monde familier dont je connaissais jusqu'aux moindres détails le langage et les coutumes. Mon visage ne tranchait pas dans la foule ; il était fondu dans la masse qui me portait comme une vague depuis ma naissance. A Paris, j'éprouvais pour la première fois mon étrangeté, accentuée encore par mon statut d'étranger. J'affrontais un univers dont j'apprenais avec application et maladresse le b.a.ba tel un nouveau-né.

Non pas tant que j'eusse peur qu'on demande à vérifier mes papiers. J'étais à peu près en règle. Il y avait, en travers de mon corps, la conscience d'un manque autrement plus radical, un manque, disons, de légitimité d'être. Plus rien ne semblait garantir mon identité ni justifier ma nécessité d'être là. Pire qu'exclu, je me sentais séparé. Séparé des autres, séparé de soi, séparé de tout. Je suis venu ici pour apprendre la peinture. J'affronte un métier qui ne s'apprend pas : exister.

Pour l'heure, j'affrontais un enfer à visage aimable. Trop aimable pour être vraiment aimable ; cela, on pourrait s'en douter. Trop aimable pour qu'on puisse s'y insérer ; cela peut surprendre. Étrange enfer il est vrai qui vous attire comme une trappe sans cependant vous y admettre. C'était l'époque où une de ces phrases saisonnières dont la France était friande traînait sur toutes les lèvres : « L'enfer, c'est les autres. » Pour moi, au contraire, l'enfer, je le vérifiais à mes dépens, c'est d'être toujours autre soi-même, au point d'être de nulle part.

En cette fin des années quarante, tout comme la jeunesse prise de frénésie de vivre, beaucoup de gens de la classe aisée, comme pour compenser ces années noires, éprouvaient une fringale de festivités et de frivolités mondaines.

Comme les artistes chinois débarqués après la guerre à Paris n'étaient pas encore légion, j'eus l'honneur d'être invité à dîner telle une « rareté » dans un de ces salons qui se targuaient d'avoir l'esprit ouvert. Introduit auprès des invités, j'eus droit à des « Enchanté », « Très honoré », pleins de promesses ; je me félicitais de pouvoir enfin connaître la « société parisienne ». Mais déjà les autres étaient occupés ailleurs, lançant entre eux force « Mon cher », « Ma chère ». Au bout d'un moment, j'avais nettement l'impression qu'on me rangeait parmi les pièces du décor, un peu comme ce vase Ming qui ornait un coin du salon.

A table, je réussis un instant à accrocher l'attention de quelques voisins, et m'attirai même des réponses telles que « Comme c'est intéressant », « Comme c'est passionnant ». Pour peu que je veuille prolonger la conversation en tentant d'approfondir le sujet abordé, j'apercevais bientôt des bâillements réprimés et quelques regards échangés entre mes interlocuteurs qui semblaient se moquer de ma lourdeur. Je me rappelais alors une des règles d'or de la langue française : pas de répétitions. Surtout dans les conversations mondaines où doivent primer le brio et la légèreté. Et qu'avant tout fusent les bons mots, les traits qui font mouche, qui tuent !

M'étant épuisé à suivre les propos tourbillonnants, je commençais à m'assoupir, lorsque la discussion revint à la Chine. Mais je n'avais pas trop à me fatiguer, car plusieurs convives savaient mieux que moi ce qu'est un Chinois ou ce que doit être un Chinois. Justement l'un d'entre eux, après avoir prêté un instant l'oreille à ce que je disais, proclama sans ambages : « C'est curieux, vous n'êtes pas très chinois ! » D'autres fins esprits, se targuant d'être connaisseurs, décrétèrent devant moi ce qu'est la pensée chinoise, la poésie chinoise, l'art chinois. Après les avoir écoutés, j'ai fini par saisir ce qu'ils exigeaient d'un Chinois. Qu'il soit cet être à l'esprit planant, vierge de tourments et dénué d'interrogations, au visage lisse et plat, béatement souriant, fait d'une autre substance que la chair et le sang. Son langage doit être délié, naturel, sans efforts accumulés, sans formes construites, d'une simplicité un peu naïve et son propos doit se ramener à quelque aimable sagesse. Un être primaire en somme, destiné à être maintenu dans sa rusticité native, condamné à être dépourvu de passions et de quêtes plus aventureuses qui le mèneraient vers d'autres métamorphoses.

Enfin sorti de la soirée, respirant l'air frais du dehors, tout en me jurant qu'on ne m'y reprendrait plus, je me répétais qu'il faudrait désormais que je m'applique à être chinois, à me conformer à l'idée qu'on se fait d'un Chinois.

2

En attendant d'évoluer avec plus d'aisance dans les milieux parisiens, un étranger arrivé de fraîche date et peu fortuné recherchait d'autres étrangers.

Ces étrangers, nombreux et variés, formaient un monde greffé sur la société native. Communiquant entre eux dans un français approximatif, ils s'entraidaient comme ils pouvaient, se passant des « tuyaux » pour se débrouiller avec les complications administratives, des adresses de restaurants bon marché, se transmettant leurs logements sordides, se donnant l'illusion d'être pleinement là, pleinement enracinés.

Ils se tenaient chaud, comme ces artistes de Montparnasse, mal logés, mal lavés, qui dans des ateliers miteux, en hiver, s'agglutinaient autour d'un poêle à charbon fumant et sonore, devant un modèle à la chair blafarde, heureux néanmoins d'être au paradis de l'art.

Après le travail, ils traînaient dans les cafés, s'interpellaient avec force saluts et accolades. On se rassurait, on s'encourageait par un geste amical, un croissant partagé, un mot gentil sur un tableau. C'est ainsi qu'on se prémunissait contre le désespoir. Les suicidés étaient discrets ; en partant sans prévenir, ils avaient l'élégance de ne pas déranger la famille.

Après tout, ce sont peut-être les conditions nécessaires pour engendrer un Modigliani, un Van Gogh.

Comme artiste, j'échouai aussi à Montparnasse,
dans un petit atelier de fortune, bricolé par des artistes
qui m'avaient précédé, au fond d'un sombre couloir.
A part quelques cours consacrés à la peinture murale
aux Beaux-Arts, je fréquentais surtout les quelques
« académies » qui se trouvaient dans le quartier. Pour
me donner un genre, je m'étais acheté une pipe, laissé
pousser pendant un temps la moustache. Mais bientôt,
désirant me libérer de cette agitation permanente et
d'influences aussi confuses qu'artificielles, je profitai
d'une occasion pour quitter le quartier. Un sculpteur
chinois retournant en Chine me proposa son logement, qui comportait un atelier plus vaste mais qui se
trouvait dans un quartier lointain, à l'est de Paris, rue
de B. Cette rue montante, aux pavés rugueux que
d'autres peinaient à arpenter, m'était douce sous les
pas ; elle me procurait la même sensation de connivence que les rues de Tchoungking. Après mon
déménagement, toutefois, je passais encore la plupart
de mes journées à Montparnasse où j'avais mes habitudes : bistrots et restaurants pas chers, cafés où je
réussissais à vendre de temps à autre quelques
tableaux de paysages, à l'encre de Chine, à l'aquarelle ou à l'huile.

La journée finie, je regagnais mon logement à
pied, par souci d'économie. Ces longues marches à
travers Paris, le soir ou dans la nuit, me familiari-
saient avec la grande ville, sans réussir à me débarrasser de la frayeur existentielle que celle-ci me
causait. Je commençais à me sentir lié à elle au
point de ne plus m'imaginer vivant ailleurs. Elle
s'imposait à moi, chargée comme ces grandes
familles aristocratiques de gloire passée et de
crimes inavoués. Désormais, je ne doutais pas que

dans mes veines coulait aussi le sang lourd des parfums et des poisons de la prestigieuse lignée, à l'instar des autres membres qui, n'ignorant rien de toutes les tares que les générations avaient accumulées dans les recoins de la demeure familiale, les cabinets sombres, les vieux lits, les coffres scellés et autres lieux secrets, ne songeaient pourtant pas à la quitter.

Moi non plus, l'étranger assimilé, je n'en sortirais pas. Durant cette période où mes ressources plus que limitées étaient consacrées à l'installation et à l'achat de mes outils de travail, il n'était pas question de voyager, ni à l'étranger ni en France même. Hormis quelques échappées du côté de Chatou ou de Bougival, sur les traces d'un Monet ou d'un Van Gogh : là, une rangée de peupliers frissonnants de lumière, un chemin de halage émaillé de senteurs d'herbes, et l'eau de la Seine qui cueillait au passage les nuages errants suffisaient à me plonger dans le ravissement. Fauve en cage un instant rendu à ses éléments, je retrouvais la plénitude de mes moyens si constamment entravés. L'œil vif et la main alerte devant la toile, je voyais des scènes vécues émerger de mes touches à l'encre diluée, rehaussée de couleurs mûries à point... Le reste du temps je me sentais pris dans les rets de la ville-labyrinthe. Sur mon chemin quotidien, je tombais sur quelque gare immense avec sa gueule béante qui vous aspire. J'y humais complaisamment la fumée fiévreuse du départ jusqu'à ce que le dernier grondement des roues emportât les gestes toujours ridicules des adieux. La gare alors n'était plus qu'un paysage désolé sur lequel flottait une verdâtre lumière de fantôme. Je m'attardais encore parmi ceux qui ne partaient jamais, les clochards, les sans-logis, les rôdeurs en quête d'une aubaine, les gens échoués là comme des algues ou des coquillages sur la plage après la marée.

Parfois tout de même sur le chemin du retour, en faisant un détour et en longeant le fleuve, je retrouvais l'indicible douceur du bras maternel : les deux bras de la Seine qui entourent l'île où bat le cœur de Paris depuis son origine. Et mon cœur à moi apprenait à battre aussi lorsque, allant d'un pont à l'autre, ces ponts qui ponctuent le cours de l'eau, je jouissais tout d'un coup de la vue sur le foisonnant ensemble architectural de la cathédrale et des multiples palais que je ne cherchais plus à déchiffrer comme au début de mon séjour. Je me laissais attirer par ces pierres accumulées là, au hasard des siècles. Le désordre apparent obéissait à un secret ordonnancement, avec la majesté d'un cortège royal. On n'aurait pu ajouter ni enlever une pierre sans en perturber la beauté. Mystère de ces grandes réalisations humaines ajoutées les unes aux autres qui, nées de l'urgence d'un moment, sans plan global préconçu, s'imposent à la postérité comme un être en soi, mû par une nécessité impérieuse même lorsqu'elles sont devenues ruines. Vivant désormais là, sur cette île qui le porte comme une paume ouverte, cet amas harmonieux, qui joue de la clarté du ciel et du reflet de l'eau, respire d'une étonnante mobilité. Ce qui l'anime de l'intérieur comme de l'extérieur n'est autre que le temps. Le temps qu'il fait, changeant d'aspect à chaque heure du jour, relié à un temps plus caché, incrusté dans les pierres, celui vécu joyeusement ou tragiquement par les hommes depuis que celles-ci ont été posées là. Allant du rose pâle jusqu'au gris soyeux durant la journée, le temps se vêt de pourpre à l'heure du couchant. La lumière réfléchie par les pierres scintille de teintes lilas ou lys, glaïeul ou églantine. Elle semble affluer vers ce cœur de pierres qui se contracte et se dilate tour à tour, et que l'eau du fleuve se charge de purifier doucement quand vient la nuit.

M'éloignant du centre vivant en longeant le fleuve, je me dirigeai vers l'est. Une péniche qui glissait sur l'eau me rappela que j'avançais dans le sens contraire du courant. Il ne me déplaisait pas, à cette heure où le jour s'achevait, de marcher vers l'amont du fleuve, vers sa lointaine promesse initiale. Là où l'horizon s'assombrissait plus tôt, quelques nuages hésitant entre rester et partir captaient soudain, venant de l'ouest, la réverbération d'un ultime rayon du couchant, aussi furtif qu'un clin d'œil ou un signe de la main.

Plus loin, le fleuve paraissait délaissé, avec le long des berges une odeur d'algues et de mazout. Et les monceaux de sable et de ferraille qui s'y accumulaient ajoutaient davantage à l'impression de désolation. J'accélérai le· pas, tentant de réprimer la mélancolie qui montait en moi, cette mélancolie qui ne m'avait jamais quitté et qui, d'humeur nocturne, attendait des circonstances propices pour se réveiller. A cet instant, une image surgit et s'installa, celle de Haolang et de Yumei auxquels je pensais souvent, mais jamais avec une telle acuité. Je me figeai. La tentation m'étreignit de plonger dans le fleuve, de remonter le cours tel un saumon aveugle, vers l'est, très à l'est, jusqu'à ce que je rejoigne le lieu d'où j'étais venu. N'ayant plus la volonté de continuer, au niveau d'un pont, je tournai vers la gauche car j'avais vu, au fond d'une rue ombragée, une église silencieuse adossée à un ciel parsemé des premières étoiles. Oubliée des hommes, oublieuse d'elle-même, ne sachant plus ce pour quoi elle avait été bâtie, elle était une simple présence, attendant celui qui, inattendu, consentirait à aller vers elle...

D'autres jours, me fiant à mon seul flair, je quittais les artères trop droites et m'engageais dans des rues étroites inconnues, au risque de me perdre. Des rues anonymes habitées par des vies confinées et usées par le quotidien. Des papeteries jaunies, des merceries surannées, des magasins nettoyés à l'eau de javel juste avant la fermeture et d'où émanaient des relents de viande saignante, de pain mouillé ou de lait caillé. Plus loin, tel un chien errant, je me dirigeais d'instinct vers les lieux d'où venaient la lumière, les bruits et surtout les odeurs. Odeurs de viandes grillées, de légumes marinés et d'épices fortes, mêlées de voix aux accents lourds et de rires aigus de femmes. Bientôt, je me trouvais plongé au cœur d'un quartier comme surgi de l'oubli et pourtant étonnamment réel. Pour un peu, je me serais cru dans une de ces rues de Chine qui, en dépit de l'heure tardive, bourdonnent encore d'activités et de bruits de foules. Je sursautais, le cœur serré, aux cris d'une femme appelant son enfant : les cris depuis si longtemps oubliés de ma mère m'appelant dans la rue à l'heure où la nuit tombait.

3

A mesure que je vivais dans le quartier de la rue de B. je découvrais que la grande ville abritait beaucoup de solitaires. Ceux-ci ont trop le sens de l'effacement pour afficher leur solitude sur leur visage ; il faut du temps et une science sûre pour les repérer. Passé maître en la matière, je les flairais à présent à dix lieues. J'étais presque consolé à l'idée que je n'étais pas seul de mon espèce et qu'il y avait tant de mes semblables autour de moi. Il m'arrivait de rire en moi-même : un solitaire qui ne se sent pas seul, c'est le comble !

Cette voisine qui occupait la chambre d'à côté et qui commençait toujours sa journée par une sonore séance d'éructation. Elle toussait et crachait longuement, très longuement. Se peut-il qu'elle souffre des bronches, qu'elle fume ou qu'elle boive ? que sa gorge encombrée durant la nuit exige d'être soulagée ? Toujours est-il qu'elle instituait ce rituel quotidien où, croyant n'être entendue de personne, elle se donnait sans retenue jusqu'à ce qu'elle atteigne une sorte de douloureuse extase. Elle toussait avec fureur et crachait avec hargne, sur un rythme tantôt régulier, tantôt saccadé, ou de plus en plus accéléré, presque avec rage, comme si elle voulait extirper de son corps tout ce qu'elle avait accumulé de rancœurs et de frustrations. Toutefois, comme la séance durait longtemps, tout ne se passait pas avec le même degré d'intensité. Elle savait moduler de temps à autre ses toux et ses crachats en introduisant, au milieu d'une quinte sonore, des notes plus en sourdine, presque tendres. On aurait dit que c'était là sa manière de chanter. C'était son chant à elle ; surtout vers la fin, lorsque l'irrésistible poussée s'atténuait et se transformait en hoquets, en halètements, puis en soupirs espacés, doux et plaintifs comme une berceuse. Puis le silence. La voilà enfin apaisée, me disais-je, et, ô miracle de la communion, je me sentais moi-même totalement apaisé.

Apaisée, la femme l'était sûrement en sortant de chez elle. Quand je la rencontrais sur le palier ou dans la rue, j'étais toujours étonné du décalage entre ce que j'entendais d'elle et ce qu'elle donnait à voir. Comment, en effet, coller à l'être muet, discret et sans âge qui était devant moi l'image de celle qui, un moment auparavant, se déchaînait avec tant de rage ? C'était une ancienne femme de ménage usée à la tâche. Toute sa vie avait été à ce point marquée par l'abnégation que dans une queue à la charcuterie, par exemple, elle cédait volontiers sa place à ceux qui étaient derrière elle. Un peu à l'écart, elle guettait le moment qui dérangeait le moins la charcutière pour lui dire : « Ce bout de pâté, ça m'irait », ou : « Juste un petit morceau de foie. » Je m'imaginais aisément comment dans sa chambre elle déballait son bout de pâté dans son assiette, le coupait précautionneusement et, se parlant à elle-même, le mangeait le plus lentement possible, non tant pour faire durer le plaisir que pour faire paraître moins longue la journée.

Cet Arménien, marchand ambulant, qui au hasard des événements et au gré du vent avait parcouru en zigzag le continent eurasien. A présent, il avait son instrument de travail, une espèce de charrette posée dans un coin sombre de la cour, pareille à une épave échouée sur une plage. Le matin, quand il poussait ses marchandises — cacahuètes, pistaches, nougats et autres friandises — vers le coin de rue où il allait s'installer, le grincement de sa charrette sur les pavés de la cour me ramenait inévitablement à ma prime enfance lorsque mes parents m'emmenèrent pour la première fois au mont Lu. Nous avions dû faire une partie du trajet dans une charrette tirée par des mulets ; le grincement de la charrette roulant dans les ornières en était autrement plus perçant. Mais ce bruit cahotant était agréable à mon oreille ; il était associé à l'odeur de la terre, à la fraîcheur de la montagne et au sentiment de la délivrance, car nous fuyions alors la chaleur étouffante de la ville et l'atmosphère pesante de la grande famille.

« Ah, vous êtes chinois ! Je connais bien la Chine, vous savez », et l'Arménien de ne plus me lâcher avant qu'il ne m'ait fait le récit de son voyage en Chine. La Chine en question était la partie du Xinjiang habitée par les Ouïgours que je ne connaissais pas malgré mon séjour à Dunhuang. Mais je n'en étais pas quitte pour autant. Car chaque fois que je rencontrais l'Arménien, celui-ci ne manquait jamais d'ajouter quelque détail supplémentaire à sa première version. D'ailleurs, son désir de raconter était inépuisable. J'avais les honneurs de son récit sur la Chine, mais tel autre qui se trouvait sur son chemin, iranien, libanais ou grec, avait droit à l'histoire de son héroïque traversée de l'Iran, du Liban ou de la Grèce.

En dépit de sa volubilité et de son abord facile, cet humble arpenteur du continent qui « en a vu de toutes les couleurs » était un solitaire, en ce sens qu'il n'arrivait pas à raconter sa vie entière à quelqu'un et par là à se la raconter à lui-même. Il ne réussissait jamais à mettre bout à bout cette vie faite d'une succession de périples. Il ne pouvait chaque fois livrer à la personne de rencontre qu'un fragment, en sorte que sa vie était tronquée, sans possibilité de raccords. D'ailleurs, il lui arrivait ce qui était arrivé à Marco Polo : on ne croyait pas tout à fait à ce qu'il disait. « Raconte-nous l'Uruguay, tu as été en Uruguay, n'est-ce pas ? » lui lança-t-on un jour. Comme il ne savait pas où se trouvait ce pays et que ce nom lui rappelait vaguement celui d'une tribu qui peuplait une zone entre la Chine et l'Iran, il répondit sans trop réfléchir : « Mais oui, j'y ai été. » Du coup, sa réputation de grand voyageur s'en trouva entamée ! Il ne pouvait donc que laisser pêle-mêle s'entasser en lui ses souvenirs hétéroclites, qui l'écrasaient. En fin de compte, il traînait sa vie comme un animal à trop longue queue, encombrée de parasites. Il s'épuisait à les nourrir, sans en être nourri lui-même.

Ne pas pouvoir joindre la vie antérieure à la vie présente, ne pas pouvoir les raconter en entier à quelqu'un, pas même à soi, telle est la solitude. Elle en étouffait plus d'un. Je savais que moi-même je faisais partie du lot.

En faisait partie aussi le violoniste indien. Il jouait dans les bouches de métro de l'est parisien. « Dans les quartiers populaires on donne plus généreusement, disait-il, et surtout on donne par sympathie plus que par charité. » D'autant plus qu'il savait jouer à merveille des airs nostalgiques auxquels est sensible l'oreille du petit peuple.

Il habitait une chambre mansardée où le lit occupait plus de la moitié de l'espace. Heureusement il y avait une lucarne. Svelte, il pouvait, debout sur une chaise, mettre son buste dehors et s'exercer au violon à l'air libre ; cela avait du moins l'avantage de ne pas gêner les voisins.

De caractère passionné, toujours exalté, il avait la parole impétueuse et saccadée, accompagnée de larges gestes de mains. J'évitais de parler avec lui en marchant dans la rue, à cause de ces gestes qui incommodaient les passants. Il lui arriva de faire tomber le chapeau d'une dame qu'il croisa. Pourtant, lorsqu'il collait sa tête de bouddha à son instrument, son jeu laissait transparaître une douceur extrême.

Un jour, sortant d'une longue période de travail intense, je m'aperçus que je n'avais pas vu le musicien depuis longtemps, ni dans le métro ni dans les cafés du quartier. Je me rendis à son logement et appris par le concierge qu'il avait été renversé par une voiture et qu'après son hospitalisation il était revenu chercher ses affaires, puis reparti sans laisser d'adresse. C'est seulement quelques mois plus tard que je le rencontrai un soir dans la rue. L'homme était presque méconnaissable. Devenu borgne, il portait des vêtements sales trahissant un état de semi-clochard. Il m'apprit que dans l'accident, en plus de son œil gauche il avait perdu l'usage de son bras gauche, cela sans aucune indemnité, car le chauffeur avait disparu sans laisser de trace. Plus question de continuer le violon. Comprenant dans quelle misère l'autre se trouvait, je voulus lui proposer un peu d'argent. Le musicien refusa, mais accepta de dîner dans un petit restaurant où nous allions quelquefois ensemble. Au cours du repas qui fut une épreuve pour nous deux, puisque ce qui faisait l'objet de nos conversations enthousiastes devenait vain, dérisoire, je me hasardai à lui demander s'il ne serait pas mieux pour lui de retourner au pays. « On ne retourne pas au pays sans avoir réussi quelque chose, sinon il ne fallait pas partir », répondit l'homme blessé, l'œil qui lui restait brillant d'un éclat terrible, « si je rentre chez moi, j'y mourrai de honte. »

A-t-il finalement regagné son lointain pays, où il avait tant rêvé de rejoindre un jour Mozart ou Brahms ? A-t-il sombré dans les bas-fonds de l'enfer parisien où, même réduit à l'anonymat total, il serait toujours resté un étranger ? Je n'en saurais rien, faute de l'avoir revu.

Assis dans le coin le plus reculé du café, fondu dans l'ombre, l'homme silencieux et incolore n'était qu'une paire d'yeux clignotant derrière de grosses lunettes. De là où il était, son regard embrassait tout l'espace. Il était là, donc, à regarder le café s'animer ou s'assoupir. Tout le temps qu'il était là, assis dans l'ombre, il ne faisait que regarder ; son regard devenait le regard du café, à l'image de la vieille lampe accrochée là, mi-allumée, mi-éteinte, utile et inutile. Observe-t-il quelque chose ? Pense-t-il à quelque chose ? A voir son air neutre et vague, il semble qu'il laisse venir les images plutôt qu'il ne va les chercher. L'important pour lui est de regarder. Quoi donc au juste ? Disons, la vie des autres qu'il capte au petit bonheur. Suivre d'un œil distant, sinon distrait, la vie des autres, après tout, c'est une façon de vivre.

Dans ce café, rentrant le soir des ateliers de Montparnasse ou d'ailleurs, j'avais l'habitude de m'attarder un peu avant de regagner mon logis ; j'aimais l'ambiance nonchalante qui y régnait. Un seul détail m'incommodait, c'était justement le regard de l'homme assis dans le coin. Quelle que soit la place où je me mette, je sentais le regard de l'autre dans mon dos. Je n'échappais à ce regard que les rares fois où l'homme se plongeait dans la lecture. Je m'aperçus alors qu'il était myope au dernier degré ; quand il lisait, il avait les yeux collés au papier, et son nez assez proéminent labourait littéralement les lignes à mesure qu'il avançait dans le texte.

Un jour, m'étant attardé plus longtemps, je sortis du café en même temps que lui. Je me mis à le suivre. Il me fallut de la patience pour rester derrière l'inconnu, car traînant le pas, il s'arrêtait devant toutes les corbeilles à papiers qui jalonnaient la rue. Il feuilletait systématiquement les journaux et les revues jetées et prenait ce qui l'intéressait : au bout d'un moment, ses bras furent chargés de magazines. Finalement il arriva devant un immeuble à la façade aveugle ; il entra par une petite porte, s'engagea dans un couloir sombre d'où sortaient des bouffées de moisi. Je l'imaginais sans peine vautré sur son lit, reniflant la lancinante odeur de l'encre, en train de lire jusque tard dans la nuit toutes les histoires drôles, touchantes, sordides ou franchement horribles.

Reconnaissant en l'homme un vrai solitaire, je me pris d'affection pour lui. J'étais réconforté chaque soir en constatant sa présence au café. J'éprouvais presque le sentiment que j'avais lorsque, à Nankin ou à Tchoungking, rentrant de l'école, je retrouvais ma mère toujours dans le même coin de la cuisine. Je me rendis compte, peu à peu, que lui aussi m'attendait. Inévitablement nous avons fini par nous aborder.

L'homme était un célibataire qui avait toujours vécu avec sa mère jusqu'à la mort de celle-ci. Il avait travaillé toute sa vie dans une compagnie d'assurances. Employé au plus bas échelon, sa fonction consistait à copier, à longueur de journée, à longueur d'année, des dossiers relatant accidents ou conflits de toutes sortes. Dans le bureau, lorsqu'il y avait des remplacements ou des permanences à assurer, on se souvenait du célibataire, disponible à toute heure, mais on l'oubliait lorsqu'il s'agissait d'avancement. Au terme de toute une vie de service il avait été mis à la retraite anticipée. Outre des erreurs d'écriture qu'il commençait à commettre en raison de sa myopie aggravée, sa façon de frôler les dossiers du nez et de baver dessus incommodait ses collègues. Il ne se plaignait pas, se contentait de peu pour vivre. A part un loyer minime, il ne dépensait que pour ses repas et pour son café quotidien. Pour les vêtements, il continuait de porter ses vieux vestons, notamment celui dont la manche usée au niveau du coude avait été rapiécée par sa mère. Il n'allait plus chez le médecin, pas même chez le dentiste. Quand il était malade, il puisait dans sa mémoire les vieilles recettes de sa mère pour se soigner. Il supportait le mal de dent jusqu'à ce qu'on lui arrachât la dent gâtée.

J'étais impressionné par son endurance à la souffrance physique. Une endurance née d'un total oubli de soi qu'il avait sans doute obtenu par sa manière de vivre à travers les autres. Il s'était entraîné à l'époque où il travaillait : les autres étaient alors ses collègues, ses supérieurs et toutes les victimes surgies de ses dossiers. A présent, les autres étaient les gens du café qu'il regardait tous les soirs, ainsi que les personnages des magazines qu'il ingurgitait avant de s'endormir. L'homme faisait presque penser à un de ces saints taoïstes dont le précepte est : « Pour l'étude, on cherche à s'augmenter toujours ; pour le Tao, on s'efforce de se diminuer chaque jour. De diminution en diminution, on aboutit à l'état de non-agir. » L'état de non-agir, l'homme l'avait atteint sans trop le chercher. Il s'y était tant ancré que les maux survenus dans son corps ne le concernaient plus. Il les envisageait comme un fait divers arrivé à quelqu'un d'autre. J'étais persuadé qu'à l'heure de sa mort il serait infiniment paisible, car il était déjà passé outre, sur le versant de l'oubli. Ce sera le tour des autres, de tous ceux qui l'ont ignoré toute sa vie, de s'occuper de lui une ultime fois : il faudra bien mettre quelque part sa dépouille réduite à presque rien.

4

M'étant déjà familiarisé avec la méthode chinoise
des « trois couches et cinq points », j'étudiais avec
application aux Beaux-Arts la manière occidentale de
dessiner les portraits. Après quoi, je m'enhardis à
proposer mon art dans les cafés, à l'instar de bien
d'autres. J'y gagnais un complément appréciable à
ma bourse, qui se révélait insuffisante à mesure que
la vie devenait plus chère. Durant toute cette période,
je fus fasciné, pour ne pas dire obsédé, par les
visages. A tel point que dans la rue, je ne voyais
même plus le corps des gens. Ma vue ne rencontrait
qu'une multitude de têtes qui flottaient en l'air, qui
s'évitaient ou qui se saluaient à l'aide de tics ou de
grimaces, quelquefois de sourires.

Quelle est donc cette chose peu volumineuse, sans
doute la plus mouvante, la plus incertaine, la plus
insaisissable qu'on puisse rencontrer dans l'univers ?
De fait, la prouesse d'un peintre ne se manifeste-t-elle
pas d'abord par sa capacité à réaliser un portrait ?
Au fond, de quoi est-il fait, le visage ? Une peau de
quelques dizaines de centimètres carrés recouvrant un
crâne et quelques os, et un petit nombre d'orifices.
C'est lui pourtant, ce presque rien, sans réelle épaisseur ni profondeur, qui signale l'être humain, qui fait

que chacun devient une entité à part, car il est un signe reconnaissable entre tous. Il permet — comment en douter — à celui-ci de dire « je », et par là de dire « tu » et « il ». De se découvrir aussi un cœur, ou une âme. A partir de la naissance, chaque visage est façonné par toute une vie de désirs refoulés, de tourments cachés, de mensonges entretenus, de cris contenus, de sanglots ravalés, de chagrins niés, d'orgueil blessé, de serments reniés, de vengeances caressées, de colères rentrées, de hontes bues, de fous rires réprimés, de monologues interrompus, de confidences trahies, de plaisirs trop vite survenus, d'extases trop tôt évanouies. Chaque ride en porte la marque aussi sûrement que les anneaux d'un arbre. C'est tout cela que le visage révèle de la personne, à son insu, malgré l'effort surhumain qu'elle déploie quotidiennement pour le cacher. Le visage, c'est bien ce que chacun connaît le moins bien de lui-même. C'est ce que chacun porte, au-dessus des épaules, afin que les autres puissent le reconnaître, lui coller un nom, l'aimer un peu ou le haïr beaucoup.

Est-ce tout ? Est-ce bien tout ce que je ressentais devant un visage ? Je savais pertinemment que non. Pour que l'univers, à partir du rien, de la matière la plus informe, après tant d'aveugles tâtonnements, ait abouti à un visage, sans cesse renouvelé, chaque fois singulier, il avait bien fallu qu'il y eût un secret caché quelque part. Pour que le visage soit devenu ce réceptacle où se concentrent tous les sons et tous les sens essentiels, il fallait bien qu'à l'origine ait surgi un incommensurable besoin de voir, d'ouïr, de sentir et de dire, et surtout de réunir le tout sous un seul masque sans lequel le voir, l'ouïr, le sentir et le dire ne seraient que des débris. Et à ce masque vient s'accrocher de temps à autre la beauté, ce qu'on appelle « la beauté », pour exercer son pouvoir.

Une femme, dont je ne vis pas d'abord le visage, seulement les jambes. Par la force des choses : j'étais dans le métro, au milieu d'une voiture assez bondée. Assis sur un strapontin, j'apercevais entre les personnes debout, sur celui d'en face, une paire de jambes, merveilleusement encadrées, en sorte qu'elles formaient une unité en soi. J'avais l'impression de voir pour la première fois des jambes de femme dont la beauté me coupa le souffle. Comme il est vrai, me dis-je, qu'en peinture tout est affaire de cadrage ! Les Anciens, en Chine, n'allaient-ils pas jusqu'à isoler une fleur dans un trou afin d'en appréhender la réalité intrinsèque ?

Durant plusieurs stations, j'eus le loisir, non d'observer, mais de me laisser envoûter par la courbe harmonieuse de leur dessin, leur forme épanouie, tel un fruit mûr. Les deux jambes qui faisaient paire, malgré l'apparence, n'étaient symétriques ni par leur croissance antérieure, ni par leur pose ; elles étaient complémentaires, entretenant entre elles un dialogue où elles s'entendaient à demi-mot et qu'aucun regard indiscret ne saurait perturber.

Cette unité vivante, tout en ayant des proportions parfaites, possède cependant quelque chose d'outré, d'insolent même, qui la rend plus fascinante encore. A quoi cela était-il dû ? Peut-être à une longueur légèrement exagérée, à ce creux à la cheville trop accentué, à ce front du genou trop audacieusement prononcé. Qu'importe ! C'est justement ces détails infimes qui font la marque du génie. L'imparfait dans le parfait, l'inachevé dans la fixité, combien le calligraphe chinois en connaît la secrète alchimie ! Il avait fallu des millions d'années à l'aventure de la vie pour arriver à ce résultat. Il avait fallu aussi à la femme toute une vie de soins et de soucis pour arriver à cette grâce.

La beauté serait-elle une chose dont la femme serait la détentrice ? Un bien qu'elle entretiendrait comme elle peut, durant toute sa vie ? De fait, la beauté est un épais mystère qui dépasse infiniment la personne de la femme et dont celle-ci porte seulement un instant le fardeau. Elle la porte donc, ou la supporte, souvent maladroitement, et le monde s'empresse d'en faire sa pâture. Un ancien proverbe chinois ne dit-il pas : « Femmes trop belles, destin tragique » ! Elle essaie d'en faire un usage personnel, ignorant que la finalité et les lois de la beauté ne relèvent pas de l'ordre humain.

Ma délectation ne saurait durer. Dans l'étouffement souterrain, je la reçus comme une manne tombée du ciel. Ce fut avec un pincement au cœur que je vis enfin le visage de la femme. J'étais près de dire *le* visage, car désormais il était pour moi le visage d'après lequel j'allais jauger tous les visages de femmes. Ce visage blessé à jamais, qu'aucun regard n'envisage plus de dévisager. Ce visage à qui jadis l'amant en titre a juré l'éternité et qui, à présent, ne reçoit plus aucun serment. Que s'était-il passé ? L'un de ces accidents de voiture, apanages de la vie moderne ? En une seconde, le soin de toute une vie réduit à néant. Sa tête est à ce point en désaccord avec le reste de son corps qu'un spectateur, inconsciemment cruel, se dirait qu'il a affaire à une mascarade, à un grotesque jeu de masques. Rien n'est pourtant plus réel, comme la femme qui se trouve assise là, en son intégralité. N'est-elle plus une personne à part entière, pas même pour elle-même ? Doit-elle vraiment être blessée une seconde fois, non par la fatalité mais par le regard des hommes ?... Mon observation, discrète pourtant, n'avait pas échappé à la femme. Ses yeux qu'on devinait beaux — si l'on faisait l'effort de les deviner — dardèrent une lueur de courroux,

234

accentué de mépris pour cet étranger qui se permettait de la « toiser ». Savait-elle que son visage « parlait » bien plus au cœur de ce dernier qu'une Joconde ou une Fornarina qui ne lui « disaient » rien ? Savait-elle qu'à force de les contempler, l'étranger, sur lequel elle n'aurait pas daigné jeter un regard en d'autres circonstances, finirait par aimer ce nez et ces lèvres tels des biens les plus précieux ? Lui dont le métier consistait justement à traquer, comme au travers d'un palimpseste, la prime version où la beauté n'est pas encore un simple avoir à préserver et à figer sur papier glacé, mais l'élan même vers la beauté, un élan qui par définition n'est pas corruptible. Cet élan, les humains, en sont-ils encore capables ?

5

Je suis allé en Hollande. J'ai vu Rembrandt à Amsterdam et Vermeer à La Haye. Je reconnus en eux deux sommets de la peinture occidentale : la flamme passionnelle de l'un et la musique silencieuse de l'autre.

Comment cela avait-il pu se produire dans ce pays si petit, si plat, si étalé sous un ciel bas et baigné d'une lumière argentée, qui serait presque incolore, n'était l'éclosion, chaque année, dès avant le printemps, des tulipes aux couleurs si éclatantes qu'on ne peut les fixer des yeux ? Elles révèlent à leur manière une violence contenue, domestiquée, à l'image justement de ce pays calme et ordonné qui est, je ne l'ignorais pas, l'aboutissement d'une longue lutte acharnée. Terre ingrate menacée par la mer, peuple tenace forgé par la nécessité.

A la Grande Digue, où je ne pus m'empêcher d'aller, curieux que j'étais de toutes les limites, je vis le résultat d'une sourde énergie qui ne peut s'appuyer sur d'autres supports qu'elle-même. « Contre vents et marées » : pouvait-on trouver meilleure expression pour décrire cette barre gigantesque plantée coûte que coûte par les hommes au cœur d'une mer hostile. Le jour où je m'y trouvai, une pluie d'une violence inouïe, véritable fureur cosmique, s'abattit sur la digue, noyant tout, le ciel, la mer, la terre, dans un magma indistinct. Vers la fin de la journée, j'attendais à un arrêt le car, sans abri, sous une pluie battante ; il passa sans me voir. Le suivant ne viendrait que bien plus tard : le soir tombait. Je réussis à marcher jusqu'à un café pas très loin. Lumière sombre à l'intérieur. Personne ne fit attention à moi ; les conversations à voix sourdes continuaient, émaillées de quelques rares éclats de rire. Mouillé jusqu'aux os, assis près d'un chauffage, je tentai de boire un vin chaud pour calmer mes claquements de dents. Chinois anonyme, perdu dans cet Extrême-Nord, j'étais envahi par la sensation de la fragilité de mon corps et par le sentiment d'une solitude, qui provoquait en moi des sanglots que je réprimai.

Deux heures plus tard, je montai dans le car suivant, cette fois plus mouillé encore, comme un noyé qu'on venait de sortir de l'eau. Debout, face à tout le monde, je dégoulinais tellement que l'eau ruisselait jusqu'au fond du car. Les cheveux collant au visage, terriblement gêné, je cherchais parmi les passagers quelques sourires de complicité qui me sortiraient de ma gêne. Mais personne ne bougea ; je ne rencontrai que des visages impassibles, muets. En dépit de mon envie de rester debout, à cause de mes vêtements détrempés qui rendaient pénible la position assise, je m'installai sur un siège au fond du car. Mes dents claquaient si fort que mon voisin de devant se retourna. Un long visage tacheté de rousseur, au regard perçant mais empreint de sympathie. Tout d'un coup, je pensai violemment, désespérément à Van Gogh. Je le voyais tout près de moi, tel un arbre dénudé au tronc noueux comme on en voit dans un de ses dessins. Il me souffla à l'oreille : « Ne te désole pas, ne te tourmente pas, laisse le destin enfoncer son clou en toi jusqu'aux os, c'est ainsi qu'on parvient à faire ressortir quelque chose de significatif. Cette vie humaine est impénétrable, mais elle est pleine de sens. Fixe ton but et vas-y tout droit, sans trop te demander si tu y arriveras. Il y a un temps pour tout, n'est-ce pas ? Un temps pour la souffrance, un temps pour la joie, un temps pour l'agitation, un temps pour la paix. Par-delà tout, il y a la vie qui s'offre en sa force débordante. Il y a la nuit étoilée d'Arles. Il y a la mer qui rit à travers les maisons basses des Saintes-Maries... »

La vie en sa force débordante, comme elle était présente chez ces personnages à la mine épanouie que Frans Hals avait croqués d'une brosse sans égale. Personnages que je contemplai tranquillement le lendemain à Haarlem. Mais devant l'art si prompt, si brillant du peintre, je me posais une question qui ne m'avait jamais traversé l'esprit : « Ces toiles que j'admire en ce moment, dans l'état où je me trouve, me sont-elles de quelque secours ? Me guérissent-elles de ma peur, de ma soif, de ma blessure, de ma solitude ? » Inutile de dire que cette interrogation à peine formulée, je me sentis envahi par un sentiment d'indignité. Quoi, juger l'art en termes d'aide, de soutien, de réconfort ? Réduire la fonction de l'art à une thérapie ? Je tins bon cependant, refusant de renoncer à ma question. Et le sentiment d'indignité fit place en moi à celui de la délivrance. D'un coup, je me déchargeai d'un souci qui pesait sur moi depuis que je fréquentais les musées en Occident. Celui de suivre servilement, faute de critères personnels, les manuels d'histoire de l'art, de me soumettre à la hiérarchie des valeurs qu'on m'imposait. Désormais j'aurais ma propre clé. Devant toute œuvre, je mettrais en avant mon état « maladif » et me demanderais chaque fois si oui ou non elle me guérit, me comble, me tire hors des ornières du dégoût et me réconcilie avec la vraie vie. Je saurais désormais traverser d'un pas léger d'interminables salles à l'odeur asphyxiante d'encaustique, dans lesquelles je m'épuisais à suivre des légions de peintres dans leur commune besogne : remplir l'espace jusqu'aux bords, étaler les couleurs jusqu'à l'écœurement, satisfaire sans fin le besoin d'anecdotes et d'illustrations. Je me paierais le luxe d'admirer dans telle œuvre ancienne, non le panneau central à la composition trop édifiante, mais une prédelle où l'artiste ose s'abandonner à son intime vision...

Mais Rembrandt ? Si le manuel n'avait pas indiqué son importance, me serais-je dirigé vers lui ? Je me souvins seulement de m'être dit, quand j'avais vu pour la première fois les tableaux du peintre au Louvre : « Enfin quelqu'un chez qui la lumière n'éclaire pas ; elle rayonne, voilà tout. » A l'époque, je saisis combien j'avais été conditionné par la peinture chinoise. Car en Chine, les Anciens ne parlaient guère de la lumière (ils recherchaient, pourrait-on dire, l'essence insipide du pur espace), en sorte que les peintres occidentaux qui jouaient trop des effets lumineux me mettaient physiquement mal à l'aise. Quant à Rembrandt, je voyais bien que sa vision mystique dépassait le simple jeu du clair-obscur, que sa lumière venait de quelque obscurité originelle, peuplée d'êtres invisibles — lumière que le peintre avait intensément intériorisée. Très tôt il avait dû comprendre que la vraie flamme vient du feu intérieur de l'homme, qu'il faut donc creuser en soi un trou assez large pour que l'humaine matière puisse s'y fourrer, s'y transformer. Quel âge avait-il quand il peignit le portrait de sa mère, puis celui de son père ? Vingt-deux ans ? Vingt-trois ans ? A travers leurs visages si empreints d'humanité, il avait pu déjà sonder le secret de toute vie : les peines et les joies, les frayeurs et les consolations, les plages paisibles qu'elle aménageait, les gouffres par lesquels elle devait passer... De fait, sa propre vie, si sédentaire, si promise à la prospérité, sera tissée de bonheurs exceptionnels et de deuils en chaîne, de succès éclatants et de reniements sans appel. Aux yeux du monde, elle paraîtra sans doute une véritable catastrophe. Aux yeux de la Création, elle avait peut-être été nécessaire pour que lui, l'artiste, fût devenu cette figure impensable, pour qu'il illumine la pauvre terre de ce rayon surgi du plus profond de son humus.

A mesure que j'avançais plus avant dans la connaissance de Rembrandt, de sa personne et de ses œuvres, les tableaux jadis vus au Louvre, ceux que je venais de découvrir dans cette Amsterdam si pleine de sa présence, il se produisit entre le peintre et moi un phénomène inconnu, qui relevait de l'envoûtement, si puissant que j'esquissai d'abord un mouvement de recul. En art comme dans la vie, méfiant de nature, m'étais-je jamais laissé à ce degré posséder par la vision de quelqu'un d'autre ? J'étais venu ici dans le simple but d'étudier la production d'un grand peintre, et voilà que ce Hollandais au physique et aux habitudes si éloignés des miens faisait effraction en moi, m'envahissait. Entrant dans l'univers intime de Rembrandt, je ne m'attendais certes pas à pénétrer dans le mien propre. Insidieusement mais sûrement, les créatures du Hollandais investissaient mon champ imaginaire, me révélaient les images des désirs et des rêves dont mon inconscient était habité. Dans les yeux d'Hendrickje, sa seconde épouse, je reconnaissais la douceur inquiète et la transparence teintée de mélancolie de ma mère, au point que je ne pouvais plus penser à elle, à présent que son image s'estompait de plus en plus dans ma mémoire, qu'à travers la figure de celle-ci. Et mon désir d'une femme pouvait-il être mieux incarné que par le corps de Bethsabée, ce corps dont chaque parcelle respirait une sensualité tranquille et qui, en dépit de l'ombre du remords qui le traversait, jouissait humblement de la plénitude de son être ? Il n'était pas jusqu'à la pensée de ma petite sœur (riant de tout son visage de lune lors de la fête des Lanternes) qui ne fût désormais liée à la fillette qui se faufile au milieu des hommes dans *La Ronde de nuit*...

Devant un tel processus de possession qui me « dépossédait », il était normal que ma première réaction fût de refus. Mais très vite j'acquiesçai, n'opposant plus de résistance. Mon intuition était trop en éveil pour ne pas comprendre que la main tendue là par le grand artiste était la plus fraternelle que je puisse rencontrer en Occident, que cette main guérisseuse était l'une des rares capables d'apaiser mes nostalgies et mes remords.

Dès lors, j'épousai tous les regards surgis de la chaude nuit. Tous devenaient miens dans la mesure où chacun éclairait un pan de ma sensibilité enfouie, de mon fond d'humanité étouffé. Le regard du peintre lui-même bien sûr. Celui de Saül, celui du Christ, ceux de l'évangéliste, du conspirateur, de Lucrèce l'instant après son geste de suicide, d'Homère aveugle. Et le non-regard de l'enfant prodigue dont on ne voit que la nuque. Le non-regard de celui qui, à force de se détourner en vue d'un plus grand désir à soi, ne rencontre plus aucun regard, n'est plus regard lui-même, qui ignore qu'au bout de tout la vraie vie est un simple retour, un simple face à face. L'enfant prodigue n'est-il pas celui qui a voulu faire le trop grand tour, au risque de rompre à jamais le fragile cercle de l'amour humain ? Si l'enfant dans le tableau a finalement rejoint son père, moi, je suis condamné à errer. J'ai tant parcouru le monde que j'ai oublié le chemin du retour. Toute ma vie, quand j'entendais des voix dans le vent me crier : « Tant qu'il est temps, reviens, reviens !... » je n'ai su répondre que par : « Il n'est plus temps... Trop loin, trop tard... »

Trop tard sans doute pour trouver une consolation dans la vision paisible que proposait Vermeer. Trop tard pour revenir aux choses simples près desquelles les femmes attendent en toute confiance, sûres que les nouvelles apportées par les lettres seront bonnes et que la lumière de l'après-midi réfractée par les murs transformera chaque objet, chaque regard en diamant. Que rien de la vie ne sera dispersé ni perdu et que dans le visage de la jeune fille aux lèvres entrouvertes toutes les couleurs de son turban, de son col, de ses yeux — le bleu, le jaune, le blanc, le brun — convergeront sans faille vers le point lumineux du rêve intact : une perle qui tinte. Qu'un dieu errant, se souvenant du trésor humain, passera en silence dans une ruelle de leur bonne ville de Delft, où, entre les murs de briques rouges, nuages légers et vitres claires unissent leurs teintes à celles des lilas, où l'on accomplit sans hâte des tâches qui suffisent amplement à remplir une vie.

6

Je suis allé en Italie. Mon budget ne me permettait d'envisager qu'un bref séjour et je pensais avoir un aperçu substantiel de la peinture de la Renaissance en visitant Florence et Rome. Je frôlai la panique en découvrant l'abondance des choses à voir et surtout le nombre des tendances ou « écoles », favorisées par l'existence de régions différentes et par la durée de cette aventure picturale. Plus de trois siècles de création fiévreuse, dans quelques grands foyers disséminés dans le pays, mais rivalisant d'invention. Je ne voyais d'équivalent que dans l'histoire de la Chine des Tang et des Song. Là, du VIIIe jusqu'au XIIIe siècle, durant six cents ans, se déroula une création continue portant l'aventure picturale à son plus haut point. C'était fort de ma propre tradition et de mon expérience à Dunhuang que je parvins finalement à affronter cette autre peinture ; faute de quoi je me serais senti écrasé.

A l'exception de quelques manifestations agressives racistes ou fascistes dont je fus, de façon inattendue, victime dans certaines petites villes, je rencontrai partout la gentillesse chaleureuse des Italiens. Dans cette Italie d'après-guerre, je retrouvai même des aspects de la Chine dans des quartiers populaires. Les gens liaient conversation facilement, m'adressaient la parole et me posaient des questions sans ambages.

« Cinese ?

— Si.

— Tchang Kaï-chek o Mao Tse-tung ? »

Cette question ne manquait jamais de venir aussitôt sur les lèvres : le régime communiste venait de s'installer en Chine. Sommé de choisir, j'étais chaque fois embarrassé. Je m'en tirais avec une question à mon tour : « De Gasperi o Togliatti ? » Là, la réponse était souvent claire chez les Italiens.

Dans un train qui me menait à Rome, un contrôleur ayant vérifié mon billet m'aborda. Les questions inévitables étant posées, j'entendis l'autre répondre par un sonore « Togliatti ! » Sans avoir à choisir moi-même Tchang ou Mao, mon statut de Chinois avait suffi pour m'attirer la sympathie de l'Italien. Celui-ci, au cours de notre conversation, me signifia que je pouvais aller plus loin que ma destination sans avoir à payer de supplément, en prenant des trains lents de nuit. Ses collègues veilleraient sur moi. C'est ainsi qu'au terme de mon périple, mal lavé et mal rasé, j'échouai à Naples.

Dans cette grande ville méridionale, où l'éclat des ors apostrophait l'ombre de la peste, je goûtai les mets typiques qu'offraient *trattorie* et *rosticcerie* le long des rues ; je me saoulai des odeurs et des bruits qui me portaient. Afin de me reposer du grouillement, j'entrai une fois dans le cloître d'un couvent, m'abandonnant à la fraîcheur des pierres ordonnées autour d'une fontaine. Au bout d'une allée, je tombai face à face avec un moine assez âgé qui se tenait immobile dans l'embrasure d'un petit porche :

« Cinese ? »

J'opinai, attendant la question fatale : « Tchang o

Mao ? » Rien. Sinon deux filets de larmes qui se mirent à briller sur le large visage du moine, deux filets de larmes qui sortaient de ses yeux devenus en amandes à force d'avoir vécu en Chine, qui parcouraient ses joues d'une pâleur mate, asiatique. Dans un chinois maladroit, à l'accent typique du nord du Shandong, qui donne un effet pathétique et comique à la fois, il raconta sa vie de missionnaire là-bas durant presque quarante ans. Chassé brutalement de Chine, il se sentait dépaysé dans son propre pays, comme s'il avait été destiné à mourir en terre étrangère. Il me conduisit dans une pièce au bout du parloir où il avait aménagé un petit musée personnel. Des objets de culte, un encensoir en cuivre de l'époque Ming, des images pieuses brodées à la main, passablement délavées, des missels et des livres de prières en chinois, des cannes usées avec lesquelles il parcourait la campagne...

S'arrachant à ses souvenirs, il me dit : « Pour connaître la vraie Italie, il ne faut pas se limiter aux grandes villes. Allez voir les Pouilles ; c'est mon pays. Un de mes neveux y possède une ferme. Il vous recevra. »

Dans cette région où je me rendis, je découvris des fruits et des légumes — olives, artichauts, poivrons — d'une telle saveur parfumée qu'ils me rappelèrent ma terre chinoise. Et l'hospitalité spontanée des gens qui me reçurent n'était pas non plus sans me rappeler celle des miens. Comme la Chine aussi, plus que la Chine, cette contrée du Sud montrait sans fard son être réel, son opulence comme sa pauvreté, tout en cachant la part enfouie qu'aucun langage ne parvenait encore à formuler. Décidé à délaisser le grandiose et le flamboyant, avec lesquels l'architecture humaine tentait de défier les assauts du temps, je choisis de m'immerger, pour une fois que l'occasion m'en était donnée, dans cette terre partagée entre montagne et mer. Dans la lumière drue que tempère à peine l'ombre opaque des pins et le souffle marin, les vivants arrêtent les pas du voyageur, pénètrent en lui de toute l'épaisseur de leur présence, l'obligent à interroger leurs secrets. Captant nuages et vents, recueillant oiseaux blessés et bêtes fourbues, les oliviers sans âge, dragons foudroyés, enracinent partout leurs farouches sanctuaires, non moins authentiques que les chapelles byzantines qui parsèment la région. Qui sont-ils, ces oliviers ? Emblèmes d'ici ? Étendards de l'infini ? On se le demande sans pouvoir l'élucider. L'enseignement qu'ils dispensent ne semble s'adresser qu'à ceux qui savent ouïr leur bruissant silence. Leurs tourments et frayeurs à jamais mêlés à ceux du monde humain sont-ils de quelque secours pour ce dernier ? Pourquoi sont-ils là, si obstinément là ? Pourquoi, à côté d'eux, les hommes sont-ils là, apparemment en accord avec cette terre et néanmoins si incertains, si rongés de soucis et d'attentes ? Pour la première fois hors des villes, perdu sur cette étendue au bout de l'Occident, à distance de tout, je me voyais enjoindre, comme jamais, de dévisager la vaine aspiration du destin humain. Dans ce pays, où certains conservent encore l'usage féodal, les femmes n'étaient pas admises à la table d'hôtes. Comme elle était visible pourtant, cette lueur qu'on percevait chez elles, mélange de candeur muselée et de rêves étouffés, qui jetait sans fards sur le visage de l'étranger sa charge d'étonnement et de sollicitude. Derrière le masque des paroles désespérément quotidiennes, je tâtai le pouls des passions heureuses ou tragiques, des amours sans lendemain ou des rancœurs sans rémission. En plein cœur de la monotonie des jours, lors même qu'une langue chantante l'animait, je voyais s'étendre la secrète déchirure. Ces nudités moites de concupiscence derrière des persiennes mal fermées, que transperçait l'incandescente torpeur, ou ce chat aux yeux crevés, éventré d'un coup de canif, que je surpris au bord des champs, entre l'herbe grasse et la lente plaque de sang, sur lesquelles un soleil intermittent essayait ses effets de rubis et de jade. Tout est, en somme, depuis toujours brisé, séparé, sans que les cris, gais ou sourds, recouvrent l'invisible plaie. A l'heure où les corbeaux rasent le sol, où le voyageur est en quête d'un gîte, il voit derrière la volubilité humaine monter la brume muette. Le vieillard assis sur le seuil, telle une statue en bois vissée sur son socle, n'ouvre plus la bouche que pour apostropher le groupe d'enfants qui regagne l'orphelinat. L'un d'eux se détache du groupe, happé par on ne sait quel lointain. Tentant de fourrer le bout de sa chemise trop longue dans son pantalon trop étroit, il fixe son regard de taupe effarée sur l'étranger, ou plutôt sur l'ombre allongée par le couchant que l'étranger traîne derrière lui, l'ombre peut-être de ce qui a été arraché dès l'origine, qu'on soupçonne être là encore mais pour toujours hors d'atteinte. C'est à ce moment précis, dans la clarté déclinante des Pouilles, que j'entendis une fois de plus l'injonction cette fois décisive : « Ne sois plus jamais quémandeur sur cette terre. Sois celui qui reçoit tout, même l'inconcevable. Et toutes les choses dont tu es le réceptacle, tu les porteras jusqu'au bout, afin que ceux qui cherchent consolation en toi survivent... »

Quant à la peinture de la Renaissance, qu'avais-je pu en saisir ? Venant de si loin, après tant de siècles, pouvais-je réellement entrer dans la peau de ses peintres et voir ce qu'eux, avec tout ce qui les obsédait alors, avaient vu ? Questions vaines sans doute. Une chose était sûre : la singularité de la peinture occidentale a beau sauter aux yeux de qui prend la peine de la regarder, il m'avait fallu tout de même venir en Italie pour me rendre compte de l'ampleur de la rupture d'avec la tradition, du lieu et du moment où cette rupture avait pris corps. Quand exactement ? Et avec qui ? Qui le premier dans l'ordre chronologique m'a donné la sensation que le vrai basculement avait commencé ? Non pas tant les grands de la pré-Renaissance, un Cimabue, un Duccio, un Fra Angelico ou un Lorenzetti. Dans leur peinture, je me sentais encore chez moi. Je connaissais assez bien l'art bouddhique, avec ses scènes d'adoration et de narration, pour ne pas reconnaître ici, dans leurs personnages, la même piété fervente, le même regard tourné vers l'intérieur, né de la douleur ou de l'extase. Chez Cimabue, plus ses fresques sont effacées par le temps, réduites à l'épure — la *Crucifixion* d'Assise par exemple —, plus les figures représentées, tendues comme un arc, rappellent celles des Wei à Dunhuang. Giotto alors ? Pas même. Certes, avec lui la grande dramaturgie était déjà en mouvement. Mais l'espace hardiment construit demeure encore indéterminé, relié à l'inconnu.

Celui qui le premier est sorti du rang, proclamant avec superbe : « Après nous autres, la peinture se jouera sur une scène de théâtre à la perspective impeccable ! » c'était bien Masaccio, ce peintre dont je devins familier, ayant trouvé gîte dans un couvent à côté de l'église du Carmine. Chaque soir, avant que la cloche ne sonne l'heure du souper, je demeurais un bon moment dans la chapelle, à l'ombre de ses fresques. Je constatai sans peine qu'en son temps, lorsque la chose fut mûre, il fallut seulement quelques années à ce génie audacieux, au destin si bref, pour déchirer le rideau de l'ancien espace et pousser vers le devant de la scène, non plus vraiment des figures mythiques, mais bien l'homme lui-même. L'homme encore épris du sacré, trop conscient déjà de sa jeune puissance, pressé de se voir en représentation. Est-il exagéré de dire qu'avec Masaccio et avec ceux qui allaient suivre l'homme occidental s'était fiévreusement « mis en scène » ? Sur fond d'univers objectif, l'homme jouait maintenant le rôle principal. L'univers, tout en participant à l'action de l'homme, était relégué au rôle de décor. Et tout ce qui avait été vécu avec lui par l'homme s'était transmué en lointaine nostalgie. (Ah ! avec quelle nostalgie je me mettrais dès lors à traquer le long de l'Occident la lignée des peintres qui avaient cherché à restaurer le royaume perdu : Giorgione, Poussin, le Lorrain, Turner, Cézanne, Gauguin...) Commencement de la grandeur. Commencement de la solitude. Plus tard, je comprendrai pourquoi l'Occident était si hanté par le thème du miroir et de Narcisse. Arraché au monde créé, s'érigeant en sujet unique, l'homme aimait à se mirer. Après tout, c'était désormais sa seule manière de se voir. Se mirant dans le reflet, il captait sa propre image, et surtout l'image de son pouvoir, nourri d'un esprit affranchi. A force de se contempler et de s'exalter, son regard ainsi exercé n'avait de cesse qu'il ne transformât tout le reste en objet, plus exactement en objet de conquête. Ne reconnaissant plus d'autre sujet autour de lui, il se privait pour long-temps — volontiers ? malgré lui ? — d'interlocuteurs ou de pairs. Pouvait-il réellement échapper à la conscience aiguë de la solitude et de la mort ?

Je ne crois pas avoir été autant de connivence avec les peintres chinois des Song et des Yuan que dans les musées de Florence et de Venise. Eux croyaient aux vertus de la vacuité dans laquelle circulent des souffles organiques. Ils y croyaient viscéralement parce que leur vision cosmologique le leur disait. Ne répétait-elle pas à longueur de siècles, cette cosmologie — et ici résonnait à mon oreille tout ce que m'avait enseigné le maître —, que la Création provient du Souffle primordial, lequel dérive du Vide originel ? Ce Souffle primordial se divisant à son tour en souffles vitaux *yin* et *yang* et en bien d'autres a rendu possible la naissance du Multiple. Ainsi reliés, l'Un et le Multiple sont d'un seul tenant. Tirant conséquence de cette conception, les peintres visaient non pas à imiter les infinies variations du monde créé mais à prendre part aux gestes mêmes de la Création. Ils s'ingéniaient à introduire, entre le *yin* et le *yang*, entre les Cinq Éléments, entre les Dix Mille entités vivantes, le Vide médian, seul garant de la bonne marche des souffles organiques, lesquels deviennent esprit lorsqu'ils atteignent la résonance rythmique. Pas étonnant que pour bon nombre de Chinois, un chef-d'œuvre pictural qui unit la beauté ténue d'une feuille de bambou au vol sans fin de la grue, bien plus qu'un objet de délectation, est le seul lieu de vraie vie, immédiatement habitable. Tant que j'étais en Chine, je riais de ces gens-là, n'attribuant nullement à l'art un tel pouvoir. Mais ici, je me surpris à penser que si cette peinture n'avait jamais existé, l'humanité se serait privée d'une part de ses rêves les plus aériens, les plus épurés. Moi, en tout cas, j'étoufferais.

« Tu as raison, dit Mario. Je voudrais bien échanger un de ces Titien contre un Guo Xi ou un Mi Fu ! »

Mario était un peintre qui, aux côtés de Hans, l'Allemand, faisait des copies dans des musées et que j'avais rencontré à la galerie des Offices. Il ne se laissait pas impressionner par l'écrasant héritage. Étant né dedans, il pouvait tâter les œuvres exposées sans respect excessif, tel un enfant qui se permet de tirer la barbe de son aïeul. Aux yeux de ce « fils de famille », ces tableaux, que ses ancêtres lui avaient légués, n'étaient là que pour le faire vivre. N'avait-il pas copié à la chaîne des Lippi et des Del Sarto, copies que certains clients, aimant la fraîcheur pimpante, trouvaient meilleures que les originaux ?

Hans qui éprouvait plus de scrupules s'interrogea doctement : « Mais comment peindre après tout cela ? Pourquoi peindre même ? — La vie continue ! répondit Mario avec bon sens. Il faut continuer à manger des spaghetti ! » et d'entraîner ses deux confrères vers les rues derrière, où les pâtes étaient succulentes et le Chianti aussi clair que le rire des filles.

Au milieu du repas, reprenant son sérieux — son visage devint subitement beau et pathétique —, Mario s'adressa à moi : « Ne t'égare pas. N'aie pas cet air de ne pas savoir où donner de la tête. Il y a bien trop de tableaux accumulés. Voici un conseil, parole de copiste. Tiens-t'en à quelques peintres qui te parlent, deux, trois, quatre, pas plus. Suis-les à la trace. Connais chacune de leurs œuvres. Tu finiras par entrer dans leur intimité. Tu saisiras leurs ressorts, leurs motivations, leurs trucs même. Crois-moi, on peut ne pas être un génie soi-même, on peut néanmoins connaître un génie de l'intérieur. Quand on y arrive, même un Vinci, même un Michel-Ange ne te paraîtra plus écrasant. Tu causeras avec lui, comme nous causons maintenant entre amis. »

Conseils assurément judicieux. Comment n'y avais-je pas pensé ? Comment avais-je pu oublier si vite mon expérience avec Rembrandt, ainsi que ma résolution de ne plus m'attacher qu'aux artistes qui me « guérissaient » ?

J'allai vers quelques grands à des moments où

ceux-ci s'étaient délivrés du souci de trop échafauder, de trop démontrer. Là je découvrais des espaces emplis d'écoute et d'échange. L'éclair de la tempête qui déchire l'air rayonnant de bleu, de vert, dans le tableau de Giorgione, est-il un signe de menace ou de connivence ? Sa courbe lumineuse, ourlant les nuages et faisant écho au corps rond de la femme, ne semble-t-il pas par son geste fulgurant rétablir, pardessus la rigide géométrie du pont et des bâtiments qui barre le milieu du tableau, l'invisible mouvement circulaire entre le ciel et la terre ? Et l'ange qu'introduit Carpaccio, à l'Académie de Venise, dans la chambre de sainte Ursule est-il un intrus ? Il ne réveillera pas, ni n'effarouchera la jeune femme endormie, entourée de choses familières, ordonnées, protectrices. Il ne fera pas un pas de plus, se retiendra de prononcer le moindre mot. Bien que, de fait, tout soit déjà accompli, le temps reste suspendu, recueilli, comblé, à l'image de la petite lucarne ronde perchée là-haut, sous le plafond...

Quant à l'univers sans clôture de Piero della Francesca, peuplé d'amples figures d'une plasticité extrême, il me devenait peu à peu familier. Ces figures hautaines, sévères, à distance respectueuse les unes des autres et dont l'expression impassible accentuait la dramatisation, me rappelaient curieusement les montagnes dans les rouleaux de Fan Kuan. Étrange rapprochement. Le peintre chinois accepterait-il de sortir de sa retraite du XIe siècle et de venir s'entretenir avec saint Jérôme comme le fait le dévot ? Volontiers, sans doute, tant il semble que, dans l'intime tableau de l'Académie, grâce à une composition inhabituelle — l'arrière-fond est montré plus haut que les personnages en sorte qu'il donne l'impression de les porter et de les pénétrer —, l'arbre, le rocher et les collines environnantes participent activement à leur conversation.

Pour une fois, le peintre d'Arezzo abandonna son impassibilité lorsqu'il peignit sa mère. Je demeurai longuement en tête à tête avec la Vierge de l'enfantement, dans la chapelle du cimetière de Monterchi, havre de fraîcheur au cœur de l'été bourdonnant de lumière et de senteur. Une femme simple, humaine — si humaine qu'elle avait fini par engendrer un Dieu ? —, debout dans sa douloureuse dignité. Sa main posée sur le ventre, à l'endroit où la robe est entrouverte, esquisse un geste de don et en même temps de protection. Mais elle n'avait pas le choix. Déjà les anges ont ouvert la tenture. Il faut qu'elle donne, comme toute mère, et sa robe bleue tombante n'aura plus pour limites que la voûte céleste... Profitant d'un moment où le gardien était absent, je m'approchai de la fresque, caressai la main et la robe. Je savais qu'un jour — ma mère n'avait pas eu de tombe —, je peindrais ma fresque à moi. C'est ainsi que je rejoindrais tout.

7

L'avènement des communistes, qu'eux-mêmes baptisèrent « Libération », annonçait une ère radicalement nouvelle en Chine.

C'est en rêvant de ces temps nouveaux qu'hommes et femmes, parmi lesquels d'innombrables jeunes, s'étaient engagés dans les rangs révolutionnaires, avec un esprit d'abnégation et de sacrifice exemplaire. Ils avaient accepté toutes les privations, enduré toutes les épreuves, donné tout, y compris leur vie. Plusieurs millions de jeunes paysans, enrôlés dans l'armée, étaient morts au combat. Au milieu des ruines laissées par les longues années de guerre civile, entrecoupées de huit ans de guerre sino-japonaise, un peuple entier était appelé, à coups de cymbales et de tambours, à construire une société à laquelle chacun aspirait.

Tout au long de l'histoire de la Chine, ces forces vives n'avaient pas fait défaut. Chaque fois qu'à la suite de tyrannies, de corruptions ou d'invasions le pays était sur le point de plonger dans l'abîme, lorsque toute vérité est violée et toute valeur humaine piétinée, c'étaient elles qui avaient sauvé cette vieille race de l'anéantissement complet, fournissant une longue lignée de martyrs qui court, tel un fil d'or, le long d'une interminable tapisserie tissée de rires et de pleurs, de rêves et de fureurs. La plupart de ces martyrs étaient habités par l'éthique confucéenne qui prônait l'éminence de la dignité humaine au point d'assigner à l'homme le privilège et le devoir de participer, en troisième, à l'œuvre du Ciel et de la Terre. D'autres étaient mus par l'esprit taoïste, enclin à s'opposer à l'ordre puisque, selon lui, l'homme ne saurait se conformer qu'au Tao, la grande Voie universelle. Les deux pensées se rejoignaient, du moins sur une notion fondamentale, celle du Souffle intègre — synonyme d'Esprit intègre — qui meut l'Univers.

Au XXe siècle, Sun Yat-sen, secondé par toute une génération d'hommes et de femmes de grande valeur, avait renversé la dynastie corrompue des Mandchous et fondé en 1912 la première République chinoise, mais, mort prématurément, il n'avait pas pu, pas plus que ses continuateurs, venir à bout des forces féodales qui régnaient dans toutes les provinces de Chine, et qui continuèrent d'agir. Plus de vingt ans après, un autre homme, un révolutionnaire-né, avait réussi à son tour à capter et à canaliser l'énergie montante des hommes de conscience. Une fois surmontés les divisions et les conflits de la période initiale, il s'était imposé par sa pensée théorique aussi bien que par son génie tactique, face aux nombreux autres chefs révolutionnaires. A la tête de son parti, il mena de longues luttes et fit triompher la cause qui les unissait tous, cela au prix d'énormes sacrifices. Après la prise du pouvoir, lors de la proclamation de la nouvelle république, ce chef incontesté, contrairement à l'image qu'on connaissait de lui — un personnage à l'allure volontairement désinvolte, quelquefois débraillée —, apparut sanglé dans un costume strict, boutonné jusqu'au cou, dans une attitude grave, hiératique, quasi « impériale ». Comme s'il n'était pas si facile de se débarrasser du modèle déjà éprouvé de l'ancien système, avec son rituel, son langage, son imagerie archétypale — on s'y glissait pour ainsi dire inconsciemment, comme dans un moule...

Est-il concevable que les révolutionnaires, une fois la révolution faite, se retirent, au lieu d'imposer pour longtemps un nouvel ordre qui finira forcément par se durcir et se rigidifier ? Décidément non. Ils auraient été des sages, et non des hommes voués jusqu'au bout à l'action, soumis au désir de puissance. Inexorablement donc, un nouvel ordre fut établi. Comme tout un chacun, on se répéta qu'il fallait en comprendre la nécessité. Il s'agissait bien de la révolution, n'est-ce pas ? Il fallait « nettoyer les résidus contre-révolutionnaires » ; il fallait « extirper les racines féodales ». Comme on eût souhaité alors que le génie révolutionnaire qui était à la tête conservât sa superbe, qu'il restât délié et libre, libre par rapport à la pesanteur de l'histoire, par rapport à ses propres obsessions. Et que l'ordre qu'il inaugurait fût différent de ceux qui avaient existé. Il semble que l'imagination humaine n'était pas encore mûre pour concevoir autre chose. Et puis, il y avait la réalité historique. Outre l'ancien modèle impérial, il y avait celui, plus moderne, plus « scientifique », établi depuis des décennies par le grand frère voisin. Et plus de trente ans de lutte armée et de consolidation dans l'organisation, qui avaient figé le système, ne permettaient plus guère de légèreté ni de mobilité dans le fonctionnement. Inexorablement donc, le pays vaste comme un continent fut quadrillé. Pas un village qui ne fût transformé en brigade de production ; pas un citadin qui ne fût incorporé dans un comité de quartier. Par de régulières réunions de critiques et d'auto-critiques, chacun était poussé à prendre conscience de ses « fardeaux idéologiques », à se mettre à nu. Le pays était désormais peuplé de personnes invitées à évacuer leurs arrière-pensées et toujours prêtes à servir la Cause. Peut-être un ordre aussi rigoureux appliqué à une société sombrée dans l'anarchie depuis presque un siècle se justifiait-t-il ? Mais la pensée qui le sous-tendait — une pensée collectiviste absolue, née d'un moment de rationalité extrême en Occident — tenait-elle vraiment compte de ce qui fait l'homme, cet être de chair et de sang, mû par de secrets désirs et tendu vers d'imprévisibles rêves ? Cependant, la génération qui était au rendez-vous de ce moment historique en Chine était prête, de son plein gré, à fournir l'effort nécessaire pour arracher la vieille nation à sa gangrène.

Début 1950, arriva une lettre de Haolang et de Yumei, assez brève, écrite dans une langue nouvelle, plus ou moins stéréotypée. Mais l'essentiel du message était de m'apprendre qu'ils étaient ensemble et vivaient à Shanghai. Je répondis aussitôt. Sans trop me répandre, j'y disais ma joie de les retrouver lorsque mon séjour à Paris arriverait à son terme.

Disant cela, en étais-je dans le fond convaincu ? Là où je me trouvais, sur cette autre extrémité du vaste continent eurasien, je sentais confusément s'éloigner de moi une réalité compacte, globale, de plus en plus inconnue, tel un navire qui fendait les flots et dans lequel se trouvaient les êtres qui m'étaient les plus chers. De grandes choses commençaient à s'y passer, importantes, démesurées, sans précédent dans l'histoire. Car celui qui présidait à cette réalité, un homme hors du commun, exalté par la perspective d'une action de portée continentale sinon planétaire, ne saurait demeurer dans la médiocre routine. Il n'avait de cesse de lancer, par vagues successives, mouvements et campagnes — « Cracher l'eau amère », « Trois contre », « Cinq contre », « Purification et rectification », etc. —, en vue d'approcher les visions qui le hantaient. Affectionnant les chiffres grandioses, il raisonnait en termes massifs : tant de millions de personnes impliquées dans telle campagne, tel pourcentage de la population concerné pour telle autre...

Ces mouvements de masses pouvaient s'expliquer par la logique révolutionnaire, mais quand on tournait le regard vers le domaine de l'esprit, on voyait le Chef se confronter avec une contradiction qui se manifesterait au fil des ans. Sans avoir fait d'études trop poussées, il avait des lectures éclectiques. Il n'ignorait pas la grandeur de certaines valeurs véhiculées par la culture chinoise. En son for intérieur, comme il devait rêver d'une époque digne des Tang et des Song, où les génies rivaliseraient d'éclat, où exploseraient des œuvres immortelles ! Mais d'un autre côté, en tant que visionnaire volontariste, il avait tendance à simplifier à l'extrême sa conception de la nature humaine et de la création. Sûr de la supériorité de ses idées, pressé de devenir le phare de l'humanité, il ne se pouvait pas qu'il n'imposât la voie étroite, la sienne, qui menait vers ce but unique ; il ne se pouvait pas qu'il ne campât sur son intransigeance, qui étoufferait inévitablement l'esprit de tous les autres.

Durant des mois et des années, tremblant, je suivis avec attention ce qui se passait en Chine sur le plan idéologique. Je n'ignorais pas que dès l'époque de Yan'an, en 1942, une campagne dure avait eu lieu après l'affaire Wang Shiwei et autour du Discours de Yan'an sur la création littéraire et artistique. En 1952, la campagne contre le film *La Vie de Wu Xun* était lancée ; elle visait en fait l'ensemble des intellectuels et des artistes. Début 1954, vint le tour de Hu Feng, célèbre critique littéraire, qui avait osé faire des réserves sur le Discours de Yan'an. Toujours auda-cieux, Hu Feng avait adressé cette fois une longue lettre au Président pour lui expliquer la situation litté-raire dans le pays et pour proposer des conditions permettant une vraie création. C'est à la suite de cette lettre que le destinataire, piqué au vif, passa à l'ac-tion. Tous les écrivains, artistes et autres intellectuels furent « invités » à écrire des articles pour dénoncer les fautes du coupable. Puis la campagne prit un tour plus radical ; on obligea les proches de Hu Feng à faire connaître ses lettres personnelles. On s'ingénia à montrer que le critique préféré du grand écrivain Lu Xun était en fait un traître depuis les années trente, voire un agent du Parti nationaliste. Effrayé par toutes ces nouvelles, je savais que Haolang n'y échapperait pas. Ayant publié des poèmes dans les revues dirigées par Hu Feng, il devait être fiché comme appartenant à sa « clique ».

Fin 1954, je sursautai à la vue de l'écriture de Yumei sur l'enveloppe d'une lettre que je venais de recevoir. Envoyée de Hong Kong par un intermé-diaire, elle m'apprenait que Haolang était envoyé dans un « camp de rééducation », situé dans une région marécageuse au nord du Jiangxi, ma province natale.

8

Les jours qui suivirent la réception de cette lettre, je divaguais dans les rues de Paris comme une âme errante ; j'éprouvais dans ma chair la souffrance et l'infamie dans lesquelles vivaient l'Ami et l'Amante. Je savais aussi que l'épreuve qu'ils devaient endurer serait d'une durée indéterminée, puisqu'il n'y avait eu ni jugement ni condamnation formelle.

Un matin, en me réveillant dans ma chambre miteuse, j'eus conscience que la Chine m'était désormais fermée, que je ne pourrais pas y retourner, que je n'y retournerais plus. J'étais en exil, condamné sans appel.

Cette idée qui ne m'avait jamais effleuré me fit l'effet d'un séisme — le même que lorsqu'on apprend brutalement qu'on est atteint d'une maladie incurable. Savoir tout d'un coup qu'on est définitivement en exil, sans retour possible, est à sa manière une mort annoncée. A l'instant même, une vie entière avec ses souvenirs et surtout ses promesses vous est dérobée, devient hors d'atteinte. Plus rien n'est pareil ; il y avait un avant ; il y a un après. On fait semblant de continuer à vivre, en dépit de tout ; on simule les gestes quotidiens, innombrables, fastidieux, un sourire même, quand les conventions l'exigent. Mais la moindre image de soi, surprise dans un miroir, la moindre souvenance d'un bonheur connu vous transperce le cœur. Parallèlement à la vie ici se déroule en filigrane une autre vie, vécue jadis, là-bas, dans un cadre désormais de plus en plus flou, de plus en plus lointain, inaccessible. Quand on le sait, il est déjà trop tard : la possibilité de rejoindre cet autre cadre, cette autre vie, vous est à jamais refusée, même pour une dernière fois.

Sauf en rêve. Il m'arrivait dans mes rêves de me prélasser avec délice dans un lit de fortune fait de tables d'école mises côte à côte, tout imprégnées d'odeur d'encre séchée et de punaises écrasées, ou de caresser tendrement la paroi rugueuse des falaises dans les gorges du Yangzi, comme si c'était le flanc lisse d'un corps de femme. Et les visages d'êtres chers, même ceux que je croyais avoir définitivement oubliés, pénétraient profondément en moi, sans s'annoncer, le plus naturellement du monde. Visages de mon père, de ma sœur et surtout de ma mère, dont je voyais, depuis mon lit, la boîte de cendres posée sur l'étagère. Visages de quelques autres membres de ma famille. Le visage de Haolang et celui de Yumei, séparément ou ensemble. Durant toute une période, ils glissaient dans mes rêves avec une fréquence quasi régulière. Leur présence était liée non plus à mon passé mais à ma vie présente, dans des situations heureuses ou tragiques : flâneries à travers Paris ou sa banlieue ; conversations animées dans une langue qui mélange chinois et français ; une poursuite dans une ruelle sordide, où malgré mes cris, l'autre ne m'entend pas, puis, se retournant, montre le visage d'un inconnu ; découverte à travers des badauds massés autour de victimes d'un accident mortel qu'il s'agit de Haolang ou de Yumei... Ces moments heureux ou tragiques se terminaient par un brusque réveil dans la nuit, qui me laissait pantois. Une fois pourtant, je ne doutai plus que la chose fût réelle. Les deux êtres qui m'habitaient me téléphonaient d'un hôtel. Ils m'apprenaient qu'ils venaient d'arriver à Paris et me demandaient de les rejoindre. Je me levai, m'habillai, l'oreille résonnant encore de l'accent du Nord de l'Ami : « N'oublie pas ton carnet de dessins ! » et de la voix rieuse de l'Amante : « Ne nous fais pas trop attendre. On a faim ! » Au moment de sortir de ma chambre, je plongeai la main dans la poche de mon veston où je me souvenais avoir mis le papier sur lequel j'avais noté l'adresse de l'hôtel et m'aperçus qu'il n'y était pas.

Comment survivre en cette terre étrangère ? Grâce à la compréhension d'un responsable, ma bourse avait été prolongée pendant quelque temps ; c'était maintenant terminé. Je me trouvais sans diplôme, sans profession précise. Peintre, certes, mais n'ayant aucun contrat avec une galerie, je ne parvenais à vendre des tableaux qu'à de rares occasions. Quelques-uns parmi mes compatriotes réussissaient pourtant à s'imposer rapidement, grâce à une combinaison picturale souverainement maîtrisée. Moi, décidément, j'étais allé chercher trop loin. Je voulais faire le grand tour ; c'était un programme qui aurait nécessité deux ou trois vies. Aurais-je pu faire autrement ? Je traînais derrière moi une vie trop chargée, lourde de souvenirs troubles qu'il me fallait digérer, de sens obscurs que je croyais devoir élucider. Et en art, j'avais suivi l'enseignement de mon vieux maître et j'avais vécu l'expérience de Dunhuang ; j'étais passé par la France, par la Hollande et par l'Italie. Était-ce si facile de jeter par-dessus bord ce que j'avais vu et amassé, de m'en débarrasser d'une chiquenaude ? Est-ce qu'un tel oubli me dispenserait de faire le long détour ? J'étais ce Chinois du XXe siècle, depuis toujours ballotté, provoqué ; provoqué par la Chine, provoqué par l'Occident, provoqué par la vie. Il me fallait un sacré ventre pour tout digérer, moi le malingre aux intestins torturés ! Après tout, peut-être n'étais-je pas un peintre, mais un éternel interrogateur, un inadapté qui s'accrochait provisoirement à la vie, à quelques formes inventées, quelques couleurs mélangées, quelques gestes pulsionnels. Un jour, peut-être, je me débarrasserais de tout ce qui me pesait ; je me laisserais gagner par la légèreté et, pourquoi pas, par la désinvolture. Il me suffirait alors d'un coup d'épaule pour faire tomber le mur, pour basculer résolument du côté « moderne ». Avec toute la sympathie que je nourrissais pour Cézanne, pour Kandinsky, pour Klee, je devrais pouvoir sans trop de mal me glisser parmi mes contemporains, dans cet Occident en proie aux changements rapides, qui ne jurait que par la nouveauté. Même si bien des tentatives chez ceux-ci ne me paraissaient point si nouvelles, me donnaient l'impression de faire partie déjà de ce que les Anciens m'avaient légué. Mais peu importait, grâce à eux je finirais peut-être par trouver moi aussi la voie d'accès à une vraie métamorphose. En attendant, je n'étais pas prêt, pas encore. Il me fallait me hâter lentement, très lentement, fût-ce au prix de mourir de faim.

9

Faire des portraits dans les cafés et vendre des tableaux de paysages à quelques particuliers ne me suffisait plus pour subsister. Je dus restreindre mes dépenses pour la nourriture. Il y avait des jours où je ne grignotais qu'un bout de pain accompagné d'un verre de vin. La sensation de la faim qui donne le vertige commença à me torturer, aussi bien l'estomac que l'esprit. Allais-je connaître la même déchéance physique brutale que celle du violoniste indien ? Et surtout, perdrais-je, à force de besoins élémentaires, la dignité morale ? Dans la brasserie où je m'efforçais de dessiner malgré mes doigts tremblants, le bruit des assiettes remplies puis vidées me devenait chaque jour plus intolérable, et je réprimais à grand-peine l'envie de héler les gens à la mine repue qui ne songeaient pas un instant à partager. Un jour, un client, après avoir payé, remit mal son porte-monnaie dans sa poche. Une petite liasse de billets en tomba lorsqu'il passa devant moi. J'hésitai un moment, fasciné par l'objet chargé de promesses, avant de le lui signaler...

Je me laissai entraîner, un temps, par un ami coréen à travailler aux Halles, à décharger les camions de leurs cageots de légumes et de fruits. Longues nuits fébriles, écorchantes, au milieu de cris et de rires, où les plaintes n'étaient pas de mise ; frottements d'épaules ; mélanges de sueurs. On se fortifiait dans la dense chaleur virile qu'atténuaient à peine des présences féminines, elles aussi franches, robustes, certaines superbes. A la lueur de l'aube, on s'attablait enfin, exténués, devant un bouillon de viande fumant...

Plus tard, je trouvai un travail plus à ma portée dans un restaurant pour étudiants où je mangeais de temps en temps : un de ceux qui n'avaient pas été rénovés après la guerre. Les techniques de nettoyage y étaient rudimentaires et inadaptées, et le travail plus manuel que mécanique.

Il y avait d'abord cette tâche préliminaire, qui consistait à vider des centaines de plateaux de leurs restes : lambeaux de viande mâchée et recrachée, petits os ou arêtes de poisson, jus ou graisses qui dégoulinaient... Le double contact du métal dur et froid des plateaux et des matières gluantes et tièdes rejetées par la bouche humaine provoquait en nous un irrépressible dégoût. Il fallait bien s'y faire. A heure fixe, toutes affaires cessantes, la masse des gens mangent, mastiquent et ingurgitent à l'unisson. A eux la besogne de digérer ce qu'ils ont avalé de gré ou de force ; à nous autres de nous occuper de ces montagnes de déchets, à l'aspect un peu immonde. En cherchant du travail, je ne visais qu'à assurer mon pain quotidien ; je ne m'attendais certes pas à participer, à ma modeste manière, à cette gigantesque organisation. Dans la grande ville, sur fond d'abattoirs non moins gigantesques, le manger humain, de geste simple et lent qu'il avait été jadis, était devenu une discipline forcenée, tournant au monstrueux.

Une fois ce nettoyage accompli, on mettait les plateaux dans le monte-charge pour les descendre au sous-sol, dans un fracas grinçant. En bas, on passait les plateaux au jet avant de les plonger dans de grosses bassines d'eau javellisée. La plonge était confiée à quelques costauds ; à d'autres, dont moi, échouait la tâche d'essuyer. Je me rendis vite compte que celle-ci n'était pas moins pénible. Les plateaux faits d'un alliage étaient lourds à manier ; essuyés, ils devaient être empilés et transportés sur des chariots à étages. Le dos ployant sous le poids de la charge, je faisais provision de courbatures pour la nuit. Pendant l'essuyage, le torchon rapidement mouillé prenait la teinte de l'aluminium et dégageait des relents de graisse. Sa froide humidité accentuait celle de la vapeur qui montait du sol en ciment et qui imprégnait l'air et les corps.

Nous étions une douzaine à travailler là, de différentes nationalités : Hongrois, Polonais, Tunisiens, Français, etc. L'ambiance se voulait bruyamment gaie, émaillée de grosses blagues. Du fait de ma lenteur à apprendre le langage des étudiants, j'y participais malaisément. L'un des deux Français qui faisaient partie du groupe, au visage pâle et à lunettes, me témoigna de la sympathie. Il s'efforçait de m'épargner les efforts qui paraissaient au-dessus de mes capacités physiques. C'était un communiste qui ne s'en cachait pas. En dépit de son sérieux un peu pesant, je me plaisais à converser avec lui, d'autant plus qu'il s'intéressait sincèrement à beaucoup de choses. Il y avait un sujet qu'après quelques échanges j'évitais : le régime communiste en Chine. L'autre lui vouait une admiration sans bornes, le considérant comme le nouvel espoir de l'humanité. Lui qui d'ordinaire se montrait si attentif, presque humble, lorsque je lui parlais de choses qu'il ne connaissait pas, ici écoutait à peine, sûr de connaître mieux le sujet que moi, puisqu'il lisait *L'Humanité* qui publiait fréquemment des articles sur la Chine. Il essayait même de me convaincre, arguant que pour réussir une telle révolution, des sacrifices étaient indispensables. En parlant, son visage pâle s'émaciait davantage, cependant que ses pommettes rosissaient et que ses yeux se mettaient à briller derrière ses lunettes, pareils à ceux d'un amoureux transi.

Comment se faisait-il qu'un être aussi lucide, aussi soucieux des problèmes humains, se laisse cadenasser par tant de passion aveugle ? Il n'y avait donc pas loin de l'homme trop épris de justice formelle au justificateur, puis au justicier.

La pâleur passionnée du communiste finit par déteindre sur moi. Un jour, je surpris dans un miroir mon teint quasi livide. Plus que le dur travail en sous-sol, je savais que la cause en était la nourriture monotone, parfois infecte, qu'on nous servait en abondance avant l'arrivée des étudiants. J'avais du mal à l'avaler, connaissant les conditions d'hygiène de la préparation et révulsé par l'odeur fétide qui rôdait dans l'immense salle hostile, qui s'infiltrait dans les murs, dans les tables, dans les ustensiles, dans les vêtements et les cheveux, odeur de tant de repas servis depuis des décennies, de tant de détritus plus ou moins bien nettoyés, que se plaisait à souligner la lancinante eau de javel. Au bout d'un certain temps, j'avais le ventre constamment ballonné, donnant des signes de douleur plus ou moins vifs. Rentrant seul dans la nuit, je me répétais : « Ce serait terrible d'être malade à Paris. Surtout, surtout ne pas tomber malade ! »

Mais je n'avais pas le choix. Une nuit de l'hiver 1954, je me trouvai en proie à une forte fièvre et à une douleur extrême aux intestins. Comme le lendemain était un dimanche, un voisin secourable fit venir un médecin remplaçant. Quand ce dernier entra, au lieu d'un sentiment de délivrance, je crus voir un ange maléfique. L'homme avait un visage bourru, aux traits imprécis, déformé par un permanent rictus désabusé. Notre premier dialogue, fondé sur la méprise, sinon le mépris, est resté inscrit de façon exacte dans ma mémoire.

« Vous êtes vietnamien ?

— Je viens de Chine.

— Oh, c'est pareil... Je connais bien l'Indochine, vous savez. J'y ai vécu longtemps.

— ...

— Alors, qu'est-ce qui vous arrive ?

— J'ai de la fièvre et j'ai très mal à l'estomac.

— Pas étonnant, avec cette pièce mal chauffée ! Déshabillez-vous, je vais vous ausculter. »

En voyant ma poitrine dénudée, il ajouta :

« Pas très rembourré, hein ! Il faut manger, monsieur. »

Puis, tout en m'auscultant, il posa une question incongrue :

« Vous avez une belle chemise en soie, où l'avez-vous trouvée ?

— Je l'ai apportée de Chine. (C'était un cadeau de l'Amante.)

— Pas étonnant, on ne peut pas trouver ça ici. Vous avez des frissons ?

— Oui. Peut-être à cause du froid.

— C'est le paludisme, à n'en pas douter. Vous l'avez bien eu, n'est-ce pas ?

— Oui. Mais j'ai été guéri. Je n'ai jamais eu de crises depuis de longues années.

— Cette saleté-là ne disparaît pas ; tous les Indochinois traînent ça plus ou moins avec eux.

— Je vous assure que...

— Croyez-moi, monsieur, c'est votre paludisme

268

qui se réveille. Il faut prendre de la quinine ; ça ne peut pas vous faire de mal et ça va vous tirer d'affaire. »

Avant de prendre congé, le visiteur recommanda : « Mangez plus, chauffez-vous mieux. » Puis, comme poussé par une impulsion subite, il dit : « Connaissez-vous ce vers de Rilke : "Quand les hommes qui se haïssent doivent dormir dans le même lit" ? » Sans attendre la réponse, il disparut derrière la porte.

Tout en ayant des doutes, accablé par la souffrance, je me dis que, de toute façon, ça ne pouvait pas me faire de mal. Je me résolus donc à avaler de la quinine, aux fortes doses prescrites par le médecin. Résultat : ma douleur aux intestins, au lieu de diminuer, s'accentua ; et mes gencives se mirent à gonfler, provoquant des abcès dans la bouche. Je ne pouvais plus rien avaler, même boire m'était une épreuve insoutenable. Un second médecin, appelé d'urgence, me fit transporter à l'hôpital.

Dans l'immense salle commune déjà bondée, à cause du grand nombre de malades victimes du froid particulièrement rigoureux cette année-là, on fut obligé d'ajouter un lit pour moi, au bout d'un rang, près de l'entrée. Tous ceux qui allaient et venaient devaient contourner le bout de mon lit.

Je me trouvai projeté d'office dans un univers où toutes les personnes souffrantes ne s'appartiennent plus et sont réduites à un corps mal lavé, malodorant, livré à l'inconnu. Je dus faire face à mon corps d'emprunt que je connaissais mal. Même le simple geste de mettre le thermomètre ou un suppositoire devenait tâtonnant et maladroit. Et quand il me fallait, la bouche grande ouverte, appliquer des produits sur mes abcès, la vue de ma gorge et du dessous de ma langue, cet amas de chair molle et violacée, reflétée dans le miroir déformé et ébréché, m'épouvantait comme l'image même de l'enfer.

La journée du malade est hachée par d'incessants passages d'infirmières, de médecins, de lits à roulettes transportant des patients à la radiographie, de chariots apportant les repas, de visites des familles, etc. Vers le soir, il y a un moment d'accalmie, après le dîner et avant le coucher, à l'heure du changement de service des infirmières. C'est un moment de liberté dont les malades encore valides profitent pour quitter leur lit et pour se retrouver ensemble. Même les grands malades isolés derrière leurs vitres, en bout de salle, sortent de leur box comme des poissons de leur aquarium. Tous avant la nuit, épreuve redoutée de chacun, ressentent le besoin de communiquer un peu avec les autres. Le moindre sourire de connivence, le moindre mot d'encouragement est reçu comme un don inespéré. Le dehors étant devenu un lointain inaccessible, quasi irréel, dont l'existence est attestée par les seuls anges habillés de blanc, il leur semble qu'ils ne peuvent plus trouver de consolation qu'entre eux, dans leur commune souffrance.

Dans la nuit, la grande affaire de chacun est de puiser assez d'énergie en soi pour traverser, sans trop de dégâts, le fond de l'abîme, comptant les minutes, comptant les heures jusqu'à la première lueur de l'aube ; pour vaincre son propre démon et pour surmonter aussi les gémissements des autres. Gémissements et râles. Car c'est la nuit que la mort frappe de préférence, la victime étant sans défense et sans secours. En pleine nuit, des infirmiers viennent chercher les morts pour les transporter à la morgue, des clochards qui ont les jambes entièrement gelées, de grands malades foudroyés. En passant, les infirmiers frôlent mon lit, tandis que les cadavres passent au-dessus de ma tête.

Le corps miné par les plaies, je vis réapparaître le Visiteur d'antan que je n'attendais pas. Trop épuisé par la douleur sans répit, trop tenaillé par la peur du pourrissement, je n'étais pas en état de résister à la présence, la seule fidèle après tout, de celui qui venait de loin, et dans le même temps du dedans de moi-même. En consolateur, de son regard envoûtant, il m'encouragea à sortir à tout prix de l'abîme. Quand, la chair brûlée par des laves fumantes, je parvins à me hisser jusqu'en haut, comme autrefois, sous pré-texte de m'aider, il me fit choir comme par mégarde...

La seule lueur dans cette nuit, à l'exception du regard phosphorescent du Visiteur, était une veilleuse qui projetait une lumière bleue au-dessus d'un box où dormait un jeune homme atteint de leucémie, veillé dans la journée par sa mère qui n'avait que ce fils. Pensant à ce jeune homme, je me sentis un privilégié. Moi du moins, je pouvais disparaître sans que per-sonne le sache, sans chagriner personne. N'étais-je pas le seul étranger dans cette grande salle ? Déjà, en ce lieu de perdition, je n'avais plus de nom — on m'appelait simplement le Chinois —, et mon cadavre, dans la morgue où on le déposerait, serait encore un élément hors circuit, destiné à être rendu à une ori-gine inconnue. A cette pensée, j'eus un ricanement aussi lugubre que celui du Visiteur et je m'abîmai au petit matin dans un cauchemar.

C'était en m'accrochant à la lueur bleue que toutes les nuits suivantes je tentais de dominer la peur. Je communiais avec la souffrance de l'autre qui avait maintenant un visage. Le jeune homme aux yeux fié-vreux et aux joues creuses, entre-temps, était devenu mon compagnon. Par allusions successives, il m'avait signifié que son plus grand regret était de devoir quit-ter cette vie sans avoir connu de femme. Comment le consoler ? Pouvais-je lui dire que tout homme, né d'une mère, a déjà connu la femme. Et sa mère, si elle le savait — elle ne le saura pas —, le reprendrait volontiers en elle, le réchauffant de sa chair, pour qu'il renaisse. Nuit après nuit, à défaut d'être consolé, je me contraignais par la pensée à devenir consolateur. Le jeune homme avant de disparaître m'aura fait, à sa manière, un signe de vie. Un signe de la vie.

10

Dans la lumière gris pâle de l'après-midi parisien, longeant une rue jalonnée de murs lépreux pareils à ces matelas usés dont on se débarrasse nuitamment sur le trottoir, matelas tachetés de sécrétions diverses, déformés en leur milieu par des corps fiévreux ou enfiévrés, inertes ou agités, par des cadavres abandonnés ou longuement veillés, je traînais mon ombre amaigrie par la maladie. Je rasais d'autres murs plus aveugles, plus muets, irrémédiablement gris, de ce gris de désespérance qui ne figure sur aucune palette, couleur même de l'instant où les choses réelles se décident à se dissoudre enfin dans l'onde invisible du néant. Me tenant debout dans ma chambre aux murs suintants, dont les fentes étaient bouchées par des bandes de papier journal jauni, je humais l'odeur de bois moisi et d'huile rance, j'écoutais les bruits de scie, de marteau, entrecoupés de temps à autre de cris d'enfants et de grattements de rats.

La chambre, faite pour protéger, pour qu'on s'y tienne chaud, devenait à présent le miroir privilégié de la solitude humaine, au cœur d'un univers sans écho, d'une humanité accrochée tant bien que mal à cette terre qui la nourrit mais qui, minuscule point lumineux aux yeux des autres planètes, ne lui apportait cependant aucune lumière. Elle était réduite à puiser en elle-même sa sombre clarté.

Je savais que mon destin serait d'errer. Tant que je vivais en Chine, j'avais l'illusion d'être enraciné dans un terroir, dans une langue, dans un courant de vie qui continuait coûte que coûte. J'étais à présent sans racines sur cette terre d'Occident qui m'attirait tout en se fermant à moi. Comme se fermait le visage des fonctionnaires de la Préfecture, qui me menaçaient de non-prolongation et d'expulsion, vu que j'étais sans ressources. Mon existence n'était plus seulement en marge ; elle était illégale.

Illégalité. Non-droit à l'existence. L'Europe à qui j'avais confié une grande part de mes rêves était-elle un refuge pour moi ? La peur s'empara de moi, s'insinua dans ma chair pour peu que, maintenant au pied du mur, je dévisage ce continent. Si gâté par la nature, si tendu vers la pensée, si gorgé de créations il n'avait donc pas réussi à former une croûte assez épaisse pour asphyxier les monstres et empêcher qu'au-dedans de lui se creuse un gouffre de terreur. Quand surgit l'aveuglement, la volonté de puissance et de domination dont beaucoup sont armés, à défaut de s'exercer sur des peuplades lointaines, se retourne contre eux-mêmes. Guerres à outrance où tout le monde est acculé à s'entre-tuer, carnages organisés. Tout le génie technique au service de l'extermination à froid d'une race entière, réduite en cendres, qui ne laisse d'elle que des montagnes de bagues, d'alliances, de dents en or, de lunettes dont chacun de ses membres avait été auparavant dépouillé...

On était à l'époque de la Guerre froide. Je savais qu'au moindre nouveau conflit je serais, parmi tant d'autres, l'agneau désigné et que s'ouvrirait instantanément sous mes pieds la trappe béante, le piège de la mort violente. Telles les feuilles mortes, sans branches ni racines, je serais piétiné dans la pourriture, balayé, brûlé...

Dans le miroir de ma chambre donc, je me vis totalement seul, sans plus personne sur cette terre.

Mes amis peintres, tout en souffrant de l'exil, ne se posaient pas tant de questions : des Argentins, des Hongrois, des Autrichiens, des Espagnols, des Libanais. D'autres venus du Japon, de Corée, d'Indonésie. « Pour connaître un pays et l'aimer, rien de mieux que de connaître les femmes du pays », me dit un jour l'un d'eux. Les femmes ? J'en avais croisé quelques-unes, de façon sporadique, sans songer nullement à m'y fixer, convaincu que je ne trouverais pas une figure qui me procurerait cette chaleur muette et confiante du sol natal. Dans les ateliers et dans les cafés alentour, les relations avec les femmes n'étaient pas trop difficiles, seulement soumises aux caprices des saisons. Au printemps et en été régnait une sorte d'excitation qui frisait l'exaspération. Par temps froid, sur le boulevard balayé par des bourrasques de vent, on avait avant tout besoin de se tenir chaud. On se réfugiait dans les cafés enfumés et après un crème et quelques croissants ramollis pris ensemble, on rentrait chez l'un ou chez l'autre, pour gagner le lit fatigué et odorant. La chair était triste et la parole grelottante. Et par ailleurs, comment ne pas se laisser entraîner à l'une de ces orgies collectives chez quelque peintre parvenu, où le déguisement et la nudité, obligatoires, s'ingéniaient à inventer des jeux cruels et vains, où le désir, lamentablement rétréci, s'empoisonnait et pourrissait à vue d'œil...

Un jour, sans que je m'y attende, sans que j'y prenne garde, un visage féminin s'imposa à moi, avec une aveuglante évidence. Dans cet enfer parisien, il devait bien y avoir un être qui sache me sourire. Ce fut lors d'un récital du violoncelliste Pierre Fournier.

Je connaissais son nom pour avoir entendu un de ses disques chez un sculpteur autrichien ; parmi les morceaux interprétés figurait justement le Concerto de Dvorak qui m'avait jadis tant marqué. Lorsque, en cette période de privations, de fatigues et de peur du lendemain, je vis sur une affiche le nom du violoncelliste, je ressentis soudain une faim proprement « nostalgique », à la manière de ces malades qui, au bout d'une longue souffrance, dans un moment de répit ou de mieux, ont envie d'une chose anodine, aimée dans l'enfance : un chocolat chaud, un jus de raisin, un marron glacé, ou, pour ce qui me concernait, du lait de soja, des bambous marinés, des graines de lotus confites.

A défaut, j'avais faim, physiquement faim, de ce son de violoncelle, grave et sensuel, posé et aérien. Je ne doutais pas que ce son même apaiserait ma peur et mon désarroi plus sûrement qu'un somnifère. J'en avais faim comme d'une substance vitale qui remplirait ce creux constant que je ressentais au milieu de mon estomac, qu'aucun de ces aliments insipides ingurgités jour après jour par devoir ne parvenait à combler. Dans la situation de dénuement où je me trouvais, aller au concert était un luxe. J'essayais de justifier la dépense en pensant qu'après tout j'y allais comme en thérapie. D'autres, pour se soulager un peu, s'adonnent bien à l'alcool, au tabac, ou consultent les voyants.

J'étais dans la file d'attente, assez loin du guichet, lorsqu'une jeune femme s'avança vers moi, un billet à la main.

« Monsieur, vous voulez une place ? J'ai ici le billet de quelqu'un qui ne peut pas venir. » J'hésitais un peu, car le prix du billet était supérieur à celui que je comptais payer, mais déjà je répondais : « Oui. »

Quand j'allai vers ma place, je fus content d'être assez proche de la scène ; je pourrais davantage communier physiquement avec l'interprète et son instrument. Je trouvai la jeune femme assise à sa place, à côté de la mienne. Je lui fis un signe de tête, puis chacun se mura dans un silence discret en attendant que le concert commence.

A l'entracte, pendant les applaudissements : « Comme c'est beau ! » me dit spontanément ma voisine.

« Oui, quelle maîtrise et quelle pureté de jeu !

— Vous êtes musicien ?

— Non... et vous ?

— Je suis clarinettiste.

— Vous appréciez le récital en professionnelle ! »

Trouvant ma réponse par trop banale, j'ajoutai : « La clarinette et le violoncelle, cela doit chanter de la même façon ?

— C'est tout à fait vrai. »

Par discrétion, je ne voulus pas prolonger davantage la conversation. Je me plongeai dans le programme que ma voisine m'avait prêté, content d'y lire des explications qui situaient les morceaux entendus : une suite de Bach, une sonate de Schubert et une autre de Brahms.

Après le concert, nous fîmes un bout de chemin ensemble. En me quittant, elle me tendit un prospectus annonçant un concert de musique de chambre auquel elle participerait.

Pendant le long chemin du retour à pied, lorsque par hasard je plongeai la main dans ma poche et que je touchai le bout de papier plié, j'éprouvai au bout des doigts une douceur intime, proche du ravissement, un délice si intense qu'il me traversa le cœur comme un jet de feu. Plus naïvement, je me sentis tel un joueur qui a tiré un billet de loterie gagnant et qui le caresse de temps à autre pour s'assurer qu'il est bien là. Dans cette nuit de Paris, dans cette nuit du monde, je n'étais plus seul ; je n'étais plus cet être perdu, coupé de tout, sans famille, sans identité. Cela ne tenait pourtant qu'à un bout de papier un peu froissé ! Dans la nuit la plus sombre, une étincelle d'allumette, une flamme vacillante, une luciole suffit pour maintenir ouvert l'univers entier.

Le soir, je tâchai de me remémorer le visage de la femme. Au début, s'imposèrent son sourire et son regard. Mais plus j'essayais, plus le visage recherché devenait flou. Je n'étais plus sûr de pouvoir la reconnaître dans la rue. La peur s'empara de moi, peur de la voir s'évanouir en fumée.

Je me levai pour tâter mon veston ; le papier était là.

Ma vie me paraissait une suite ininterrompue d'anticipations, d'accomplissements futurs. Tant de ratages avaient achevé de me faire ressembler à un être marchant seul dans un lieu désolé, qui n'ose se retourner, de peur de surprendre des fantômes qui le poursuivraient. Ce qui m'oppressait n'était pas la nostalgie du passé, que chacun tente de recréer par l'imagination. Je ne m'aimais pas, je répugnais à me mirer. De même que j'évitais de relire mes lettres adressées à ma mère, je ne cherchais pas à me complaire dans la réminiscence, sachant que ce faisant je mourrais de honte ou d'angoisse. Malgré ce pessimisme indéracinable, une confiance, indéracinable elle aussi, se lovait dans l'obscurité de mon désir le plus profond, que je ne déchiffrais pas. J'étais persuadé que ma vie, différée, s'accomplirait tout de même, malgré moi, à mon insu.

J'allai au concert. Je retrouvai la clarinettiste — elle accompagnait un chant de Schubert, *Le Pâtre sur un rocher* —, différente du souvenir que j'en avais gardé. Mais par sa présence confirmée elle était plus réelle : ces cheveux brun clair que la lumière dore ; ces yeux légèrement myopes qui confèrent un charme, mélange de réserve timide et de candide étonnement ; ce nez droit, fin ; ces joues plutôt pâles mais qui deviennent roses à la moindre émotion ; ces lèvres minces et sensibles faites pour moduler les sons ; ce corps élancé qui paraîtrait fragile si on ne le sentait mû par un profond souffle maîtrisé. Elle était bien là ; je ne la perdrai pas de vue ; j'entrerai dans son intimité. Derrière la scène où j'allai la saluer, elle m'accueillit avec un sourire naturel, comme si elle m'attendait ; depuis, je pris l'habitude d'assister à tous ses concerts et de la raccompagner.

11

« Tu viens de si loin... mais je ne te demande pas qui tu es. »

C'est sur ces mots si spontanés de Véronique, si pleins d'une souriante confiance, que s'était fondée notre amitié amoureuse. A la question : « Qui es-tu ? » — si elle me l'avait posée — j'aurais été incapable de répondre. Or elle m'avait d'emblée accordé sa confiance. Pourquoi ? Lui avait-il suffi que je sois à un récital de violoncelle ? que, venu de si loin, je sois capable de la rejoindre sur un morceau de Brahms ? Je recevais comme un don sa présence, son visage, son corps ; il émanait d'elle un mélange de douceur patiente et de volonté tendue, presque douloureuse. Cette présence n'avait-elle pas le pouvoir, justement, de tout transformer ? Le monde qui m'entourait, jusque-là si oppressant, s'ouvrait, se révélait chargé de sens et de résonance. Comme si, à travers l'image de Véronique, je le voyais pour la première fois. D'autant plus que mon amie et moi n'étions pas toujours ensemble ; chaque fois que sa silhouette s'approchait ou s'éloignait de moi, j'étais saisi par une sensation de nouveau, comme lors d'une rencontre inhabituelle.

Véronique faisait partie d'un orchestre de province,

installé dans la ville de L. Il lui arrivait, de temps à autre, de partir en tournées en France et à l'étranger. Outre ses obligations professionnelles, il y avait chez elle un souci d'indépendance que j'appris à respecter, non sans souffrance. Surtout au début de notre relation, lorsque, au terme d'une promenade ou d'une sortie au concert, elle me laissait au seuil de sa porte : « Laisse-moi, j'ai besoin de me reprendre » ; ou : « On se verra dans deux jours. Il me faut m'exercer, je ne suis pas contente de moi en ce moment. » J'apprenais à attendre — affres de l'attente que je finissais par transmuer en vertus. Dans cette tension, à la fois anxieuse et délicieuse, je m'efforçais de travailler, souvent avec fécondité. Parfois — récompense inespérée —, revenant d'une tournée, sans crier gare, elle débarquait directement chez moi : « Me voilà ! Fais-moi une soupe aux nouilles. J'ai un estomac chinois maintenant ! »

Plus tard, voyant que ses tâtonnements techniques, lorsqu'elle déchiffrait de nouvelles partitions, ne m'agaçaient point, elle venait plus fréquemment faire ses exercices dans mon atelier. Tandis que résonnaient les sons de sa clarinette dans la pièce d'à côté, je travaillais à mes toiles. Comment oublier ces heures d'émulation mutuelle et de révélations réciproques ? Avec l'encouragement de Véronique, je m'adonnai de nouveau à l'encre, cette matière à la « saveur veloutée », selon son expression, qui la fascinait. Concentrée ou diluée à souhait, l'encre me permettait de réaliser des scènes animées non par des effets de lumière, mais par quelque essence insoupçonnée. Je crois qu'à partir de ce moment-là, je commençai à entendre ma voix, à trouver ma voie. Sur mes toiles se formaient jour après jour des paysages vécus, épurés par la mémoire, où Véronique me rejoignait d'instinct. Ou, plutôt, elle rejoignait ce pays lointain d'où je venais. Et les détails de mon passé que par petits bouts je lui livrais la touchaient de plus en plus.

Un jour, devant une série de tableaux particulièrement sereins, Véronique me dit : « Oh, je peux les garder ? Ils m'apaisent, me réconfortent. » Cette phrase, au demeurant anodine, ne manqua pas de m'étonner. Avait-elle besoin d'être apaisée, réconfortée ? A côté de ma vie tortueuse, la sienne me paraissait lisse, toute en ligne droite, à l'image de ces robes faites d'une pièce, qui lui allaient si bien. Sa vie était orientée, n'est-ce pas, vers un seul but : la musique. A moins que, à force de vivre dans les sons, pour les sons, elle ne soit habitée par une tension. Ou alors par un tourment plus secret. Que connaît-on de quelqu'un dont on cherche à partager l'intimité ? Comment l'autre parvient-il à dire sa vie ? Et comment parvient-on à entendre ce que l'autre dit ? Dans mon besoin urgent, et passablement égoïste, de me confier, ai-je su écouter Véronique ? Celle-ci, en tout cas, avait l'élégance de ne pas trop s'épancher. « Je ne te demande pas qui tu es », avait-elle dit. Je crois néanmoins qu'au bout d'un temps elle connaissait mieux ma vie que moi la sienne. Il avait fallu un hasard pour qu'elle parle d'une période douloureuse qu'elle avait vécue. Je n'oublierai pas cet après-midi où, dans un moment de détente, quelques paroles sorties de ma bouche firent surgir un passé qu'elle avait tu jusque-là. Je lui racontais la légende de Boya, un des plus grands musiciens de l'Antiquité chinoise. Boya apprenait l'art du luth auprès du grand maître Chenglian. Exceptionnellement doué, il maîtrisa cet art au bout de trois ans. Toutefois, le maître lui reprocha de coller encore trop à l'instrument. Faute de s'en détacher, il empêchait ses sentiments de s'exprimer authentiquement. Vint le jour où maître et disciple entreprirent un voyage en mer. Ils firent halte sur une île. Voilà que soudain le maître disparut. Laissé seul, environné de cris d'oiseaux et de vagues, Boya se mit à jouer, en guise d'appel au secours, pour dire sa frayeur et sa détresse. Oubliant totalement son instrument, il accéda enfin au vrai chant. « Mais c'est incroyable ce que tu me racontes là. C'est ce que j'ai vécu ! » Émue, les yeux embués de larmes, mon amie m'apprit alors qu'à dix-neuf ans, trois ans après qu'elle eut commencé ses études de clarinette, elle avait contracté la tuberculose. Coup fatal : tout son rêve effondré, et plusieurs années à traîner dans un sanatorium en attendant la mort. On était à la fin de la guerre. Elle avait à peine vécu, et dans l'indigence. Ce qui finalement la sauva, c'était certes le miracle de la médecine, mais, pour elle-même, c'était cette mélodie, faite de crève-cœur et de nostalgie qu'elle n'avait jamais cessé de souffler en elle, contre la privation, contre le délaissement et le désespoir. Dépossédée, elle avait transformé son corps souffrant en un instrument de musique, grâce à quoi elle avait pu continuer à « penser » la musique selon les règles de la technique de façon combien plus vitale, plus vraie. De sorte qu'au sortir de la maladie, lorsqu'elle tint de nouveau dans sa main la clarinette, elle n'eut nullement l'impression d'une interruption ; mieux, elle éprouva l'ivresse d'avoir déjà dominé cet instrument. Il n'était donc plus question pour elle de renoncer à ses études musicales, malgré l'avis contraire de ses parents, voire de certains médecins, tous craignant qu'elle « ne se fatigue trop les poumons »...

Ce passé, cette faille dans sa vie, peut-être inconsciemment Véronique avait-elle voulu l'oublier. C'était par inadvertance en quelque sorte qu'elle me l'avait raconté. Elle aurait eu tort de le regretter ; cela me la rendit plus proche. Si le temps m'avait été donné, je pense que je serais allé plus avant dans son monde intérieur. Est-ce si sûr cependant ? Car dans le même temps, combien déjà, à la lumière de cet épisode et de l'expérience d'une vie commune, je mesurais la difficulté qu'il y avait à toucher la vraie profondeur d'un autre, *a fortiori* un autre féminin. Oui, l'homme peut-il rejoindre l'extrême désir de la femme dont elle-même ne peut sonder le fond ? Il y a certes la tendresse sans bornes qui fait tomber comme de vaines poussières préventions et fantasmes de l'homme. Il y a des moments d'extase qui entretiennent éphémèrement le rêve de l'Un. L'homme, taraudé par le fini, s'échine à rejoindre la femme, envahie par l'infini, sans jamais y parvenir. Il lui reste à demeurer cet enfant abandonné qui pleure au bord de l'océan. L'homme s'apaiserait s'il consentait à écouter seulement la musique qui résonne là, en lui et hors de lui — d'écouter humblement la femme devenue un chant trop nostalgique pour être accessible.

12

Au gré des déplacements de Véronique, quand je l'accompagnais, je découvrais certaines villes et régions de province et me familiarisais davantage avec les paysages de ce pays qui m'accueillait. Vint le temps où, profitant d'une période creuse dans ses activités, Véronique décida de m'emmener voir sa ville natale au bord de la Loire. Pour mieux me faire découvrir sa région, elle loua deux bicyclettes au départ de Paris.

A force de vivre confiné dans la ville, j'en étais venu à oublier l'épanouissement du corps que procurent les grandes randonnées à pied, celles que j'avais faites en Chine. Le voyage à bicyclette, plus rapide certes, me redonnait la sensation d'être en accord avec le rythme de la terre. On se laisse griser par la fraîcheur de l'air, par la senteur de l'herbe mêlée à l'odeur de poussière le long des routes de campagne.

Comme il se devait, nous visitâmes les châteaux, ces demeures qui résultent de la rencontre heureuse entre le génie italien et l'esprit français à l'époque de la Renaissance. Leur architecture, au style parfois trop précieux, trop mesuré, charme par son harmonie interne et par l'accord parfait qu'elle entretient avec le paysage, les arbres, les collines, les cours d'eau et le ciel ourlé de doux nuages. Je ne pus m'empêcher de songer à la tradition chinoise du *jiehua*[1] dans laquelle les peintres s'ingénient à faire contraster les lignes géométriques des habitations humaines et l'environnement naturel, tout en les mariant dans une symbiose parfaite comme le signe d'un rare moment d'entente.

Ce qui me ravissait le plus, c'était de constater combien Véronique appartenait à cette terre. Son visage, d'ordinaire pâle à Paris, prenait ici la coloration du lieu, une discrète luminosité légèrement teintée de rose, avec un reflet qui bleuissait de temps à autre. Les traits de son visage et les lignes de son corps s'accordaient avec les pierres des demeures, finement taillées et rendues vivantes par des reliefs bien proportionnés. En somme, ces pierres étaient là pour souligner, pour ennoblir les silhouettes des êtres qui vivaient parmi elles et les empêcher de se laisser aller, de s'avachir. Tout se passe comme si les hommes d'une région donnée avaient créé une certaine architecture, laquelle, à son tour, les oblige à lui ressembler. L'art n'imite pas la nature, mais finit par obliger la nature à l'imiter. Véronique s'épanouissait à mesure qu'elle réintégrait ce paysage familier, dont son enfance et son adolescence étaient imprégnées.

Elle connaissait les chemins de traverse, les sentiers qui sillonnent les forêts et les champs. Par-delà les champs, par-delà les plateaux recouverts d'herbes sauvages, nimbés de brume, je sentais venir par ondes invisibles, une odeur particulière.

« Ça sent le fleuve ! » m'écriai-je. Véronique était à la fois déçue et ravie. Déçue, parce qu'elle comptait sur ma surprise ; ravie cependant de reconnaître en

---

1. Peinture à la règle.

moi un connaisseur prêt à aimer ce pays habité de cours d'eau.

« Tu es un vrai "fluvial" !

— Comment ne le serais-je pas, en bon Chinois que je suis ? » Et d'évoquer les régions du bas Yangzi, entre Jiangsu et Zhejiang.

« Allons voir la Loire ! »

Nous abordâmes le fleuve à un endroit où il était particulièrement large. Les voix se firent lointaines. Au milieu du courant, les remous espiègles ou sournois jouaient avec les bancs de sable, aussi indolents que les reflets des nuages qui passaient. Je me crus au cœur d'un de ces paysages antiques qu'aimaient à représenter les peintres de l'Âge classique. Paysage préservé dans ce coin perdu, oublié par le temps. Nous sommes là, tous deux, oubliés aussi, mais nous retrouvant infiniment l'un l'autre.

La petite ville natale de Véronique était située sur un coteau dominant la Loire. Laissant les bicyclettes en bas, nous montâmes à pied par un petit sentier à travers des jardins potagers. A mi-pente apparurent des maisons incrustées dans les rochers. C'était dans une de ces habitations troglodytiques que vivaient les parents de mon amie, de bons artisans dont la patiente simplicité était à l'unisson du fleuve.

La Loire — ce nom féminin à la sonorité claire et ouverte — avait, par son cours large et lent, façonné tout un peuple aux traits fins, aux yeux clairs et à l'esprit pondéré. Trop pondéré peut-être au risque de tomber parfois dans une certaine mollesse. Mais je savais d'expérience que s'agissant du fleuve il fallait se méfier. Sous son apparence paisible, inoffensive, se cachaient des remous dangereux, véritables toupies aspirantes qui entraînaient dans le fond les nageurs maladroits.

Moi, fils du fleuve pourtant, m'étais-je jamais

autant imprégné de ce qui émanait d'un cours d'eau ? M'étais-je jamais lassé de l'émotion paisible qui montait en moi lorsque je perdais mes pas le long des levées, là où le Cher venait mêler ses eaux à la Loire, là où l'Indre, plus féminine encore, cédait à l'attraction du grand fleuve ? Cachés par la végétation sauvage, de larges pans d'eau, par intermittences, apparaissaient, fidèles, lumineux, miroirs intacts du matin du monde, sur lesquels le vol des hérons laissait à peine une trace.

Comme au temps où j'étais avec mon maître, en compagnie de Véronique je m'asseyais, je contemplais et je dessinais. Non tant le fleuve lui-même que le paysage environnant, un paysage composé de coteaux boisés, de rochers calcaires, de champs ouverts, auquel les ponts de pierre et les toits d'ardoise ajoutaient leur note de connivence. Avec son écoulement, ses reflets et cette humidité diffuse dont il nimbait les éléments, le fleuve empêchait le paysage de demeurer monotone, de se fermer sur lui-même, le tirant plus loin vers l'horizon ou l'unissant au ciel dans un ample geste d'épousailles. De cet univers, où toutes les choses gardent leurs justes distances et entre lesquelles mon œil de Chinois percevait sans peine le travail régulateur des vides médians, je n'attendais nulle scène spectaculaire. Je m'exerçais tout bonnement à affiner mes observations, à aiguiser mes sensations, à capter des nuances impalpables, les variations de tons qui se produisaient sur les coteaux d'en face et sur la surface de l'eau au moment des changements de temps. Tons mouvants, indécis, velléitaires grâce à quoi on glissait d'un état à un autre sans s'en rendre compte, sans en rien perdre, un peu à la manière d'un enfant qui, tout en baignant dans l'histoire qu'on est en train de lui raconter, s'achemine vers le sommeil dans lequel l'histoire se prolonge. Lorsque, à pas feutrés, arrivait la pluie, je restais sur place, aussi immobile que les rares pêcheurs qui se trouvaient là, dont le silence n'était rompu que par de brusques caquetages de canards. J'attendais. Je savais qu'en ce coin de France, le fleuve ayant passé un pacte d'entente avec les nuages, la pluie ne durait jamais jusqu'au soir. De fait, je ne me souvenais pas de soirs où, vaste et irradiante, confondant ciel et eau à l'ouest, la lumière ne fût au rendez-vous. Sauf une fois. Un orage, contenu aurait-on dit depuis des siècles, éclata de toute sa fureur, abattant des arbres, soulevant des vagues, libérant mille fauves de leurs cages. La foudre tomba droit, frôla mon épaule. Nul abri n'étant à proximité, nous ne bougions pas. Contrairement à ce qui s'était passé en Hollande, à la Grande Digue, je pensais que cette fois-ci j'étais prêt à mourir là, sans trop de regrets.

De là où nous étions, irrésistiblement nous entreprîmes de remonter la Loire jusqu'à sa source. Lent voyage au cours duquel le fleuve, jamais lassé de nos pas, nous introduisait dans les méandres de ses secrets. Le dernier jour, avant la dernière courbe, avant que le mont Gerbier-de-Jonc ne campe devant nous son énigmatique silhouette, nous demeurâmes longtemps sur une hauteur — vue plongeante sur le courant d'émeraude —, nous laissant étreindre par la poignante clarté du soir. Je m'aperçus que rien n'avait été altéré en moi. L'homme en exil qui contemplait le vaste paysage n'était-il pas l'enfant d'Asie qui avait regardé, à côté de son père, le fleuve Yangzi et qui avait remonté vers d'autres sources. Ici comme autrefois, c'était la même découverte pour lui : à son commencement, le fleuve si long et si large n'est qu'un filet d'eau enfoui sous les herbes impénétrables. Buvant la claire source jaillie d'une roche aménagée pour désaltérer le voyageur, j'avais le cœur gonflé de reconnaissance pour cette terre qui m'avait accueilli, et pour la femme à côté de moi qui en était l'initiatrice.

13

Remonter à la source. Serait-ce le commencement d'une nouvelle vie ? Ou la fin d'une autre ? Que le temps soit cyclique et que tout nouveau cycle entraîne un changement à la fois pressenti et inattendu, c'était un vieux thème parfaitement intégré dans ma vision, dont je ne mettais plus en doute la validité. S'il en était ainsi, ne serais-je pas en droit d'espérer devenir un être affranchi de souvenirs et de liens ? En cette contrée étrangère, nouveau à ce point, ne pourrais-je par un acte volontaire couper les racines du passé, dénouer les nœuds les plus inextricables ? Couper les racines ? Peut-être. L'homme n'étant que cet animal qui glisse sur la surface de la terre, auquel la culture se contente de fournir quelques vieilles recettes d'usage, est-il réellement si profondément enraciné qu'il ne puisse pas envisager sa transplantation ? En dépit des épreuves, tenté par le dépassement, je cherchais à présent à m'en convaincre. Mais pour ce qui était de défaire les liens du cœur...

Deux ans après ce voyage, une autre lettre de Yumei, toujours envoyée de Hongkong, me parvint avec beaucoup de retard : « Haolang est mort au camp, de maladie, selon ce qui est rapporté. Nous n'avons jamais pu échanger un signe, toute relation était interdite. Toi non plus, ne m'écris pas. Mais pense de temps en temps à moi, ta Yumei. » Sans attendre une réponse de moi, l'Amante avait inscrit sur la feuille son adresse.

Bien que redoutant le pire, je m'attendais seulement à de longues années d'épreuves pour Haolang, lui qui était si résistant, qui avait cette volonté invincible de vivre, mais sûrement pas à une fin si brutale. Cet ami unique, ce frère un instant haï et depuis toujours aimé, cette figure de force et de lumière déjà n'était plus ? A jamais effacé de cette terre ? Le bref message de Yumei, écrit à la hâte d'une main tremblante, je le tenais dans ma main non moins tremblante, une fois de plus, en cette heure fatidique d'un après-midi parisien, m'étonnant d'être là ou plutôt d'être dorénavant de nulle part. Le sol se dérobait sous mes pieds. Le fondement de mon être craqua d'un coup. Plus exactement : tous les sols que j'avais parcourus durant toutes ces années de pérégrinations s'effondraient un à un, ne laissant plus à l'horizon qu'un seul sol, ce lointain sol natal. Sans lui, plus rien d'autre pour me soutenir. Au cœur de ce sol natal, un être depuis toujours, je le sais, m'attendait, pareil à un saule pleureur au bord de l'étang et qui avait vocation en quelque sorte de veiller sur les vivants et les morts. Cet être, à la beauté étrange et pourtant familière, rejetant sa mèche en arrière, offrant un sourire à travers ses larmes, semblait me crier : « Reviens ! » ou même : « Te voilà enfin ! Nous voilà enfin ! » Par-delà l'horizon vide, j'entendis à nouveau l'appel du destin auquel je ne saurais me soustraire. J'entendis la douce voix de la vie même, de ma vie même qui, de toute éternité, avait prédit ce qui devait advenir.

TROISIÈME PARTIE

MYTHE DU RETOUR

1

Début 1957, je retourne en Chine. Je dois surmonter un double déchirement : m'arracher à l'affection de Véronique et à une certaine forme de création à laquelle je m'étais tout juste essayé. Mais je n'ai pas le choix ; et de fait je ne choisis pas. J'ai conscience que je vais droit vers ce qui n'a été jusqu'ici que différé, vers ce qui est mon destin : retrouver l'Amante ! Quoi, n'est-elle pas là, vivante ? Puis-je la laisser au fond d'une détresse absolue ? Je sais que retourner en cette Chine dénaturée que je ne reconnaîtrai plus, ce sera pour moi une véritable descente aux enfers. En ai-je peur ? Pas vraiment. Tout comme lors de la mort de ma mère, je pense à la légende bouddhique qui relate les séjours de Mulian en enfer. A cette légende vient d'ailleurs se mêler le mythe d'Orphée appris en Europe. Je suis prêt à payer le prix fort, à me fondre dans la boue, s'il le faut. Le sentiment d'exaltation aidant, je pousse l'inconscience jusqu'à penser qu'en allant retrouver Yumei j'accomplis une grande chose. Oh ! loin de moi l'idée de venir en sauveur. Démuni comme je suis, usé par les privations et par l'angoisse, je suis devenu cet être en marge, plus que disqualifié. C'est plutôt moi-même qui ai besoin d'être sauvé. Disons : l'Amante et moi réunis, nous serons sauvés ensemble. Aucune adversité ne saura plus nous atteindre. Du moins, m'efforcé-je de le croire. Amour, amour. Ce mot qui, à travers les chansons, emplit l'air en Occident comme l'odeur de l'essence jusqu'à l'écœurement, l'ai-je jamais prononcé de ma vie ? Il s'y mêle tant d'instincts troubles, tant de besoins immédiats, de complaisances envers soi, d'exigences envers l'autre, de cette détestable volonté de possession et de domination, que je n'ose plus guère y mettre un contenu. A l'heure décisive, néanmoins, je suis tenu de regarder en face ce sentiment trop passionnel, que par la force des choses j'ai toujours évité. Sentiment à peine humain — lave brûlante prête à faire fondre la chair et les os de ceux qui s'y donnent tout entiers — dont les hommes, apparemment, ne sont pas encore capables. Pourtant, je sais pertinemment que c'est le seul bien qui me reste. C'est donc avec ce bien à peine humain qu'il me faudra affronter l'inhumain.

S'ensuivent des journées fastidieuses à courir les bureaux de la Préfecture, les consulats de divers pays et l'ambassade de Chine. Véronique demeure lucide et digne. Sa dignité m'oblige à retrouver la mienne. Ne pas céder à la plainte larmoyante. La tristesse viendra plus tard, bien plus tard. Grâce au récit que je lui ai fait de mon passé, Véronique est entrée dans ma vérité. Elle épouse ma nostalgie et mon espérance. Elle serait même heureuse de connaître Yumei. C'est alors que la choque terriblement l'idée qu'« on ne se verra plus sur cette terre », cependant qu'on est encore bien vivants. Au point que, durant plusieurs semaines, elle est incapable de souffler correctement dans sa clarinette. Pour elle qui a vécu dans un espace bien protégé, où aucun point n'est inaccessible, cette idée de séparation définitive dès ici-bas, à laquelle les Chinois sont habitués, lui paraît aussi révoltante qu'irréelle.

A Pékin, je suis logé à l'hôtel des Amitiés réservé aux étrangers et aux Chinois d'outre-mer de retour en Chine. De toutes nationalités, une foule de gens, bigarrée, polyglotte, se presse dans le hall. On s'interpelle, on se donne l'accolade. Il y règne une ambiance de gaieté artificiellement entretenue, inspirée toutefois par une généreuse sympathie.

Chez les Chinois d'outre-mer, l'enthousiasme alterne avec la circonspection. Sincères dans leur joie de retrouver leur pays d'origine et de faire partager aux autres les spécialités apprises en Occident, ils appréhendent néanmoins de vivre dans ce pays dont ils auront peu de chances de ressortir, où il leur faudra se mouler dans une manière de vivre sévère et disciplinée. Leur appréhension se confirme lorsqu'ils commencent à avoir des entretiens avec des officiels. Ceux-ci, derrière leur apparente amabilité, leur font sentir toutes les exigences d'un régime hiérarchisé. Bientôt d'ailleurs, instinctivement ils se dépouillent de leurs accoutrements habituels pour enfiler le costume « Mao » et s'approprient le langage stéréotypé.

Sur ma demande, qui coïncide avec l'intention des autorités, je suis affecté à l'école des Beaux-Arts de Hangzhou, non loin de Shanghai, où vit Yumei. Une autre requête reçoit également une réponse positive, celle d'aller auparavant à Nanchang revoir ma famille. Le droit de retourner au pays natal est sacré en Chine ; les autorités n'ont pas osé le supprimer. C'est d'ailleurs le seul prétexte qu'ont les Chinois de voyager un peu à l'intérieur du pays. Pour m'y rendre, je dois passer par Shanghai et sans doute pourrai-je y rester quelques jours — l'occasion pour moi de retrouver l'être pour lequel je suis revenu.

Arrivé à Shanghai par le train, je me réjouis d'avoir

un peu de temps à moi. Impossible. Je suis aussitôt pris en charge par la Section culturelle de la ville qui me loge dans un établissement officiel, et je partage la chambre avec un cadre.

2

Sous prétexte de visiter la ville, je profite de la première occasion qui s'offre pour me rendre à l'adresse de Yumei. Je connais cette grande métropole à l'urbanisme fou, pour y avoir séjourné plus d'un mois avant mon départ pour la France. Malheureusement, son logement est situé dans la zone périphérique, bien loin du centre ; je dois changer plusieurs fois d'autobus, lutter chaque fois pour monter, tant ils sont bondés. Ah ! la souplesse du corps des Chinois, que j'ai perdue en Europe, qui permet au véhicule de charger un nombre incroyable de personnes, lesquelles imbriquées les unes dans les autres forment un magma si compact que l'eau ne réussirait pas à passer au travers. Le métro parisien aux heures de pointe paraîtrait, à côté, le confort même. Je parviens, essoufflé et épuisé, à un quartier désolé et par endroits sordide : alignement sans fin d'immeubles en ciment brut, bâtis à la hâte, à l'aspect délabré. A l'intérieur de ces bâtiments recouverts de crasse, et qui résonnent de tous les bruits, s'entassent des familles.

Je tremble de tous mes membres en montant l'escalier jusqu'au troisième étage comme l'indiquait l'adresse qui figure au dos de l'enveloppe. Je frappe à la porte, au numéro exact. Une femme échevelée, à la voix criarde, se présente. Au nom que je prononce, elle hoche la tête en disant : « Connais pas ! » Comme j'insiste, elle m'explique que le logement lui a été attribué un an auparavant et qu'elle ignore qui était le locataire précédent. Elle ajoute : « Il faut s'adresser au chef du quartier », et elle ferme la porte bruyamment. D'autres portes s'ouvrent, laissant échapper des braillements d'enfants ou des bruits de casseroles, puis se referment aussitôt. Complètement désorienté, je descends l'escalier tout en réfléchissant. Il faut à tout prix éviter de rencontrer le chef du quartier. Je mesure le danger qu'il y aurait à ce qu'on apprenne mes recherches, moi un Chinois d'outre-mer, qui arrive de l'Occident. Le moindre acte irréfléchi compromettrait la situation de Yumei, laquelle, compagne d'un « criminel », est forcément sous haute surveillance. Je m'éloigne un peu et tâche de réfléchir sur ce que je dois faire. Au bout d'une rue passante, j'échoue sur un banc à côté d'un arrêt d'autobus ; beaucoup de monde attend. Une voix féminine dans mon dos me fait sursauter. Je me retourne : il y a là une femme que je ne connais pas. Je me lève, lui fais face en me disant : « Aïe !... le chef du quartier ! » Son regard, nullement inquisiteur, montre plutôt de la sollicitude. J'avance vers l'inconnue, me mets avec elle un peu à l'écart, tout en faisant mine d'attendre l'autobus pour ne pas attirer l'attention des gens.

« Je suis l'ancienne voisine de Yumei. Vous êtes M. Zhao et vous rentrez de France ?

— Comment le savez-vous ?

— Vos chaussures ne sont pas d'ici. » Elle fait cette remarque judicieuse avec un sourire triste, puis elle continue : « Vous cherchez Yumei. Je ne sais pas comment vous le dire. Ne la cherchez pas ; elle n'est plus... »

Rencontrant mon regard effaré, sa voix s'étrangle. « Je vais tout vous dire. Je n'ai pas peur ; je suis ouvrière. J'ai une bonne origine ; on n'ose rien contre moi. Yumei n'a pas toujours été dans notre quartier. C'était après la condamnation de M. Sun qu'on lui avait enlevé son logement au centre-ville ; on lui avait donné une pièce à côté de chez nous ; elle partageait la cuisine avec nous. Sa vie n'était pas facile. Quand elle allait à l'Administration, on lui causait des tas de tracasseries et le chef du quartier venait souvent aussi lui chercher noise. Mais elle était restée toujours belle et digne, et d'une gentillesse... On savait qu'elle était une actrice célèbre du théâtre du Sichuan. De temps en temps, à notre demande, elle nous expliquait un rôle, puis elle nous le chantait. C'était beau ! Puis, on lui a donné un deux-pièces avec une cuisine à elle. Et le chef du quartier ne venait plus la déranger : le secrétaire local du Parti avait des vues sur elle. Un jour, on lui a annoncé la mort de M. Sun au camp. Ça a été terrible. Nous essayions tant que nous pouvions de la consoler et de la soutenir. Elle a finalement tenu le coup. Mais voilà, il y avait toujours ce secrétaire local qui lui faisait des avances de plus en plus pressantes. Il voulait la forcer à se marier avec lui. Un jour, elle m'a donné ce petit paquet en me disant : "Garde ça pour moi, c'est plus sûr chez toi, parce que je ne sais pas ce qu'on va faire de moi. J'ai un ami, M. Zhao, qui vit en France, si jamais il revient — mais je ne pense pas qu'il reviendra — et que je ne sois pas là, tu le lui donneras." Sur le moment je n'ai pas compris pourquoi elle me donnait cela. J'étais simplement d'accord pour penser que les objets étaient plus en sûreté chez moi que chez elle. Je ne savais pas qu'elle allait faire ce geste... » A nouveau, sa voix s'étrangle. Puis, d'un souffle, elle dit précipitamment : « Eh bien, elle s'est suicidée.

Oui, elle a fait ça sans le dire à personne... Vous savez que le suicide est considéré comme un crime. On l'a vite incinérée. Voilà. Ne soyez pas trop triste, monsieur, elle est bien tranquille maintenant. Prenez ce paquet, monsieur, ne soyez pas trop triste. Eh bien, je suis obligée de partir... »

Lorsque la femme me tourne le dos et s'en va, j'esquisse un geste pour la retenir, mais déjà son dos se fond au milieu des passants. Je perds pied. Où suis-je ? Qui suis-je ? Qu'ai-je à faire à ce moment et en ce lieu, au cœur de l'éternité ? Surtout ne pas regagner le banc ni rester cloué là comme un bois mort. M'envoler. Me volatiliser. Devenir instantanément un nuage d'oubli, loin des poussières puantes. Un bus arrive qui va en direction du centre-ville ; je me laisse porter comme un automate par la foule qui s'engouffre par la porte étroite. Je descends au dernier arrêt. Une large avenue, où piétons et véhicules passent en procession aveugle. Nul banc ne s'offre à ma vue. Je fais quelques pas, me laisse choir sur une longue barre métallique fixée à un mur, à laquelle sont attachées des bicyclettes. Je sais que je ne puis rester là trop longtemps sans paraître suspect : un homme jeune encore — quel âge a-t-il ? à peine trente-trois ans, déjà au bout du rouleau —, qui traîne comme cela dans la rue en pleine journée. Mais je n'en ai cure. La douleur qui m'étouffe fait place à la rage, à la sensation d'être pris dans une gigantesque farce. Il est grand temps d'arrêter l'imposture ; je dois jeter à la gueule de ce monde aussi grotesque que hideux le rire le plus rauque dont je suis capable. Il faut en finir, oui, pas de n'importe quelle manière. Au moins une fois dans ma vie — une ultime fois —, choisir ma façon de faire. Sinon je jouerais le jeu de tous les tyrans engendrés par cette vie monstrueuse. Ne plus avoir peur ; ne plus céder au désespoir. Le désespoir, je ne l'ai que trop connu. Désespoir lorsque, ayant quitté Yumei et Haolang, je me trouve sur le pont dans le soleil couchant ; lorsque, ayant quitté le maître, je me trouve à une croisée de chemins, sous un ciel livide. Il y avait alors toujours à l'horizon ma mère. Désespoir, lorsque, à l'annonce de sa mort, je reviens précipitamment de Dunhuang par cette route interminable ; lorsque, au bord de la Seine, à l'heure de la désolation absolue, l'image de l'Amante et de l'Ami se campe devant moi. Il y avait alors toujours à l'horizon l'Amante, dont il ne me reste maintenant que ce petit paquet que je n'ai pas ouvert encore. Mais à tout prix je dois m'empêcher de céder au désespoir. Il faut tenter de réfléchir un peu. En finir, oui, mais de sang-froid.

Je me lève, me dirige vers le Bund, le quai de Shanghai qui borde le Huangpu, espérant vaguement y trouver un coin plus isolé. Force m'est de constater qu'en ce vaste pays, pris dans les rets de la surveillance généralisée instaurée par le régime, nulle part on ne trouve un endroit à soi, surtout dans les grandes villes. Je me rends compte d'une vérité simple : l'homme a besoin d'ombre pour vivre. Je me mets à regretter la présence de ces églises qu'on rencontre au hasard de promenades dans les villes européennes. On peut y entrer à tout moment, qu'on soit croyant ou non. J'avais pris l'habitude durant tout mon séjour de rechercher le silence qu'abritent ces épais murs de pierres taillées, où l'on est à soi sans se sentir seul face à sa propre image.

Sur le Bund, avec en vue quelques navires en rade, je prends mon courage à deux mains pour sortir de ma poche la petite enveloppe que l'Amante m'a laissée. « Pardonne-moi. Ne m'oublie pas. Ne nous oublie pas. Nous sommes avec toi, je suis à toi, tu le sais. » A côté de la lettre, un mouchoir brodé d'une fleur de prunus nette comme un jet de sang, ainsi que deux feuilles pliées en deux, l'une jaunie, l'autre plus fraîche. Je les ouvre et reconnais le premier portrait que j'ai fait de l'Amante il y a quinze ans et un sous-bois dessiné durant mon séjour à la ville de N. Au dos du portrait, quelques lignes écrites au crayon : « Toutes les œuvres de Haolang que je possédais ont été confisquées et brûlées ; il me reste ces deux dessins de toi qui ne m'ont jamais quittée. »

Que me reste-t-il de mes êtres chers ? Dans ma tête passe rapidement le maigre inventaire : quelques lettres de Yumei, ce mouchoir brodé, plusieurs poèmes de Haolang appris par cœur, et puis les cendres de ma mère. Il me tarde de rejoindre les morts. Mais les morts, plus vivants que les vivants, obligent ceux-ci à s'attarder encore sur terre, ne fût-ce que quelques jours ou quelques mois. Je sais qu'avant ma décision finale j'ai des devoirs à accomplir envers les morts.

Maintenant, il faut effectuer le chemin de retour vers mon logis avant l'heure de la cantine. Le soir pèse de tout son plomb sur la ville bruyante et enfumée. Le cafard s'empare de moi ; les forces me lâchent. Tout ce qui dans la journée m'a tenu lieu d'énergie, ma douleur, ma révolte rageuse, mon sursaut de volonté face au tragique et à l'absurde, s'effondre. Je titube, le chagrin me remonte jusqu'à la gorge. Yumei n'est plus, Haolang n'est plus, le monde n'est plus. Comment, tout seul, venir à bout de tout, des minutes qui viennent, de la chaussée défoncée de cette avenue interminable ?... Sans que je sache comment, je me retrouve dans le dortoir, faisant semblant de prêter l'oreille aux propos lénifiants du cadre qui partage ma chambre, avec sa voix nasillarde, son rire gras. Il me faut inventer des choses que j'aurais faites dans la journée, des visites dans des librairies, au musée de la Peinture, à la Maison de Lu Xun, etc., et endurer la longue nuit, ponctuée par les ronflements de satisfaction de celui qui est chargé de « prendre soin » de moi.

3

Depuis la mort de mon père, en 1935, je n'avais plus entretenu de relation avec la famille. Comme je m'en doutais, la tombe de mon père avait été rasée, ainsi que le reste de la sépulture familiale, selon le règlement introduit par le nouveau régime. Le terrain à présent est transformé en un chétif champ cultivé. La maison, réquisitionnée, est occupée par de nombreuses familles d'origines diverses. Les seuls membres de ma famille qui y habitent encore sont le Deuxième Oncle, celui qui tyrannisait tout le monde, et sa descendance. Sa femme est morte ; lui est devenu aveugle ; son fils unique, jadis la terreur des domestiques et des précepteurs, sa bru et leurs deux enfants s'entassent dans la partie nord, froide et humide, qu'il avait autrefois imposée à mes parents.

L'oncle aux mains magiques, le joueur d'échecs et de ma-jong, est mort aussi, d'ennui et de privations probablement. Sa femme vit avec un fils adoptif, celui dont ma mère s'était occupée. Il travaille, comme sa femme, dans une usine. Ils ont un enfant.

L'oncle fumeur d'opium, celui dont on disait dans la famille : « Celui-là ne nous a causé que des ennuis ! » est mort en martyr dans un camp. Sa femme, devenue démente, croupit dans un asile.

Ma tournée à Nanchang me mène encore chez de nombreux cousins dispersés. Visites semblables et monotones, car tous les sujets sont tabous, et la conversation tourne toujours autour de la « bouffe », laquelle, en dehors du travail et des réunions politiques, est leur occupation principale. D'autant que cela exige un temps démesuré ; il faut faire la queue partout pour se procurer les aliments, partager la cuisine avec les voisins, cuisiner sur des installations rudimentaires. Comme l'approvisionnement en viande est limité, on se rabat sur des légumes peu engageants. Nonobstant, on réussit de temps à autre à faire des prodiges. Et, autour de quelques plats réussis, à s'abandonner, à se libérer en ingurgitant soupes, riz, sauces à grands bruits. C'est là la suprême compensation à ce qu'on supporte en silence nuit et jour. Ces retrouvailles, au lieu de me réconforter, me plongent dans une détresse sans fond. Si tous pataugent dans le marécage d'une vie sans perspective, moi, lourd du terrible drame qui me mine, je m'enlise véritablement. Je me demande comment réussir à m'arracher de là, affronter le sort, peut-être pire encore, qui m'attend.

Une seule figure se distingue des autres : celle de la tante célibataire. Privée du toit familial, sans véritables ressources, elle vit dans un hospice. Dans la grande salle commune, se détachant de la masse des personnes qui vautrées, ratatinées, passent leurs journées là, elle se lève, droite, ferme, et s'avance, souveraine, vers moi.

« Ah ! cela faisait si longtemps, si longtemps. Je te reconnais bien, tu es...

— Tianyi.

— Ton pauvre père est mort avant la guerre, en 36 je crois.

— Non, en 35.

— Ta mère est morte aussi, à Tchoungking, je l'ai appris. Je l'aimais beaucoup, elle était si bonne, si juste, si serviable ! Et toi, d'où tu viens ?

— Je rentre de France.

— De France ? C'est incroyable ! Qu'est-ce que tu as fait là-bas ?

— J'ai étudié la peinture.

— La peinture ? Comme c'est intéressant. Tu as des tableaux à me montrer, des tableaux de paysages de France ? »

Elle dit tout cela d'une voix sonore, sans prêter attention au fait qu'on l'écoute, alors que d'autres parents et connaissances, sachant que j'arrive de France, ne m'ont posé aucune question ; non qu'ils ne s'y intéressent pas, mais le sujet est trop dangereux et trop compromettant. Comme je baisse ostensiblement la voix pour répondre, elle consent à baisser aussi la sienne. Tous mes tableaux rapportés de France ont été envoyés directement à l'école des Beaux-Arts de Hangzhou. Pour ne pas décevoir ma tante, j'ai l'idée de dessiner son portrait. Ce visage réputé laid, bonifié par l'âge, a gagné en noblesse et en dignité.

Pendant que je fais le croquis de ses traits, elle ne cesse de parler. Elle conserve intacte toute sa faconde et son franc-parler qui jadis tranchaient déjà dans l'ambiance confinée de la famille, et qui frappent maintenant par leur caractère saugrenu, dans l'atmosphère étouffante de ce pays sous verrou. Ses paroles déploient entre les murs ébréchés et moisis de la grande salle une véritable oasis. A plusieurs reprises je suis poussé par l'envie de lui confier mon drame. Je me retiens, sachant que, entière comme elle est, elle n'entrerait pas dans les arcanes de mes tourments.

Le portrait terminé, ma tante me regarde avec un

large sourire qui fait disparaître toutes ses rides. Elle me demande incidemment si j'ai rendu visite à l'autre tante, celle qui après sa séparation d'avec son mari était revenue vivre dans la maison familiale et qui, plus tard, avait fondé une école pour enfants privés de foyer. J'avoue, non sans confusion, que je ne l'ai pas encore revue.

En vérité, j'avais oublié l'existence de cette tante à part, dont la présence était si discrète. Je me rends à l'école où elle travaille encore. Je dois attendre longtemps avant qu'elle puisse me recevoir, car elle effectue mille besognes : surveiller les tout-petits, faire le ménage... Quand nous sommes ensemble, elle m'explique sa situation. Après la Libération, son école est passée sous le contrôle de l'autorité locale. Elle était secondée par une femme membre du Parti, qui ne connaissait rien aux problèmes d'éducation ; son seul rôle consistait à surveiller la marche de l'école sur le plan idéologique. Comme ma tante maintenait ses principes pédagogiques, les heurts devenaient inévitables. Profitant d'une campagne, elle fit dénoncer par les parents et les collègues les erreurs de pensée de ma tante et la critiqua violemment. A la suite de quoi, celle-ci fut destituée de ses fonctions de directrice ; on la maintint toutefois dans l'école pour des travaux subalternes. Elle assume cela pour rester proche des enfants, voulant en dépit de tout leur apporter, de façon muette, sa part de lumière.

Ma tante raconte ces faits d'une voix presque neutre, comme si elle relatait des événements extérieurs qui ne la concernaient pas. Sous son air impassible, je devine sans mal une dignité inébranlable, une hauteur d'esprit peu commune. Tout d'un coup, j'ai la certitude que c'est pour la voir que je suis revenu au pays. Je me revois enfant, la croisant dans la cour de la maison familiale. Elle avait l'habitude de poser sa main sur mon épaule, avec un sourire silencieux mais plein d'affection. Sans avoir jamais échangé une parole, il me semblait que beaucoup de mots s'étaient dits entre nous. Plus de vingt ans après, voici que je me retrouve en face d'elle. Le moment de la confidence est arrivé ; je me mets à raconter ma propre histoire prête à éclater en moi. Elle m'écoute attentivement sans mot dire. Quand j'ai fini, elle reste coite durant un si long moment que je pense à de l'indifférence ou à une désapprobation. Finalement elle parle d'une voix ferme et grave.

« Nous avons vécu envers et contre tout, nous vivrons, si la vie le permet. Nous sommes dépouillés de tout, une seule chose nous appartient encore, qu'aucune force extérieure, aucune répression tyrannique ne peut nous ôter : ce que tu appelles l'amour, ce que moi je nomme la sympathie, car cela vient de nous et ne dépend que de nous. Tu as vécu un terrible drame : la perte de deux êtres très chers. Les as-tu vraiment perdus ? Pour moi, les êtres qui ont été dignes de susciter un authentique amour et qui sont désormais vivifiés par lui ne disparaîtront pas, ne seront jamais absents. Tu dis que tu as perdu toute raison de vivre. Que dis-tu là ? Le survivant doit plus que tout autre vivre. Ta mère n'est plus. N'est-elle plus rien pour toi ? Tout ce qu'elle a subi, tout ce qu'elle a accompli avec tant de patience et d'affection, était-ce pour que tu ne vives plus ?... »

Le lendemain de notre rencontre, ma tante m'emmène à l'emplacement de la sépulture familiale. Elle m'aide à disperser les cendres de ma mère sur le sol, ce sol qui continue à nourrir les vivants.

4

La ville de Hangzhou avec le lac de l'Ouest et ses collines environnantes est réputée pour son charme typique de cette région du Sud. Je ne connais pas contraste plus flagrant entre la nature insouciante et le monde des hommes qu'en cet automne 1957. Les paysages semblent rire des êtres humains en proie à la fureur. On est en pleine campagne contre les droitistes. Elle fait suite au mouvement des Cent Fleurs. Le Chef, confiant en son aura personnelle et sûr des effets des campagnes et des épurations précédentes, avait cru pouvoir donner un signe d'ouverture, non sans l'arrière-pensée de tester la fidélité du peuple. Chacun avait donc été invité à exprimer sans retenue ses pensées. Or, le peuple a profité de la brèche ainsi ouverte pour réclamer une plus grande liberté d'expression et pour critiquer, de façon de plus en plus véhémente, les abus commis par le pouvoir à ses différents échelons. Le pays menace de devenir incontrôlable. Alarmé, par ailleurs, par les événements de Hongrie, le Chef a dû arrêter brutalement le mouvement, en déclenchant cette campagne qui vise à traquer les « droitistes » dans tous les secteurs de la société. Poussant plus loin sa manie des chiffres, il a fixé la barre bien haut, avançant les chiffres de quarante à cinquante pour cent d'éléments « corrompus » parmi les intellectuels, les artistes et les universitaires.

L'école des Beaux-Arts, directement concernée, est plongée dans la fièvre et bientôt transformée en délire. Les cadres, à toute heure de la journée, provoquent meetings de dénonciation et séances de critiques, d'où se dégagent des « cibles » exposées aux attaques de tous. Les calligraphes sont mobilisés pour couvrir tous les murs disponibles de *dazibao* et les peintres invités à faire des caricatures géantes. Tant que la campagne bat son plein, personne n'est sûr de son sort, car il faut atteindre le « quota » de quarante pour cent. A côté des « droitistes notoires », on traque les éléments « problématiques » et on en vient à rechercher des célibataires, plus « disponibles ». Ceux-ci, contraints et forcés, acceptent de se sacrifier à la place d'autres. Avec la promesse qu'en faisant l'effort de « se corriger » ils seront réhabilités dans un délai raisonnable. Au début, dans l'ambiance surchauffée, étant donné qu'on n'est pas seul à être montré du doigt, personne n'est encore accablé par le sentiment de la honte. On se prête presque avec entrain à cette sorte d'excitation collective. Il arrive même qu'on use de l'humour. Tel sculpteur n'affirme-t-il pas qu'on a raison de le classer droitiste ; il comprend maintenant pourquoi dans la statue qu'il est en train de faire, il a raté le côté gauche. Sur le moment, beaucoup ne mesurent pas les conséquences de porter l'étiquette de droitiste. Il s'avère peu après que, pour « se corriger », il ne suffit pas d'une série d'autocritiques bien senties ; il faut passer par une période de rééducation dans un camp de travail, situé souvent dans une région éloignée. En outre, le « classé », partout où il va, est en butte aux mauvais traitements et vexations de la part de l'administration. Il flotte autour de lui une odeur d'infamie qui rejaillit sur tous les membres de sa famille et éloigne de lui amis et relations. Si au bout d'un certain temps on enlève l'étiquette de droitiste à ceux dont le cas n'est pas jugé trop grave, le fait d'avoir été étiqueté est inscrit sur des fiches et colle à eux comme une marque indélébile. Le cas échéant, leur faute pourrait leur être rappelée lors de campagnes ultérieures.

Tenu d'assister à tout, je ne suis pas directement concerné par la présente campagne. Je viens d'arriver, ne connaissant personne encore, inconnu de tous aussi, on ne dispose pas de motifs pour m'impliquer, même si le fait d'avoir séjourné en Occident pourrait constituer une faute. Tous les autres, les yeux rougis, les traits tirés, ont la tête à ce point vidée qu'ils ne pensent plus à rien, ni même n'osent penser à quelque chose, de peur de se trahir. Chacun ne se préoccupe que de faire face aux agressions immédiates. Je suis presque le seul à regarder de temps à autre le monde extérieur. Certains matins, je me paie le luxe de contempler le paysage qui, en cette saison, est au comble de son épanouissement. Le lac au pied des collines, voilé par une brume éthérée, étale sa présence invisible et exhale la senteur nostalgique de l'infini. La digue, au milieu, trace un trait discret comme à l'encre sèche. On devine aussi la silhouette d'une barque qui se fait oublier dans le lointain souvenir de la Chine éternelle. Au cœur de ce tableau à l'horizontale, une seule silhouette minuscule se distingue par sa verticalité. Je descends le sentier dans sa direction. A mesure que je m'en approche et que le bruit de mes pas se fait entendre, la silhouette se met à bouger et vient à ma rencontre. Il s'agit de quelqu'un de l'école que je ne connais pas personnellement. En me croisant, l'autre, furtivement, s'essuie le coin de l'œil. Il se reprend aussitôt, et par crainte d'être dénoncé, dit : « Cette brume fraîche me pique les yeux. »

5

A l'issue de cette période d'agitation, l'école des Beaux-Arts, amputée d'une part de ses effectifs partis en camp, essaie de reprendre ses activités. Le vent froid ayant soufflé sur le pays, une sorte d'autocensure s'installe dans les esprits. Les programmes d'enseignement subissent, de ce fait, des restrictions notables. Pour ce qui concerne l'art occidental, on n'étudie plus que les peintres dont les thèmes paraissent « sûrs », qui ont un contenu social : Le Nain, Millet, Delacroix pour avoir traité d'un rare sujet révolutionnaire, Courbet pour avoir participé à la Commune de Paris... A côté de la pratique de la peinture chinoise traditionnelle, on reprend également la peinture à l'huile. En dehors des cours, il est permis d'aller peindre sur le motif ; il importe seulement que dans un tableau de paysage on insère la présence de travailleurs en pleine activité. Mes élèves et moi, invariablement, nous allons du côté des champs de thé qui couvrent les collines autour de Hangzhou. J'y retrouve cette senteur qui embaume l'air et qui m'était si familière lorsque je vivais avec mes parents au pied du mont Lu.

Dessinant debout à la lisière d'un champ, je remarque parmi les nombreuses cueilleuses une vieille femme, qui porte un chapeau de paille comme les autres et qui, comme les autres aussi, cueille les feuilles minuscules, mais avec des gestes bien plus lents et bien plus maladroits. Lorsque, au bout de sa rangée, elle est près de moi, je tente de lui parler sans me faire remarquer de la surveillante. En Chine, forcé par les circonstances, on apprend vite l'art du ventriloque qui consiste à prononcer des mots sans remuer les lèvres.

« Le travail est dur. On aimerait vous aider.

— Vous ne le pouvez pas. Ici, chacun doit faire ce qu'il a à faire. »

Puis elle s'engage dans une autre rangée et s'éloigne. Mais chaque fois qu'elle revient, le dialogue reprend :

« Quand on boit du thé, ce fameux thé *longjing*, on n'imagine pas le travail que cela demande.

— C'est comme les champs de vigne en France. C'est beau à voir ; mais pendant les vendanges, quel labeur !

— Vous avez été en France ?

— Oui, dans les années vingt.

— Moi, je suis revenu de France l'année dernière.

— Quelle idée ! semble dire la vieille femme.

— Qui êtes-vous ?

— Mon nom est C. »

A ce nom, j'ai un pincement au cœur. Je connais son nom pour avoir lu jadis certains de ses textes en prose et quelques-unes de ses traductions. Je sais qu'elle est allée plus tard à Yan'an pour rejoindre les rangs des révolutionnaires, tout en gardant son indépendance d'esprit. Il n'y a pas longtemps, elle a osé formuler des critiques à l'égard du Parti ; elle a donc été condamnée elle aussi, sans doute même avant la campagne contre les droitistes.

« Vous ressemblez à ma mère. » La femme ne

répond pas, demeurant un instant dans un silence ému, puis ajoute :

« Je suis la mère de ceux qui me témoignent de l'affection. Mais par les temps qui courent, il y en a peu. J'ai une fille. A cause de moi, elle a été mutée loin, à l'autre bout de la Chine. Là où je vais, quand on apprend mon statut, les visages se ferment comme si j'étais pestiférée. Pendant un temps, on m'a donné comme logement une pièce sans lumière, tout près des latrines communes. Même à l'hôpital, je dois attendre la consultation après tout le monde. Par faveur, on a fini par me donner un travail dans une bibliothèque poussiéreuse où je remplissais des fiches. Mon asthme s'est aggravé ; on a accepté que je fasse un travail en plein air ; me voilà. J'ai plutôt de la chance. D'autres, même âgés comme moi, sont envoyés dans des camps. Ici, au moins, je peux boire du *longjing*, un thé que j'ai toujours aimé ! » Cette dernière phrase est accompagnée d'un sourire malicieux.

Au cours de l'automne 1958, je revois plusieurs fois encore Mme C. de façon intermittente. Ses absences, dues à sa maladie, se multiplient. Un jour, à la fin septembre, sans donner de nouvelles, elle ne revient plus et ne laisse pas d'autre trace que celle qui figure au centre d'un tableau que j'ai peint : frêle figure dressée au milieu des plants de thé, coiffée d'un chapeau de paille mal tressée, à l'image d'un arbre élagué à la hache, dont il ne reste que quelques bouts de branches effeuillées.

Avant la fin de l'année, quelques enseignants et étudiants des Beaux-Arts qui ont été envoyés en camp sont autorisés à rentrer. Certains reviennent du Grand Nord, la Sibérie chinoise. Le récit de leur séjour là-bas est centré sur l'incroyable dureté des conditions de vie, dues au froid bien entendu, et également au manque d'installations les plus indispensables. Ces hommes, du doux climat de Hangzhou, ont été brutalement jetés dans un labeur de pionniers, chargés de défricher une région que les habitants des provinces voisines, fuyant la famine, n'avaient jamais osé aborder. Les rares êtres qui y survivaient étaient des chasseurs. Immenses étendues de marécages recouverts de hautes herbes, quelquefois vénéneuses, et balayées dès la mi-automne par le vent glacial qui souffle depuis la Sibérie. En hiver, il n'est pas question de mettre le nez dehors ; sur la plaine cristallisée par la neige, les vêtements se durcissent jusqu'à se transformer en acier et l'haleine se fige en glace. Pourtant ils y sont obligés. Un des enseignants a eu un petit bout de lèvre arrachée pour avoir commis une double imprudence : celle de souffler sur sa scie en sorte que sa lèvre est restée collée à l'outil et celle de vouloir l'en détacher de force. Tous, mal préparés, ont eu les mains et les pieds abîmés par des engelures.

En revanche, lorsque arrive le printemps tardif, on passe du froid extrême à une chaleur inhabituelle, et l'explosion de la nature contraste avec l'affreuse monotonie du paysage d'hiver. Des plantes sauvages, souvent des espèces rares aux couleurs éclatantes, poussent partout ; et les animaux sortant de leur hibernation déploient l'éventail des variétés naturelles : oies sauvages, cygnes blancs, canards mandarins, cerfs, sangliers, loups, pour le plus grand bonheur des chasseurs. A propos des loups, un des enseignants évoque un ancien du camp devenu une figure un peu légendaire pour avoir maîtrisé un loup qui l'attaquait. C'était au retour d'un travail de défrichement. Il marchait sur un sentier derrière les autres, traînant une bêche avec un long manche. Soudain il sentit l'haleine d'un fauve derrière sa nuque. Il eut la présence d'esprit de ne pas se retourner, car il aurait eu la gorge déchiquetée. D'un mouvement d'épaule énergique, il réussit à rejeter l'animal par terre et, se retournant, d'un coup de bêche il assomma la bête qui poussa un hurlement avant d'être maîtrisée par les autres compagnons accourus. Comme son nom est Haolang, « l'Homme à l'esprit vaste », on l'a, par un jeu d'homophonie, transformé en Haolang, « le Loup hurlant ».

« Vous dites Haolang ? Haolang le poète, demandai-je.

— C'est bien ça, le poète. Il a été envoyé dans le Grand Nord avant tout le monde et il est dans un des camps les plus sévères.

— Haolang, le poète. Mais c'est impossible, il est mort dans un camp du sud de la Chine !

— On a dit, en effet, qu'il avait été donné pour mort lors d'une épidémie dans un camp du Sud. Après, il a été transféré au Nord. »

6

Quelle fatalité ! Quelle absurdité ! Quelle est cette réalité capable d'engendrer des situations aussi cruelles qu'inattendues ? Je suis revenu en Chine à cause de la mort de Haolang et de la survivance de Yumei. Voici Haolang vivant et Yumei morte. Morte pour rien.

L'Ami vivant, je ne peux envisager ma propre disparition dans l'immédiat. Tant que je resterai en vie, en cette vie, je n'aurai qu'un but : le rejoindre. Le rejoindre ? De là où je suis, enlisé dans ce coin de la Chine du Sud, aussi solidement vissé qu'un écrou à une grosse machine, je dois trouver un moyen forcément dérisoire pour traverser le continent et atteindre son extrême limite. Cette idée insolite pourrait-elle être autre chose qu'une chimère ? Pourtant, cette chimère est désormais la seule réalité qui me reste.

Quand je retrouve un peu de calme, je réfléchis et le rêve fou que je caresse me paraît moins irréalisable. Mieux : je suis quasi convaincu d'arriver un jour ou l'autre à mes fins. Pareil aux autres, je commence à saisir certains fonctionnements particuliers de notre vie collective qui sont devenus maintenant des processus habituels ; qui, ne découlant probablement pas d'une volonté globale, n'en constituent pas moins des faits irréfutables ; que tous, n'y pouvant rien, acceptent comme des lois naturelles. Oui, les faits sont là, qu'on pourrait en quelque sorte réduire à un proverbe : « Le bonheur sépare ; le malheur réunit. »

Chose courante, dans une même unité de travail, les jeunes amoureux sont en butte à de sévères critiques pour leur sentimentalité « petite-bourgeoise » et pour leur manque de dévouement au travail ; les couples mariés se voient nommer à deux endroits différents. En revanche, personne ne s'étonne de se trouver un beau matin « dans le même pétrin » que d'autres de son espèce, lorsqu'une campagne se déclenche. Des lieux privilégiés sont prévus pour les regrouper : les places publiques où se déroulent d'interminables séances de critiques et d'autocritiques, la campagne pour les longs séjours de labeur, les camps de rééducation, etc. Que le Grand Nord soit devenu la région par excellence du rassemblement des bannis, j'en viens à m'en féliciter. En tout état de cause, ma résolution est prise : j'irai là-bas. Il me faut seulement m'armer de patience et ne négliger aucune circonstance propice.

Cette certitude ne m'épargne pas pour autant l'angoisse. Chaque semaine, chaque mois qui passe me paraît du temps perdu, interminable.

En 1959, j'ai l'impression, cette fois-ci, que le destin me fait un clin d'œil, qu'il me donne rendez-vous. Le Chef a fait lancer par le Parti une campagne de moindre envergure, afin de nettoyer les « résidus » repérés pendant et après la précédente campagne. Cette fois-ci le mouvement est dirigé « contre les opportunistes de tendance droitière ». Je m'entends aussitôt crier au destin : « A nous deux !... Opportuniste ? Mais je le suis de plein droit ! Ne suis-je pas justement celui qui attend une opportunité ? »

Prenant mon courage à deux mains, rendu inconscient par un trop-plein de désespoir, je me lance tête
baissée dans l'action. Je n'ai guère le temps de réfléchir, craignant de rater cette occasion qui pourrait être
unique. Je me démasque dans la campagne avec tant
d'énergie que je force l'admiration silencieuse de mes
collègues et étudiants. Moi, d'ordinaire discret et
effacé, je ne sais quelle audace me pousse à avancer
l'idée qu'il y a du bon dans la peinture occidentale et
que la grande tradition de celle-ci est incarnée par les
peintres de la Renaissance, par ceux de l'Âge classique et même par quelques grandes figures
modernes. Les effets ne se font pas attendre. Devenu
du jour au lendemain une « figure de proue », j'ai
l'honneur des *dazibao* et d'interminables séances de
critiques et d'autocritiques. Lors de celles-ci, par tactique, je reconnais graduellement que je me suis four-
voyé et je finis par accepter la désapprobation
indignée de tous. Ce serait contraire à la vérité que
d'affirmer que durant tout ce temps je ne suis pas
tenaillé par l'angoisse. Mais au fond de moi, une paix
tenace, pour ne pas dire cynique, m'habite. Je ne suis
pas loin d'être happé, au beau milieu des discussions,
par une espèce de joie subite, celle de pouvoir me
jouer au moins une fois de ces forces adverses qui
s'acharnent sans répit sur chacun de nous.

Comme je m'y attendais, je suis condamné. Afin
de montrer ma volonté sincère de me rééduquer, je
demande moi-même à être envoyé dans la région la
plus éloignée, c'est-à-dire le Grand Nord. Pour le
coup, j'ai droit à l'appréciation favorable des autorités. Ce fait est même noté sur ma fiche comme un
bon point.

Tout s'est donc passé à peu près comme prévu.
Je ne m'en étonne pas outre mesure ; je connais le
mécanisme des campagnes, d'une simplicité décon-

certante. Autre chose cependant est de se trouver un jour dans le train qui conduit vers le Grand Nord, ce long train sinistre qui roule jour et nuit, véritable tunnel ambulant ne devant aboutir nulle part ; on se marche les uns sur les autres dans le couloir, on se soulage entre les wagons. La réalité, dure, inéluctable, m'empoigne de ses mains d'acier, devient un brusque cauchemar. Oui, cauchemar. Car, dans le même temps, tout paraît irréel jusqu'à l'absurde. De longues heures durant, je me torture l'esprit en me demandant si je n'ai pas échafaudé l'enchaînement des faits dans mon seul cerveau.

Je me découvre là, pris dans les grincements cadencés, fouetté par l'air empli de sifflements et de charbon ; parmi des compagnons d'infortune, personnes plus ou moins âgées venant de partout, dont les efforts pour garder un air « positif » devant les cadres dissimulent mal le désarroi et l'abattement, à côté de nombreux jeunes agités et bruyants. Ceux-ci sont censés être « volontaires » — je ne peux m'empêcher de rire en moi-même : en fait de volontaire, je suis le seul véritable — pour aller exploiter les régions lointaines de la patrie. Sans cesse exaltés par les chefs de groupe, ils entonnent à tue-tête des chants édifiants, ponctués de slogans qu'ils lancent à l'unisson. Ils finissent par s'épuiser et somnolent en désordre sur les bancs de bois, à l'image du train qui à mesure qu'il pénètre dans les régions du Nord-Est roule au ralenti, ou s'arrête carrément durant des heures en rase campagne. On dirait qu'il partage l'appréhension des hommes pour aborder sa destination finale.

7

Le train finit par atteindre le terminus, à bout de souffle : une gare noyée au milieu d'un chantier sans limites, envahi de grues, de matériel et de constructions bâties à la va-vite ; plus loin de gigantesques hangars abritent tracteurs, caisses, boîtes empilées jusqu'au plafond. Autour des hangars stationnent des véhicules de toutes sortes. C'est là que viennent se ravitailler les villes et les camps dispersés dans toute la région.

Les nouveaux arrivants sont regroupés dans de vieux camions. En file indienne, ceux-ci roulent sur une large route de terre en direction d'un bourg, sorte de centre à partir duquel partent d'autres routes qui mènent plus loin encore vers divers camps de travail.

Beidahuang ! Ce nom sinistre résonne dans l'oreille comme synonyme de la nature implacable, de l'exil sans retour et du défi au destin. Voilà qu'il déroule sa nudité rebutante devant les arrivants. Immensité désolée dont la démesure est écrasante. Marécages sans fin aux limons noirâtres, entourés de hautes herbes impénétrables. Rompant la monotonie, se détachent de temps à autre des terrains plus élevés et sombrement boisés. Plus loin, à perte de vue, d'autres terres arables, tourmentées, s'étirent jusqu'à l'horizon où se dressent les remparts de montagnes rongées de lèpres blanches. Cette surface géographique, unie et discordante, évoque des fauves sans nombre déchiquetés par quelque cataclysme et qui étalent sans vergogne leurs chairs pourries et leurs peaux en lambeaux sous un ciel aveugle. Au milieu de cette nature inviolée surgissent de loin en loin, passablement incongrus, des champs labourés. On devine sans peine tous les sacrifices infligés aux pionniers, tout le travail accompli par eux. Eux, les soldats convertis en civils, les prisonniers politiques, les condamnés de droit commun, envoyés là en masse : l'État, par ses campagnes successives et par sa politique de déportation, puise et renouvelle sans cesse des ressources humaines.

Le camion poussif cahote sur la route de terre, grince de toutes ses ferrailles. A part les jeunes, aucun passager ne dit mot ; chacun jauge en silence l'inconnu selon sa propre capacité de résistance. Apparaît enfin le camp : un amas de logis et de bâtisses visiblement construits à la hâte. C'est donc ici l'un de ces points au cœur de la désolation à partir desquels certains entendent dicter leurs lois à la nature et aux autres. C'est ici que chaque déporté doit tenter de survivre.

Dans quelles conditions ? En fournissant quel travail ? Questions capitales pour ces hommes arrachés brutalement à leur foyer, et affectés là pour une durée qui se mesurera non en jours ni en mois, mais en années interminables. « Ce qu'on a maintenant, c'est le luxe ! » se plaisent à répéter les plus anciens. Ces derniers, il y a quelques années seulement, ont connu — toujours selon leurs dires — une vie pire que celle des hommes des cavernes. Nos ancêtres préhistoriques avaient au moins le choix de leurs lieux d'habitation, plus cléments, plus à l'abri. Eux, les bagnards modernes, ont été lâchés au beau milieu des herbes sauvages infestées d'insectes et de pestilence, dans cette contrée glaciale en hiver, tout au nord du Grand Nord, désertée par les humains, que hantent seules des bêtes sauvages.

Dans quelles conditions ? En fournissant quel travail ? Les camps, dirigés à tous les échelons par des militaires, que secondent les commissaires politiques, sont organisés sur le modèle de l'armée, avec à la base des brigades de production, situées à moyenne distance les unes des autres. Ces brigades sont réunies en unités divisionnaires, lesquelles forment ensemble la grande ferme collective, sous l'autorité d'un commandant. Dans tout le Grand Nord, on compte, vers les années 1955-1956, une dizaine de grandes fermes qui totalisent plus de cent mille personnes. Pour être exact, la plupart ne sauraient être qualifiées de camps. Elles sont occupées par d'anciens militaires, soldats ou sous-officiers, qui ont été transférés par unités entières, établis là pour le restant de leurs jours. Comme les autres paysans de Chine, ils vivent en collectivité, avec leurs foyers installés dans des villages. Il existe toutefois d'autres unités de production qui sont à proprement parler des camps de travail. Car dès le début des années cinquante, bien avant la constitution de ces grandes fermes, d'autres fermes d'État, peu nombreuses et bien plus rudimentaires, fonctionnaient déjà. On utilisait pour les travaux les plus durs les cadres en « rééducation » et les prisonniers soumis à la « réforme par le travail ». Tous ces cadres et prisonniers, qui relevaient à l'origine du ministère de la Sécurité, sont à présent sous l'autorité des militaires : répartis dans différentes unités divisionnaires, ils forment les camps spéciaux. Ceux-ci, bien entendu, ont été grossis par la suite d'autres politiques ou droits-communs. Dans ces camps-là, où les hommes et les femmes sont séparés, à côté de la hiérarchie officielle s'établissent d'autres prééminences — celles des militaires sur les civils, des anciens sur les nouveaux, des manuels sur les intellectuels, etc. —, que chacun est tenu de respecter sous peine de brimades. Aux intellectuels généralement malingres et maladroits, les militaires ne manquent pas une occasion de rappeler toutes les épreuves qu'ils ont subies lors des guerres successives ; d'affirmer qu'on a tout lieu d'être heureux de vivre, grâce à leurs luttes, dans un monde de paix, assuré qu'on est du riz quotidien. Ces hommes frustes parlent à voix claironnante, mangent avec appétit des plats « réservés », dorment à poings fermés dans des lits chauds, ne s'embarrassent d'aucun tourment sentimental ni métaphysique, sûrs de leurs droits, usent de leurs privilèges pour jouer avec les destins de ceux qui passent sous leurs ordres — certains distribuent des faveurs pour abuser en cachette, ou au vu de tous, des faiblesses féminines ; ils sont convaincus qu'un peu d'effort physique et de discipline fera du bien à tous ces manieurs de pinceau qui cherchent toujours le compliqué et le tordu au lieu de penser simple et droit.

Les manieurs de pinceau transformés en manieurs de pioche sont logés dans des dortoirs de construction rudimentaire, combinaison de bois brut et d'herbes lattées, consolidée çà et là par des parpaings de terre. Subissant sans relâche les intempéries, à peine bâtis ils prennent déjà un aspect délabré. A l'intérieur, on en sent davantage la fragilité. Les murs et les toits ne sont nullement imperméables aux vents puissants et aux grosses pluies ; le sol, mal aplani, suinte constamment l'humidité et le froid. Le long des murs, des *kang* [1] ont été construits à même le sol. Sur chacun d'eux dorment chaque soir, en rangs, des dizaines de personnes. Rien n'a été prévu pour les effets personnels : réduits au minimum, ils s'entassent dans les

---

1. Lits en terre qu'on peut chauffer par en dessous.

coins ; la discipline quotidienne ne parvient pas à effacer l'impression de désordre et de saleté ; sans place fixe, traînent par terre des cuvettes individuelles, qui servent à l'occasion de pots de chambre ou de casseroles pour chauffer la nourriture ; au milieu, autour du poêle s'étalent pêle-mêle pantalons trempés d'eau et de sueur, chaussettes et chaussures recouvertes de boue.

A l'exception de certains jours de plein été, il n'est pas donné à chacun d'être propre. On se lave toujours à la sauvette, à l'eau froide, qu'on prend à même le bac qui se trouve dans la pièce de derrière, au sol mouillé. Cette eau tirée du puits est transportée là par seau ; on en connaît le prix, surtout en plein hiver, lorsque le portage se fait dans la bourrasque qui fige sur place. Devenus bêtes de somme, on a vite fait de s'habituer à la saleté ; on accepte la crasse qui colle à la peau comme la gale, qui attire les puces et alimente les poux. A côté de la crasse, il est un avilissement autrement plus dur à supporter : avoir à courber l'échine devant la bêtise des chefs, à effacer tout trait personnel, comme si l'on était né de la poussière, sans passé, sans désir, dépourvu de tout lien affectif et de la nécessité, en somme, de porter un nom ou un visage. Aucun moment privé, aucun endroit privé — sauf la nuit en rêve. Mais la nuit venue, la sombre lampe à pétrole une fois éteinte, l'épuisement jette chacun sur le *kang*, au milieu d'autres corps vidés, au milieu d'autres souches mortes.

L'amélioration du logement et des conditions matérielles n'est pas prioritaire : les travaux de construction sont réservés à la période hivernale, effectués avec lenteur et héroïsme. L'eau courante et les lits en planches seront pour plus tard. En attendant, il y a bien d'autres tâches auxquelles il faut faire face.

8

A l'exception de certains moments de repos, selon les périodes, il y a effectivement du travail tout le temps, et tout travail est considéré comme « urgent ». Il faut atteindre les chiffres de production prévus ; il faut les dépasser pour être « bien vu d'en haut ». Ordres et slogans donnés par les chefs comportent invariablement le qualificatif *qiang*[1]. Les actions sont-elles toujours justifiées, adéquates ? Maints barrages construits, maints terrains défrichés, sans étude préalable, sans plan préétabli, imposés par la seule volonté des chefs ignorants, se sont révélés inutiles ou inutilisables. Cela au prix d'efforts surhumains, de vies sacrifiées : certains, morts de fatigue, tombés et enfouis dans les herbes, sont fauchés par des tracteurs ; d'autres sont déchiquetés par des explosifs mal préparés. On ne compte plus les hommes au visage défiguré, aux mains et aux pieds atrophiés par le froid, les femmes assaillies de maux pour être restées trop longtemps dans l'eau glacée pendant leurs règles.

Comme les conditions naturelles sont extrêmes, le travail revêt toujours un caractère brutal et excessif.

---

1. « Course contre la montre » ; « action de sauvetage ».

Au Grand Nord, le printemps n'est le plus souvent qu'un hiver prolongé. On laboure la terre et on effectue les semailles sous un vent qui lacère le visage et le corps, de longues semaines durant, dans des champs de blé, de soja ou de maïs si vastes qu'on n'en voit pas le bout. A mains nues, les doigts couverts d'engelures — vestiges de l'hiver —, on fend le sol pétrifié par le gel à coups de pioche et de bêche, avant de laisser le passage aux charrues tirées par des bœufs ou des tracteurs. Tout en grignotant des *mantou* qu'on a pris soin auparavant de serrer dans sa veste pour les ramollir un peu, sans s'arrêter un instant, on manie ensuite, au rythme du semoir, de gros sacs de grains, à la toile tranchante comme de la tôle brute, tant elle a été durcie par le froid. Ce rythme du semoir, fracassant, impérieux, annonce celui de l'année qui commence. Après le véritable dégel, on se lance dans le défrichage d'autres terres plus sauvages, plus rebelles ; on brûle herbes et ronces, on extirpe à la force des bras de grosses racines coriaces qui empêchent l'avancée des tracteurs. On comble les terrains marécageux de sable, on les transforme en rizières. Puis l'été est là, avec sa chaleur aussi subite que brutale. S'impose alors le travail de binage et de sarclage. On suit pas à pas d'interminables sillons, ou des levées appelées *long*, dont la longueur peut atteindre plusieurs *li*, la tête et le torse noirs de moustiques et de *xiaoyao*, remuant la terre, enlevant l'ivraie, évitant soigneusement de porter atteinte aux plants Gare à celui qui a le geste lent, maladroit. Il avance de plus en plus péniblement, sans cesse hélé par le chef de l'équipe : « avance, avance, mais surtout n'abîme rien ! sinon... ». Abîmé, on l'est. Faute de pouvoir reprendre le souffle et de boire un bon coup, on a le dos scié et les jambes tétanisées ; on se sent un minable insecte qu'on a écrasé et laissé là, par mégarde.

Avant l'arrivée de l'automne, une hantise : la pluie. Si par malheur elle est là, c'est le drame. A la mine pleurnicharde du ciel répond la grimace des hommes. Une pluie incessante, poisseuse, qui transforme tout en boue. Comme les machines ne peuvent plus descendre dans les champs, chacun sait ce qui l'attend : plus d'un mois de bagne dans l'enfer noir et vert. Depuis trois ou quatre heures du matin jusqu'à huit heures du soir, on travaille les pieds et les jambes enfoncés dans la sombre glaise. Le corps détrempé, une faucille à la main, on courbe l'échine très bas et on accomplit plusieurs dizaines de milliers de fois par jour les mêmes gestes. Saisir des tiges de blé par brassées, couper au ras des racines d'un coup brutal, les arracher et les poser de côté en rangs. Lorsque enfin ce travail harassant prend fin, la troupe, minée par l'humidité et par la crasse, diminuée de ses malades et de ses accidentés, peut-elle espérer un répit ? Non. Entre la fin des pluies et l'arrivée du froid, le délai est bref. Il faut, lorsqu'arrive le moment propice, sans attendre un jour de plus, sans interruption de nuit, battre et vanner le blé dans la grande cour, le mettre en sac, le transporter dans les granges. De fait, dès la mi-octobre, l'hiver étend déjà un épais linceul sur les montagnes et les plaines, impatient de vérifier que son redoutable instrument, le froid, n'a pas perdu de son efficacité. Il en use à plaisir, abaissant la température chaque jour davantage, poussant toujours plus loin les limites de sa puissance. Selon ses caprices, il déclenche bourrasques ou tempêtes qui font tourbillonner ciel et terre, hurler les loups en perdition.

Pour voir à quel point les vivants sont soumis à

son impitoyable loi, il n'est que de jeter un regard sur l'immensité scellée ; aucun, en effet, n'y est plus visible. Aucun, sinon de téméraires forçats qui, la tête casquée rentrée dans les épaules, sous de multiples couches de vestes usées qu'ils serrent avec des ficelles ou des cordes, tentent de se frayer un passage au travers des congères. Car c'est le moment de l'année que les chefs choisissent pour appliquer une autre loi, aussi impitoyable, celle de la rentabilité. Il n'y a plus d'autre travail « urgent », aussi peuvent-ils, sans scrupule, consacrer la main-d'œuvre à des tâches dont la réalisation a été différée : construction de routes, d'habitations, creusement de canaux, de réservoirs, etc. Peut-on travailler lorsqu'il gèle à pierre fendre ?

A pierre fendre ? L'expression est impropre. La vérité est que, à plus de quarante degrés sous zéro, pierre et glace forment une pièce unique, d'une dureté de béton. Tout le Grand Nord « fait bloc », pour ainsi dire, contre l'effort humain. Sur le vaste chantier, à chaque travailleur transformé jusqu'aux os en bonhomme de neige est assigné un espace ; à lui de percer le bloc. Avec un pic d'acier, il frappe de toute sa force la surface glacée. La pointe de son pic n'y laisse aucune trace, pas plus que n'en laisse un coup d'aiguille sur un diamant. Il frappe encore. Le pic, rebondissant, ébranle ses mains et ses bras, fait craqueler sa peau gelée en fines veinures de sang. Il n'en continue pas moins ; sa douloureuse énergie rapidement se vide. Abandonner la partie ? Il n'en a pas le droit. Ni vraiment le désir. Se dépensant, même en pure perte, il a au moins chaud. En ce lieu où toute chair exposée est hachurée par le blizzard sibérien plus tranchant qu'un poignard, où la neige tourbillonnante fige tout sur son passage, s'il arrête de bouger, il sait que la sueur de son corps se transformera en glace sous sa veste. Il sera livré à la congestion pulmonaire, ou à la mort. Certes, s'il en a le courage, il peut se traîner jusqu'au centre du chantier où un feu est allumé. S'y chauffant, il connaîtra ce que le dicton qui court au Grand Nord décrit bien : « La poitrine, un charbon brûlant ; le dos, un bloc de glace. » Il ne s'y résout pas encore, et il persiste à frapper. Plus intelligemment cette fois. Il concentre la pointe de son pic sur un même point. Au bout d'une trentaine de coups, une trace apparaît. Une faille infime gagne le bloc qui jusque-là le narguait. Puis, une fente. Et la glace est rompue. Maintenant, au tour de la pierre qui est dessous de subir ses assauts. Commence une longue journée de travail, infiniment plus meurtrissante que ce qu'il vient d'accomplir. Mais il a la satisfaction que sa main n'a pas saigné pour rien ; que tout de même son sang a vaincu.

9

Pour l'heure, il faut essayer de durer, de survivre au milieu de personnes condamnées au même sort et qu'on ne connaît pas. Lors des grandes campagnes, les condamnés étaient envoyés au camp par groupes entiers. On se retrouvait plus ou moins entre gens de même secteur. Cette fois-ci la campagne est une sorte de traîne-queue de la précédente : son but est de ramasser les « résidus ». Nous formons un ensemble hétéroclite, venus de partout. Au hasard des répartitions dans les dortoirs, le flot des nouveaux vient grossir les eaux stagnantes des anciens. Mon camp qui était initialement composé d'universitaires et de personnes du monde artistique comporte à présent des éléments épars, inattendus. Durant toute une période de tâtonnements où les anciens et les nouveaux apprennent à se connaître, on ne se parle que pour les besoins de la vie quotidienne ou du travail. On ne dit rien d'essentiel sur soi, pas plus qu'on ne pose de questions à l'autre. Mais il y a la promiscuité : on dort à plusieurs sur le même *kang* ; on partage l'immense latrine, sans cloisonnement entre les trous. Dans la salle d'eau on se bouscule pour accéder à la grande jarre ou au bac, chacun sa cuvette à la main, improvisant un ballet lugubre.

En raison de cette promiscuité, on n'a que trop la sensation de se connaître intimement, par le bruit, par l'odeur, par le toucher. Gargouillements de ventre, pets, hoquets, éternuements, quintes de toux, paroles enfouies échappées d'un cauchemar, odeurs de sueurs mêlées à celles d'urines. Peaux qui se touchent, peaux gluantes, rugueuses ou quelquefois enveloppées de pansements tachés de sang coagulé...

Il y a loin de ces aspects dégradants du corps à la vraie personnalité de chacun que je finis par connaître. Je constate que, par rapport aux camps du *laogai*, « réforme par le travail », qu'on m'a décrits, mon camp à moi et quelques autres alentour qualifiés de *laojiao*, « réforme par l'éducation », sont, si l'on peut dire, relativement moins sévères. En ce sens que dans les premiers, aux prisonniers politiques sont mêlés des droits communs : brutes et délateurs y sont parfois utilisés pour renforcer la « discipline » déjà plus que rigoureuse. Mon camp et les autres du même type, certes, abritent aussi leur inévitable lot d'obsé-quieux et de mouchards. Mais le reste des « cam-pards », je le découvre peu à peu, est composé des meilleurs éléments de la Chine, des êtres souvent injustement condamnés pour ce qui faisait la qualité même de leur personnalité : la droiture, la sincérité. Cela vaut la peine, même en payant le prix le plus fort, de venir dans ce Grand Nord. Une expression française, combien adéquate, me vient à l'esprit : ils sont la « crème » de la société. Pourquoi alors s'ingé-nie-t-on à « écrémer » systématiquement cette meil-leure part du pays et à la mettre à l'écart ? Peut-on vraiment « réformer » ces êtres en les regroupant si longtemps pour un travail aussi dégradant ?

Si, par fait extraordinaire, on se contentait de les condamner à vivre et à travailler ensemble, chacun selon ses dons particuliers, si on les laissait échanger librement entre eux, quelle communauté vivante ils formeraient ! Quel atelier de création ils susciteraient ! Malheur pour ces hommes qui sont d'autant plus exposés aux bourrasques du destin qu'ils sont aspirés par un idéal. Les voici réunis là, chacun pour avoir fait le minimum de ce que lui dictait sa conscience. Ces écrivains et artistes, dont certains sont encore jeunes, trop tôt foudroyés dans leur élan vers la création. Ce fonctionnaire, homme intègre et tranquille, pratiquant la calligraphie et le *tai-chi-chuan*, condamné pour avoir contesté la décision d'un chef de quartier où il habitait. Cet humble bibliothécaire d'université, homme doux et efféminé, trop doux pour ne pas attiser le plaisir persécuteur de ses chefs et de ses pairs : on a cru le voir hocher la tête devant un *dazibao*, alors qu'il avait l'habitude de dodeliner de la tête en lisant. Ce philosophe érudit, rompu à la culture chinoise, mais capable en même temps de parler de Platon et de Kant, condamné pour avoir défendu certaines valeurs de l'idéalisme ; cet historien, spécialiste des miroirs en bronze et des tissus brodés de la Chine ancienne, pour avoir contesté l'idée que les conditions socio-économiques sont les seuls facteurs qui déterminent l'évolution des formes dans ces arts ; cet ingénieur stagiaire et membre du Parti, un grand maigre, pour avoir formulé des critiques à l'égard de la gestion de l'usine où il travaillait. On l'appelle don Quichotte parce que, une fois, il s'était dévoué pour enlever un nid d'abeilles situé sous le toit : il s'était couvert le visage d'un masque de gaze et servi d'une longue tige de bambou, tel le chevalier casqué, armé de sa lance. On sait par ailleurs que sa femme l'a quitté au moment de sa condamnation. A côté de lui : l'inévitable Sancho Pança, cet acteur comique, déporté pour avoir joué une pièce que les autorités ont prise pour une satire contre le régime. Grâce à son optimisme foncier et à son esprit espiègle, qu'il tient du fond du terroir chinois, il apporte un rayon de lumière au camp. Il est le seul capable de clouer le bec aux gardiens par des citations appropriées du Président, ou par ses reparties. S'il ose ainsi leur tenir tête, c'est qu'il est doué d'une santé à toute épreuve ; aussi increvable qu'un buffle, il ne craint pas les tâches dures qu'on lui inflige...

10

Deux hommes se remarquent pour leur effacement. Plus âgés que tous les autres, ils dorment sur un des *kang* situé dans un coin obscur aux places du bout. On comprend assez vite pourquoi, quand on sait ce qu'ils font. A eux échoue la tâche la plus dégradante, celle que tout le monde cherche à éviter : le nettoyage des latrines et l'acheminement d'une certaine quantité d'excréments dans un réservoir pour la fabrication d'engrais. Encore est-ce par faveur qu'on leur confie cette tâche. Il ne s'agit nullement d'un travail harassant, mais au contraire à la mesure de leurs forces physiques. Ils peuvent porter des seaux plus ou moins remplis ; ils peuvent avancer d'un pas plus ou moins rapide, sans qu'une voix implacable les harangue parderrière. La journée est assez longue pour qu'ils accomplissent leur mission quotidienne. Seulement voilà. Du fait de ce privilège, ils sont devenus des « intouchables ». A cause de l'impossibilité de se laver correctement, impossibilité aggravée par leur âge, ils répandent autour d'eux, en permanence, des relents de latrines, ils sont pour ainsi dire « indécrottables ».

Tous les deux, les cheveux grisonnants et le front ridé, offrent toutefois des physionomies contrastées :

l'un renfrogné, comme décidé à le rester ; l'autre, le visage placide, qu'effleure parfois un imperceptible sourire. Qui sont-ils ? Le renfrogné est un économiste, coupable d'un crime de lèse-majesté : il a avancé la théorie d'un système d'économie mixte, où les entreprises d'État seraient en concurrence avec certaines entreprises privées. Il préconisait aussi une politique malthusienne totalement opposée à celle prônée par le Président : « Plus on a de bras, plus on est fort. » Le placide — ou plutôt le résigné — est un « vétéran » du camp. Il faisait partie du premier contingent de prisonniers qu'on avait fait venir du Henan tout au début des années cinquante. Alors que bon nombre de ses compagnons ont disparu, lui, le moins prédisposé à survivre, est resté, non sans avoir payé son prix : la main gauche atrophiée, pratiquement hors d'usage ; un poumon abîmé par un séjour dans les mines qui le fait tousser à longueur d'hiver. Ancienneté, mauvaise santé, bonne conduite sont cause sans doute qu'après maints transferts de prison en camp, il ait échoué dans ce camp au régime plus doux. Sur son passé, il demeure laconique. A quelques rares nouveaux venus qui s'enquièrent encore de son origine, il répond invariablement : « propriétaire terrien ». Et le crime pour lequel il a été condamné ? Nulle autre réponse qu'un pâle sourire. Mais on le sait : il avait, audace suprême, caché chez lui des « contre-révolutionnaires ». Qu'il n'ait pas été fusillé avec eux devait tenir du miracle. Qu'il se trouve ici dans ce camp relève de l'incongru. Mais on s'habitue à lui comme à son odeur. On voit bien que derrière son air un peu lent, un peu candide, pointe un homme passablement cultivé ; il ne « déteint » pas parmi les intellectuels. Comme marque de son « ancienneté », ses vêtements sont rapiécés avec des morceaux de tissu de fortune soigneusement cousus par lui. Ils me rappellent ces voitures que j'ai vues en Europe sur lesquelles leurs propriétaires collent force écussons qui témoignent des voyages qu'ils ont effectués. On l'appelle Lao Ding, « Vieux Ding ». C'est dans l'ordre ; mais là, dirait-on, avec l'approbation unanime. N'est-il pas bon que dans un groupe il y ait un vieux qui ne pèse pas trop, qui ne dérange point ? On lui sait gré de conserver sa discrète dignité. A côté de lui, on se sent jeune et on garde l'espoir de ne pas être trop abîmé au bout.

Est-ce donc pour cela que j'ai dit oui lorsqu'il s'est agi de remplacer l'économiste transporté à l'infirmerie de la division ? N'est-ce pas plutôt que, de ma vie, je suis poussé par ce besoin d'aller vers des personnes bien plus âgées que moi ? Leur fragilité même semble leur conférer un savoir plus solide. A moins que, décidément, je sois habité par une vocation masochiste qui me donne envie, constamment, de faire ce qui me répugne, de toucher le fond. Et ce besoin exténuant — le propre du faible — de chercher des motivations dans le comportement des autres. Quelles sont-elles, celles de Lao Ding ? Pourquoi, parmi les personnes intéressantes que je commence à connaître, lui, le vieux, depuis son coin, me salue-t-il de temps à autre ? « Pourquoi s'intéresse-t-il à moi ? me demandé-je. Pour mon statut de nouveau venu, d'artiste peintre, ou de "revenant de l'étranger" ? » Encore que ce dernier sujet soit tabou. Sauf une fois, dans la salle d'eau, l'homme aux cheveux gris, sans raison apparente, s'est adressé à moi à voix basse : « On est loin de la mer, hein ! Plus loin encore de la Méditerranée... » Ou alors ai-je tout simplement besoin de prendre un peu de recul. Toujours est-il que je me propose d'aller faire les « chiottes », cela au grand soulagement de tous. Huang, le chef de section, qui d'ordinaire, toutes dents dehors, pérore, vocifère, accepte sans un mot de plus, jugeant que de toute façon je ne suis pas un bras efficace pour les gros travaux.

Plusieurs semaines durant, je dois m'initier à faire la « sale besogne » avec, contre la suffocante puanteur, un masque de gaze sur le nez, puis je dois dormir le soir venu, au bout du *kang*, à côté de Lao Ding. A la suite d'une nouvelle organisation du travail, nous rejoignons six autres travailleurs dans un logement à part, en bordure du domaine de la brigade. Sa construction est plus rudimentaire encore. Par temps de tourmente, l'humble édifice n'est plus qu'un esquif ballotté par les assauts du vent. A l'intérieur, au bas des murs, poussent mousses et champignons que ne dédaignent pas les rats. Au plus fort du froid, le chauffage au bois parvient à peine à effacer les plaques de givre dont les murs scintillent. Nous sommes huit à occuper cet espace restreint. À nous la tâche de nous occuper de la porcherie et de prendre part aux travaux dans les potagers dont les larges terrains s'étendent à côté. Moins durs que ceux des champs, ces travaux demeurent éprouvants, à cause de l'étendue des terrains, des soins constants à prodiguer aux produits qui se succèdent de près le long des saisons : concombres, tomates, calebasses, poivrons, haricots, choux, patates, navets et carottes. L'hiver ne procure aucun repos : il faut alors descendre presque journellement dans la ténébreuse froidure des dépôts souterrains pour entretenir les légumes qui y sont conservés. Ce continuel harassement est ponctué, à la belle saison, de plaisirs furtifs, mais intenses, fulgurants, lorsque, en pleine sueur, on s'accorde quelques secondes pour croquer, à même la peau, une tomate, un concombre.

Jouxtant la hutte, un enclos couvert abrite près d'une trentaine de porcs qu'élève la brigade. D'une race dure, certains d'entre eux ont les dents qui ressortent et offrent une gueule passablement féroce. Têtues, grognardes, ces bêtes vautrées dans leur saleté exigent de constants soins. A cause de la saleté même, il faut les brosser, les astiquer, nettoyer leurs litière et mangeoire, ainsi que seaux et bassines destinés à leur usage. Pour qu'elles engraissent toujours plus, il faut varier la nourriture, la réchauffer puis leur apporter. Il faut encore, quand le temps le permet, les promener près du marécage où poussent des herbes qu'elles affectionnent. Et surtout, assister les vétérinaires lors des épidémies ou des naissances ; veiller la nuit entière dans l'intenable froid d'hiver.

A force d'intime commerce avec ces porcs, de leur fournir les nourritures à leur goût, de manipuler ces matières gluantes, visqueuses, à peine moins repoussantes que les excréments et le fumier, et dont le bruit clapotant quand on les verse fait écho aux grognements affamés, on a les mains et les bras imprégnés jusqu'à la moelle de l'écœurante odeur. Au moment où l'on mange soi-même, on ne peut réprimer un haut-le-cœur qui vous étrangle et qui rend impossible le simple acte d'avaler. Cette nausée permanente donne aux porchers une tenace aversion pour toute la race porcine.

Aversion ? On parviendra pourtant à transcender la répugnance, à consentir à ces êtres pleins d'une lourdeur charnelle. Sous la main de l'homme privé de femme, la peau rugueuse de l'animal finira par se faire tendre. Et aux oreilles privées de paroles consolantes, les grognements auront une douceur propre à remuer le cœur. Quelle jouissance pour cet homme de sentir dans ses bras ou entre ses jambes se débattre ces compagnons innocents. Quel déchirement aussi quand l'un d'eux, suffisamment engraissé, sera tiré vers l'autre côté de la cour pour être égorgé. Ses cris furieux ne seront autres que ceux de l'amour trahi.

Automne, pluie incessante. Pour remplacer les machines enlisées dans les champs, plusieurs centaines d'hommes et de femmes, pareils à tant d'autres des autres camps, l'échine courbée, une faucille à la main, s'adonnent à la récolte-sauvetage. A raison de seize à dix-sept heures par jour. Tard le soir, la cantine, emplie de vapeurs de nouilles cuites auxquelles se mêle l'odeur des cheveux mouillés et de la sueur âcre, résonne des voix éraillées de ces hommes et de ces femmes, rompus de fatigue et de douleur. Dans la trouble lumière, je vois s'approcher de moi l'ancien bibliothécaire plus pâle, plus maigre que jamais. Histoire de dire quelque chose, celui-ci me murmure à l'oreille : « Je t'ai vu conduire les porcs à l'étang. Ils sont bien soignés par vous. Ils n'ont pas l'air commode ; mais je sais qu'ils sont bons...

— Ça demande du travail, tu sais.

— Je crois que ça me fera du bien de m'en occuper, même un jour !

— Un jour ou deux, ça doit être possible. Je vais en parler au chef ; je me proposerai de travailler aux champs à ta place. »

L'ancien bibliothécaire n'aura pas l'heur de caresser les porcs, ces animaux si « bons ». Avant que j'aie pu le remplacer, il s'est, en plein champ, affaissé entre les blés, sans un mot. Je n'en ai pas moins été « réquisitionné » pour le travail de la récolte.

11

Le dégoût a beau s'infiltrer dans la peau de chacun, le manque de présences féminines — à l'inverse de ceux qui travaillent aux champs — a beau se faire sentir, personne, pour tout l'or du monde, ne souhaite échanger le travail aux latrines et à la porcherie contre la vie contraignante du grand dortoir. Bien que régulièrement contrôlés et inspectés, ceux qui vivent dans l'annexe en nombre restreint sont soustraits à la discipline militaire qui règne là-bas, surtout durant les longs mois d'hiver où, à l'exception des travaux extérieurs et des réunions politiques à la grande salle, on se retrouve les uns sur les autres, sous la surveillance de plomb des chefs petits et grands. Ici notre logement est plus qu'étroit, puant en été, mal chauffé en hiver, mais nous avons l'impression de faire partie d'un « club privé » où une certaine vie à soi est possible. Quelques-uns des grands dortoirs viennent nous rejoindre chaque fois qu'ils réussissent à échapper à la surveillance. Que de moments partagés, à l'abri de ce lieu aussi démuni que nous-mêmes, moments arrachés lambeau par lambeau à l'absurde ! Devant un petit auditoire l'historien, sans images à l'appui, décrit avec une passion contagieuse miroirs et tissus de l'Antiquité chinoise, leurs formes, leurs coloris, la qualité de leur fabrication, leur découverte et leur aventure liée au destin de telle femme ou à tel événement historique. Jeunes écrivains et poètes lisent leurs œuvres passées ou récemment écrites. Les musiciens donnent des récitals de « musique silencieuse ». A défaut de piano, le pianiste a dessiné sur une longue bande de papier un clavier avec ses touches noires et blanches. Il y exerce ses doigts et joue des morceaux de Schumann, de Chopin ou de Rachmaninov en chantonnant. Le premier moment d'excitation passé, son visage est vite inondé de larmes ; il sait, en regardant ses mains abîmées par tous les travaux de force, qu'il ne sera plus jamais un vrai pianiste. Quelquefois il accompagne le chanteur dans des mélodies qui lui sont familières, *Adélaïde* de Beethoven, *Le Voyageur* et *Le Tilleul* de Schubert, *A ma fiancée* de Schumann... Bien plus poignante qu'une interprétation parfaite, cette bizarre harmonie émanant du fredonnement du pianiste qui accompagne la voix volontairement étouffée du chanteur : sourde mélopée de la désespérance.

C'est dans ces moments où le destin gâché de ces hommes se révèle que Zhang le Muet impose son silence. Aux voix humaines brisées il fait succéder les sons fêlés des bambous. Ces sons qu'il tire d'une espèce de pipeau qu'il possède depuis qu'il est privé de pinceau, dans lequel il souffle de façon aussi ténue que possible. N'étaient l'instrument qu'il a dans sa main et son geste de souffler, aucune oreille n'en serait alertée. Car les sons produits, à peine audibles, relèvent plutôt de la velléité, ou de l'imagination. Pourtant, on entend. Ce qu'on entend se situe par-delà la cloison intérieure-extérieure, vient de très loin, bien plus loin que le vent, que l'ours affamé qui hurle autour des logis. Une brise paisible, effleurant la plage vierge, fait frémir sables et roseaux. D'un moment à l'autre on s'attendrait à voir passer, à l'horizon, une barque sur l'onde invisible... Puis, plus rien. Rien que le long silence, rien qu'un immense cœur qui bat. Zhang le Muet impose son silence à tous ; il nous invite à entrer dans son silence où l'on communie indéfiniment, avec une émotion sans partage. Je connais bien ce collègue de l'école des Beaux-Arts, où il enseignait la peinture traditionnelle. Après la Libération, il a été l'un des rares à peindre selon sa vision propre, refusant d'introduire dans ses tableaux de paysages drapeaux rouges ou grues géantes. De même, dans ses calligraphies, ignorant des sentences édifiantes, il persista à écrire des vers mystiques du type :

Là-dedans ; essence des choses
La cerner ? Déjà hors-parole.

En réalité, ce qui aggrava son cas, ce fut son mutisme. Dans les réunions politiques, en butte à la critique, il demeurait coi, encaissant les injures, acceptant les condamnations sans broncher. Au camp, il continue à justifier son surnom de Muet. Loin d'être un solitaire farouche cependant, c'est un membre fidèle du « club ». Bien calé dans un coin, sans rien dire, il en est devenu l'oreille la plus attentive, ou la plus implacable : un sourire ou un signe de tête approbateur venant de lui n'ont pas de prix pour les autres.

Un jour, arrive à l'improviste le menuisier qui travaille dans le camp et qui vient pour une réparation à la porcherie. Silence gêné et circonspect de la part du petit monde en pleine discussion. L'autre fait mine de ne rien voir. Il se met au travail et il sifflote. Travailler en sifflotant : quel signe d'aisance et de souveraineté ! Privilège réservé à ces artisans libres qui n'ont d'autre souci que de bien faire leur travail. Au bout d'une heure, il vient prendre congé du groupe entassé dans la pièce.

« Vous êtes tous des *zhishi fenzi*[1]. Vous voulez lire des livres ? » demande-t-il tout de go.

« ... » A nouveau silence de tous, passablement stupéfaits de cette question aussi dangereuse qu'incongrue.

« Vous voulez lire des livres, n'est-ce pas ? » Le sourire de l'artisan est avenant.

« Des livres ?... Euh, bien sûr.

— Des livres, j'en ai beaucoup, vous savez. Depuis tant d'années que je suis ici, j'en ai vu des générations de gens qui viennent, qui y vivent un temps et qui s'en vont. Comme j'aime les livres, ceux qui partent me laissent toujours les livres qu'ils ont apportés en cachette. J'en ai toute une bibliothèque maintenant, malheureusement je n'ai pas le temps de lire. Je lis lentement et péniblement, et il y a tout le temps du travail partout...

— Toute une bibliothèque ! Qu'est-ce que vous avez comme livres ?

— Donnez-moi quelques titres. Je vais voir si je les ai. »

Ce premier jour, je me rappelle bien, trois ouvrages ont été proposés pêle-mêle : *La Résurrection* de Tolstoï, la poésie de Du Fu, des nouvelles de Shen Congwen. Personne n'en croit ses yeux lorsque le lendemain le menuisier dépose devant nous d'un geste fier les ouvrages en question.

Depuis lors, grâce à l'apport ininterrompu du menuisier, la petite pièce de l'annexe devient une vraie caverne d'Ali Baba où les membres privilégiés du « club » viennent puiser leurs trésors.

---

1. Intellectuels.

Ce bonheur inespéré, et proprement inimaginable, a duré un temps. Un jour, tout de même, le visiteur le plus redouté se présente à la porte. Toutes dents dehors, fort de son pouvoir, Huang, le chef de notre section, vocifère de sa voix éraillée. Parfois on a pitié de ce bougre tatillon et péremptoire, plutôt moins méchant que d'autres, qui doit sans cesse en rajouter, plus que ses propres chefs n'exigent. « Qu'est-ce que ça veut dire ? On forme des cliques maintenant ? Vous complotez ou quoi ! » Comme personne ne répond, il renchérit : « Eh bien, vous allez voir ce que vous allez voir ! » C'est alors que Sancho Pança, en bon acteur, lance sa réplique : « Comment oserions-nous comploter ? Nous voulons tous devenir des révolutionnaires modèles. C'est pourquoi nous étudions.

— Étudier ? Mais vous êtes là pour travailler !

— Pourtant le Président a dit : "Étudier, encore étudier, toujours étudier."

— Ça par exemple ! Vous oubliez que vous êtes en rééducation !

— Nous voulons justement nous éduquer et nous rééduquer. Nous voulons être à la fois "rouges et experts", comme le recommande le Président. »

C'en est trop. Au comble de l'exaspération, le petit chef ordonne : « Tais-toi, Langue huileuse ! Maintenant, dégagez tous ! Que ça ne recommence plus ! Sinon vous savez ce qui vous attend : la prison ! Allez, je suis gentil ; je ne rapporte pas cette fois-ci. Une petite punition comme avertissement : pas de sieste pour tous pendant quinze jours. Pour toi, Langue huileuse, un mois ! » Sancho s'en est assez bien tiré. Le chef n'est pas allé trop loin, car au fond, il craint d'être accusé de négligence par ses supérieurs. Est-ce vrai ce qu'on murmure tout bas : il a tout ce temps-ci l'esprit ailleurs, cherchant à « mettre la main » sur l'une de la brigade des femmes ? Par ailleurs, il apprécie d'une certaine façon le rôle « positif » joué par l'acteur comique au sein du groupe : il détend l'atmosphère. Quant à la privation de la sieste, cela ne fait ni froid ni chaud à Pança le Robuste. Il s'est toujours ennuyé à ce rituel. Mais de là à trimer en plein soleil à l'heure du repos...

12

Je n'oublie pas un seul instant ce pour quoi je suis venu dans le Grand Nord : retrouver l'Ami. A mesure que le temps passe, je suis paralysé par l'angoisse. Si près de Haolang, je ne l'ai jamais senti aussi loin — hors de ma portée. Je suis pratiquement convaincu que je n'arriverai pas à le revoir. Ce Grand Nord est un continent en soi, un océan parsemé d'îles que sont les camps, isolés les uns des autres. Il n'y a de communication entre eux que par la voie hiérarchique. Certes, je n'ai pas été trop long à déterminer le camp où est Haolang. Celui-ci n'est pas un inconnu au Grand Nord, en tant qu'« ancien », en tant que poète aussi dont certains écrits circulent parmi les jeunes. Par rapport au bourg, le chemin jusqu'à son camp est bien plus long que celui jusqu'au mien : d'après mon estimation, de mon camp au bourg puis du bourg au camp de l'Ami, il doit y avoir près de cent cinquante kilomètres. Une centaine de kilomètres... ce n'est presque rien, comparé à la séparation par la mort, aux océans entre les continents, aux montagnes et aux fleuves entre les vastes provinces de Chine. Mais la distance a beau être courte, le mur entre nous est infranchissable. C'est un mur élevé par les hommes, par les barrières administratives, par la rigueur des surveillances. Chacun de nous vit dans un camp différent. Je sais que je n'ai aucune chance.

A mon angoisse s'ajoute la frayeur. Ma santé qui se délabre me permettra-t-elle de durer jusqu'à ce dénouement inespéré ? Je suis obsédé par l'histoire du naufragé qui, après avoir nagé plusieurs jours et plusieurs nuits, voit enfin au loin le rivage. Mais totalement épuisé, il ne peut plus avancer et les dernières vagues ne rejettent sur la plage que son cadavre.

Plusieurs fois je m'arrange pour faire partie de l'équipe qui se rend au bourg pour le ravitaillement. Je m'attarde le plus possible dans les boutiques et les coopératives, dans l'espoir de rencontrer par hasard l'Ami qui ferait partie, de son côté, d'une équipe semblable.

Perdant presque l'espoir de le revoir, *a fortiori* celui de vivre un temps avec lui, comme j'en avais rêvé avant de venir dans le Grand Nord, je me résigne à l'idée de lui faire parvenir un message. Même pour cela, je ne vois pas quel moyen employer. Peut-être par l'intermédiaire du menuisier ? Par deux fois, je suis sur le point de lui en parler, sans oser franchir le pas.

La vie du camp continue, ne laissant aucun répit pour la réflexion, soumise aux exigences de chaque jour, de chaque heure. Peu avant l'été, une partie des champs de soja est inondée à cause des canaux défectueux qui ont débordé. Pendant que le gros de la main-d'œuvre est mobilisé pour la réparation des canaux, deux de mes compagnons et moi sommes réquisitionnés pour aller aux champs : drainer l'eau, redresser les plants, etc. Les heures passées sous un soleil torride ne sont adoucies que par la présence, assez proche, des femmes. Vêtues légèrement, même de gris et sans attrait aucun, elles exercent en ce lieu de privations un pouvoir d'attraction inouï. Moi qui ai décidément la tête ailleurs, je suis un des rares à ne pas y faire attention.

Un jour, au milieu du champ, levant la tête, à travers la sueur imbibée de moustiques qui me couvre le front et me voile les yeux, je remarque un observateur attentif qui fixe l'image du travail collectif. Non pas un de ces photographes officiels braquant son objectif sur nous — notre aspect n'est guère convaincant pour la propagande ! — mais un jeune homme, un gros cahier à la main en train de dessiner.

« Bien étrange, le destin, me dis-je. En cette vie, les choses se répètent et ne sont jamais les mêmes. A Hangzhou, j'ai dessiné le travail des cueilleuses de thé, parmi lesquelles se trouvait l'écrivain, Mme C. Aujourd'hui, quelqu'un d'autre dessine les damnés en train de trimer, dont je suis. Voilà le peintre croquant devenu croqué ! C'est bien le temps cyclique de nos Anciens. Un cycle se termine ; un autre commence, qui a l'air de suivre le même parcours mais débouche sur autre chose. Sur quoi donc ?... »

Comme avec Mme C., quand j'atteins l'extrémité de la rangée, j'aborde le jeune homme à voix basse :

« Vous êtes peintre ?

— Pas encore. Mais j'aime dessiner.

— Je suis peintre. »

Cette réponse provoque un éclair dans les yeux de mon interlocuteur, lequel, visiblement gêné, semble vouloir s'excuser de ne pas pouvoir m'aider dans mon labeur. Lui, il connaît la règle ici : chacun à sa tâche.

Le dialogue reprend tant bien que mal chaque fois que j'arrive au bout de ma ligne. Il en résulte que le jeune homme, à qui j'ai indiqué le numéro de mon unité, se propose de venir me voir dans mon logis près de la porcherie.

Qui est-il pour circuler ainsi librement dans le camp et hors du camp ?

Dès sa première visite, il est obligé de décliner son identité : il n'est autre que le fils cadet du commandant du camp. Je m'efforce avec patience de corriger ses maladresses de débutant, lui indiquant ce qu'il faut éviter. L'aide que je lui apporte lui semble si précieuse que des liens amicaux finissent par se nouer entre nous. Je suis tenté de le charger de passer un message à l'Ami, tout en appréhendant le risque d'être trahi.

Je m'en ouvre à Lao Ding à qui j'ai depuis longtemps confié mon histoire avec l'Ami et l'Amante. Connaissant déjà le jeune homme pour l'avoir souvent vu dans notre logis commun, il me dit simplement : « Puisque tu m'as fait confiance, pourquoi ne pas faire de même avec lui ? »

Confiance, dans cet univers où ne règnent que méfiance et délation ? Il est pourtant une tradition que je n'oublie pas, celle fondée sur le respect qu'un jeune doit à une personne plus âgée, qu'un disciple doit à son maître, grâce à quoi la société chinoise a tenu malgré tout durant plusieurs milliers d'années. C'est fort de cette conviction que je décide de m'adresser à l'apprenti peintre. Point trop âgé encore, me voici jouant le rôle de l'aîné, passant cet espèce de flambeau de la vérité humaine que j'ai reçu des Anciens à la génération qui vient. La jeune génération aura-t-elle assez de compréhension et de reconnaissance pour que le destin de ses prédécesseurs ne soit pas totalement voué au néant ?

Quand je reçois le fils du commandant la fois suivante, fixant mon regard sur le front lisse de ce dernier, tout tendu vers on ne sait quel idéal, je ressens subitement une palpitation ; j'ai la certitude que je suis sur la voie de la providence : le but que j'ai tant désiré atteindre est à ma portée. Un ange ailé est là, devant moi, au milieu de cette pièce délabrée qui jouxte la porcherie. Mon intuition sera bientôt confirmée par les faits — à moins que, par extraordinaire, ces faits n'aient été provoqués par mon désir même ! A peine ai-je le temps de prononcer le nom de Haolang — nom magique, je le vérifie à cette occasion — que j'entends mon interlocuteur réciter d'une voix chantante : « *Nous avons bu tant de rosées/ En échange de notre sang/ Que la terre cent fois brûlée/ Nous sait bon gré d'être vivants* »...

Étant donné sa position privilégiée, la mission que le messager doit accomplir semble à première vue aisée. Elle ne l'est pas. Il n'y a pas de service de transport régulier entre les camps ; il faut attendre l'occasion d'un voyage en camion. Chaque message à transmettre lui demande une journée pour aller et revenir. Surtout, une fois dans l'autre camp, comment ne pas éveiller l'attention des autres chaque fois qu'il approche de Haolang ? Celui-ci, en dépit de sa réputation, demeure, aussi bien par son statut particulier que par son caractère intraitable, un « clou dans l'œil » de ses chefs.

Maintenant que Haolang a appris que je suis là — et sous quel choc ! —, pour moi l'essentiel est presque fait. La communication par la pensée est rétablie. Je crois en son pouvoir ; je « revois » déjà mon ami. Si entre-temps quelque chose m'arrivait, je disparaîtrais avec moins de regret. Mais tant que le jeune homme est là, je me persuade que je le reverrai un jour en personne. Oui, en personne. Tout comme j'ai l'habitude maintenant de revoir Yumei. Que de nuits où, rayon de lune, elle s'approche de moi à pas de loup — ou de Serpent blanc —, m'inonde de son regard béant. Que de jours où, aux heures creuses, elle est soudain près de moi, tout près, trop près.

Ignorant le désespoir qui me brise, de sa voix enjouée elle me dit sa phrase favorite : « Mais il n'est pas tard ; faisons quelque chose encore ! » Pour sûr, quelque chose reste à faire. Aussi, tenté-je d'imaginer des circonstances possibles pour ma rencontre avec Haolang : lors d'un grand meeting, à l'occasion d'un nouveau mouvement politique ; lors d'une fête de fin d'année, où plusieurs camps ont l'habitude de se réunir pour des spectacles...

13

Mi-mai. Arrive la « chose maudite » dont parlent avec frayeur et résignation les anciens, cette chose qui fait partie de « l'épopée du Grand Nord » : l'incendie. Déjà favorisé par l'environnement naturel avec ses herbes et ses arbres secs à craquer en été, ce fléau est pour une large part le fait des hommes : ignorance de beaucoup, à commencer par les dirigeants, en matière de sécurité, alors que le feu est constamment utilisé dans les installations les plus précaires. Quand la catastrophe a lieu, on ne sait que lancer les hommes mal préparés à l'assaut, au cri de : « Ni peur de la flamme, ni peur de la mort ! »

La nouvelle parvient au camp en fin d'après-midi. Mobilisation générale : excepté ceux qui travaillent à la cuisine, tout le monde au front. Par tous les moyens de transport, en camion, en tracteur, à cheval, à pied, on se dirige vers le lieu du sinistre, à une vingtaine de kilomètres de là. En chemin, on croise d'autres groupes venant d'autres camps, aussi affolés, aussi hirsutes. Dans l'ambiance de crise tragique, les uns et les autres, mine tendue, se contentent d'échanger de brefs gestes ou de se crier les dernières nouvelles. L'incendie, attisé par le vent, menace de brûler toute la récolte alentour.

Les hommes costauds, les « forts à bras » ont été embarqués les premiers sur des véhicules mécaniques. Je fais partie de ceux qui doivent s'y rendre à pied. On en aura pour près de quatre heures, à moins que les camions au retour ne nous cueillent en route. Surmontant son essoufflement, on accélère toujours le pas. Loin encore, on voit les fumées monter de la plaine, annonçant le drame qui se joue là-bas. A mesure qu'on approche, le feu, rosissant les nuages, fait sentir toute la puissance de son empire par sa fracassante chaleur.

Maintenant, il faut courir, sans plus penser à rien, vers le monstre déchaîné. « Ni peur de la flamme, ni peur de la mort ! » On court à travers champs, sans prendre la peine de retrouver les chaussures perdues dans la course. Beaucoup se défont carrément de leur veste, la jettent au bord des champs, ne gardant sur eux que leur maillot de corps, déjà trempé.

Cerné de nuit, le théâtre du drame : par-delà d'immenses champs de millet, toute une étendue d'herbes sauvages, lesquelles rejoignent plus loin une épaisse forêt d'où s'est propagé le feu. Une partie de la bordure des champs a brûlé. Toutefois, entre champs et forêt, traversant les herbes sauvages, un long corridor anti-feu est dégagé. A quel prix ! Au moment de notre arrivée, la tragédie a eu lieu. Creusant le corridor, les hommes ne se sont pas méfiés du vent qui a brusquement tourné. Une dizaine d'entre eux, asphyxiés par la fumée, ont péri carbonisés ; d'autres sont gravement brûlés. A présent, face à l'incendie, plusieurs centaines voire un millier d'hommes combattent sans relâche avec les moyens du bord : balais de fortune, fabriqués avec des herbes et des branches attachées, bêches et pioches de toutes tailles, seaux d'eau passés de main en main. Improvisation et désordre. Quelques chefs, les yeux injectés de sang, courant d'un groupe à l'autre, vocifèrent des ordres à gorge fendue. On les écoute à peine. Le torse couvert de sueur noircie par la suie, leurs maillots en lambeaux, les hommes frappent les flammes avec autant de fureur que de frayeur. La mort de leurs camarades les transforme en bêtes blessées. Ils jurent de ne plus reculer...

Arrogance inouïe des flammes. Méduses géantes échappées de leur gouffre, qui constituent une force aussi monstrueuse que fascinante, dévorant tout sur son passage, car dévorée elle-même par la nécessité d'assouvir l'informulable besoin. Dans leur stratégie de conquête, elles jouent de mille feintes, de menaces paralysantes, d'attaques retorses. Dès qu'une proie est à leur portée, elles commencent par tourner autour, par la charmer, l'ensorceler, la tâter comme en passant, la caresser, puis, sûres et déterminées, elles l'empoignent, l'embrassent jusqu'à étouffer, la lèchent de partout, longuement, lascivement. Quand enfin la victime est mûre, elles la déchirent d'un coup, la broient, l'engloutissent sans pitié aucune.

Contrairement aux incendies en ville, ici, dans la nature sauvage, les pulsions contenues dans les laves originelles, une fois libérées, semblent ne plus avoir de limites ni de fin. Tout l'univers des vivants est précipité dans la folie. Les arbres tordus de douleur et de révolte se fracassent en morceaux, explosent en braises. Les bêtes arrachées à leurs antres, lièvres, chevreuils, sangliers, se sauvent à toutes jambes, faisant des bonds au-dessus de leurs forces, retombant droit dans la flamme. Leurs chairs qui grésillent se noient dans d'assourdissants crépitements jaillis de partout. Quant aux hommes, épuisés, désarticulés, ils continuent de frapper avec rage. Ils ne peuvent plus s'arrêter. Rien ne les arrêtera, ni la brûlure, ni la mort. Pour une fois que liberté leur est donnée de frapper, ils frapperont jusqu'au spasme suprême. Tranchant têtes et queues des hydres et des vipères toujours renaissantes, ils se défoulent de leur colère, de leur chagrin, de la mort des autres et de leur propre mort, jour après jour accumulés.

Dans la gigantesque bataille, j'éprouve la quasi-inutilité de mon action, moi qui suis en seconde ligne, passant des seaux d'eau, matant avec un dérisoire balai les brandons. Mon cerveau, engourdi par la suffocante chaleur, demeure assez lucide pour penser que l'anarchie de cette nuit embrasée me fournit une occasion unique de rencontrer l'Ami. Durant la course, je n'ai cessé de me dire : « La brigade de Haolang doit être là ! » Maintenant, je le sais, elle est là. Et avec elle Haolang est à proximité ! Je me mets en devoir de parcourir les ténèbres que le feu déchiquette. Entre ombres et éclairs, je cherche à fixer le visage des hommes de grande taille qui vont lutter en première ligne. Tâche ardue, tant le regard est aveuglé par la fumée. Et surtout, naïf espoir. Comment repérer un homme particulier au milieu d'une foule aussi agitée ? A supposer même que j'aie Haolang en face de moi, le reconnaîtrais-je seulement ? Je suis resté sur son image de vingt ans ! Je cherche, cherche encore. L'occasion unique...

A mesure que la nuit avance, que les flammes reculent, mon espoir s'évanouit. Soudain, j'ai l'idée d'aller voir du côté du quartier aménagé pour les blessés. Arrivé là, j'apprends que trois de ma brigade comptent parmi les victimes de la première heure, tous évacués. Des trois, celui que je connais le mieux est don Quichotte, qu'on avait placé dans une position très dangereuse. Un certain nombre d'autres brûlés plus ou moins graves sont encore étendus sur des civières posées par terre, prêtes à être évacuées. Certains sont recouverts d'un drap, on n'en voit que la tête. J'inspecte en hâte chaque civière ; défilant les visages, les confondant. Presque au dernier moment, l'un se détache et me saute aux yeux : je reconnais la puissante tête de l'homme du Nord ; son visage et ses cheveux sont marqués par d'importantes brûlures. Il doit en être de même d'autres parties de son corps. Les lèvres serrées, réprimant la douleur, de ses yeux encore rouges de son combat avec le feu, il regarde les gens s'affairer autour de lui, comme avec indifférence. Pour être sûr de ne pas me tromper, j'appelle : « Haolang ! »

Le regard de l'homme se tourne vers moi, me fixe le temps d'un éclair. De sa bouche rien ne sort, mais un sourire semble se dessiner sur sa face tuméfiée. Avant que les brancardiers l'emportent, d'un mouvement de tête, il me fait encore un signe.

14

Son « courage héroïque » a valu à Haolang les égards des autorités ; l'intervention du fils du commandant auprès de son père a fait le reste. Ce à quoi je n'osais plus croire, même en rêve, devient une réalité que je peux toucher de ma main tremblante. Ce seul miracle semble suffire pour que je croie soudain qu'en cette vie, comme dans d'autres, par-dessus malheurs et souffrances, rien n'est vain.

Se présente un jour à moi un homme de moins de quarante ans, qui paraît en avoir dix de plus, les cheveux grisonnants, le front barré de rides et de cicatrices, mais les pommettes et le menton toujours volontaires — ce que confirme le regard pénétrant. Un homme plus massif, à la démarche plus lourde, tanné par le dur travail en plein air. Statue de pierre ou de bronze qu'ont érodée toutes les intempéries, formant un bloc pour ainsi dire ramassé sur l'essentiel. Cet homme a connu la mort, est passé pour mort. En lui la force de vivre et de créer a finalement banni toute idée de s'anéantir lui-même.

Cet homme a connu l'infamie et a été traité de façon ignoble par ses congénères. Le premier camp où il avait été envoyé se situait dans le sud de la

Chine, une région marécageuse aussi, extrêmement humide et d'une chaleur torride en été. Avant qu'on assainisse les terrains et même après, il montait du sol des vapeurs pestilentielles. C'est dans cette région que, dans un temps reculé, les condamnés à mort étaient abandonnés vivants, et dévorés en peu de temps par les moustiques, les sangsues et autres insectes plus redoutables encore. Dans ce camp des temps modernes, des prisonniers un jour ont jeté leur bol de riz aigre dans un champ. Impardonnable gaspillage du bien de l'État : le chef militaire a condamné toute l'équipe à travailler sous le soleil brûlant dans la rizière et à manger les restes de riz avarié. Il s'en est suivi une intoxication aboutissant à plusieurs décès. Cet homme, compté parmi les décédés, a échappé de justesse à la mort, puis a été expédié vers un autre camp, dans une région non moins hostile, à l'autre bout de la Chine d'où il était originaire. Sa nature s'accommodant sans doute mieux du climat du Nord, il a pu survivre jusqu'ici. Tout autre que lui, ayant payé sa punition au prix fort et montré des mérites évidents à plusieurs occasions, aurait été rendu à la liberté. Mais son cas, jugé grave dans la mesure où il avait toujours refusé de faire son autocritique, lui valait une condamnation — comme à beaucoup d'autres —, venant directement du Chef suprême. Tant que ce dernier n'avait pas tranché, ayant « d'autres chats à fouetter » ou ayant tout simplement oublié, personne n'osait prendre de décision. Cet homme d'une trempe d'acier serait-il capable d'affronter une vérité qui, au-delà de sa volonté, touchait le point le plus sensible de son être ?

En cette mémorable année 1960 donc, avant la fin de l'automne, à la suite d'un arrangement entre les chefs — ils savent qu'une famine est en train de frapper le pays et que de toute façon il y aura un regroupement des différents camps —, l'homme que je suis venu chercher au bout du monde est transféré dans mon camp à régime plus doux.

Aucune parole ne peut traduire l'émotion que nous ressentons en nous revoyant ; nous-mêmes ne prenons pas la peine de chercher une parole. Longtemps nous laissons couler nos larmes qui s'entremêlent ; nous tâtons nos corps sans pouvoir nous arrêter, pour nous assurer que tout est bien réel. Après quoi, les mots viendront naturellement pour former deux fleuves jumeaux, qui couleront jour et nuit jusqu'à ce qu'ils se rejoignent dans la mer commune. Chacun a tant de choses à dire depuis sa séparation d'avec l'autre. Nous avons tellement vécu ensemble par la pensée que nous en venons à oublier que nous nous sommes quittés il y a presque quinze ans, sur un drame.

Laisser les mots sourdre naturellement ? Non. A moi revient la tâche de chercher dans l'immédiat les termes justes pour faire savoir à l'Ami ce qu'il ignore encore : la mort de l'Amante. Ces mots justes, force m'est de les trouver et de les prononcer. Lorsqu'ils retentissent à l'oreille de l'Ami, le récit-fleuve des années de séparation, si près de déborder de sa poitrine, est brutalement stoppé. Depuis, plus aucune parole ne sort de sa gorge. Cet homme au génie verbal si éclatant est frappé d'un mutisme hébété. Durant des jours entiers, il vit comme un automate, rongé de douleurs, de remords — remords d'avoir détruit la vie de l'Amante comme la mienne — et de révoltes. Il est tenté par la destruction totale : destruction de lui-même et celle du monde qui l'entoure. Seule ma présence sans doute le retient de commettre l'irréparable. Peut-il se permettre de blesser une fois encore le seul être cher qui lui reste au monde ? Force m'est de constater, hélas ! qu'en cette vie, nombre d'êtres sont liés jusque dans leurs racines par des liens qui, une fois tissés, ne peuvent plus être rompus. Ce qui les unit relève d'un autre ordre, dépasse la contingence des rancœurs, des remords, des révoltes, ne dépend pas du bon vouloir de chacun ni des événements survenus à chacun. Il pousse les êtres à réaliser ce qu'ils n'ont pas pensé réaliser, à aller vers des lieux qu'ils n'ont pas choisis. Moi, Tianyi, pourquoi suis-je là, au lieu d'être resté en France, libre de poursuivre une autre voie ? Cet ordre, quel est-il ? La fatalité aveugle ? Fatalité, peut-être ; aveugle, probablement pas. Depuis l'école des Beaux-Arts de Hangzhou, que de chemins tortueux parcourus. Pourtant, de dalle en dalle, j'approche de ce point sur lequel s'était fixé mon rêve fou. Je suis là, en ce lieu de perdition. Haolang est là, en ce lieu de retrouvailles...

Sans doute est-ce par désespoir ou pour compenser tant de privations subies, tant de discipline à soi imposée durant les années loin de l'Amante — afin d'être digne d'elle —, que l'Ami s'adonne alors à l'alcool et aux relations sexuelles occasionnelles. Aussi étonnant que cela puisse paraître, en ces lieux si rigoureusement contrôlés, il est possible pour les hommes pleins d'audace et d'astuce d'avoir des rapports à la sauvette avec des femmes. Lors du travail commun entre équipes masculines et équipes féminines sur les tracteurs et autres machines, à l'infirmerie, voire — perversité suprême — du côté des familles de la « classe dirigeante ». Certains de ces soi-disant « dirigeants » ne donnent-ils pas eux-mêmes l'exemple, lorsqu'ils se servent de leur pouvoir pour abuser des « campardes » ?

L'univers tyrannique est plein de fureurs, de frayeurs et de failles. L'humain profite de la moindre brèche laissée par l'inhumain pour germer et pour croître.

15

Pourquoi ne pas le dire — mais, comment le dire ? —, moi aussi, j'ai été frappé d'inanité. Dans mon effort passionné pour retrouver Haolang, j'ai connu l'angoisse et le désespoir, puis l'indicible excitation d'être près du but, de toucher enfin au but. L'ayant retrouvé, lui ayant annoncé la mort de Yumei, ma mission est peut-être accomplie. Notre destin à trois pourrait bien s'arrêter là. Toujours est-il que devant le désarroi que j'ai provoqué, je m'abandonne à un étrange état qui confine à l'indifférence. Le désir de vie me lâche jour après jour. La réaction de Haolang avait beau être prévisible. Il n'empêche. Voilà que d'un coup je ne sais plus quel est le sens de nos retrouvailles. Faut-il y chercher un sens ? Ne suffit-il pas que nous soyons ensemble ? Mais qu'allons-nous faire ? Que nous arrivera-t-il ?

Pendant que l'Ami sombre dans la révolte et le remords, incapable de le retenir sur la pente de la destruction, je passe de longs jours dans de laborieuses cogitations, d'une complexité qui dépasse mon entendement. Continuer à courber l'échine, à deux, dans l'interminable humiliation ? En finir avec cette vie de médiocrité sans fond ? Qui pourrait nous aider à y voir clair ? Personne. Yumei, si elle était vivante, y pourrait peut-être quelque chose. Mais voyons, si elle était vivante, je ne serais pas ici ! A sa place, il me reste donc Haolang. Quel est en fin de compte son sentiment à mon égard ? N'y a-t-il pas lieu de me demander encore ce que je représente pour lui ? Ah, c'est bien le comble ! J'en suis maintenant à chercher des preuves de notre amitié ! N'avons-nous pas été dès le début soudés par un lien « de pied et de main » ? Nos deux corps n'ont-ils pas fait un pendant notre traversée du Sichuan ? Même lors du drame, ne s'est-il pas arraché à Yumei à cause de moi ? Cet être, là en chair et en os, n'est-il pas l'Ami originel, le compagnon inaliénable ? Quoi qu'il ait fait, quoi qu'il fasse, ne fait-il pas partie de moi ? Ne fait-il pas partie aussi de Yumei, puisqu'elle l'a aimé et que lui l'a rendue heureuse ? La jalousie a-t-elle encore sa place ici ? Si j'aime Yumei, n'est-ce pas une raison de plus d'aimer aussi Haolang ? Tout cela est aussi inextricable que désespérément clair ! Cherchant à le joindre, n'ai-je cherché qu'à saisir un morceau d'épave ? N'ai-je pas espéré rejoindre quelque chose de plus, ce souffle émané de lui qui jadis m'a éveillé, révélé, toujours poussé en avant ? Ce souffle, est-il encore vivant, ou définitivement éteint ?

Je crois que c'est bien à partir de ce jour de la mi-septembre que la parole étouffée, chargée de tant de non-dits, a recommencé brusquement à couler. A partir de ce dialogue provoqué de façon si inattendue par Lao Ding. Oui, Lao Ding, ce compagnon toujours attentif mais en général si discret. (Encore que, y pensant après coup, c'était dans l'ordre des choses : d'où, en effet, une voix extérieure, une troisième voix, pouvait-elle venir sinon de celui qui était seul — absolument seul — à connaître notre histoire ?) Ce jour de la mi-septembre où, entre la fin de la récolte et l'arrivée des bourrasques de grêle et de neige, durant un bref moment tout est suspendu, où l'air est taillé au sabre, dur et pur comme du cristal. Pendant que les animaux se ramassent en vue d'une longue hibernation, les hommes, à bout de force et de chagrin, quêtent un peu de réconfort, les uns en fouillant leur mémoire, les autres en se réfugiant dans l'oubli. Certains s'apprêtent à affronter leur vérité, une vérité toujours décalée par rapport à ce qu'ils imaginent.

Un après-midi, à l'heure où tous ont droit à une sieste, n'ayant nulle envie de dormir, Haolang m'entraîne, ainsi que Lao Ding, vers le petit bois qui se trouve au-delà de la zone des potagers. C'est une étendue clairsemée de bouleaux où certains aiment à venir jouir d'un peu d'ombre et de la brise. A cette heure-là, il n'y a personne.

Haolang, visiblement, a bu. Il est dans un état second, causé par l'ivresse et par la rage intérieure qui l'étouffe. Une fois dans le bois, il pousse quelques cris qui le soulagent un peu. Puis, silencieux, il s'appuie, prostré, contre un arbre. Au bout d'un moment, Lao Ding se met à parler d'une voix résolue qui tranche avec son ton paisible habituel.

« De tout ce qui nous est arrivé, demandons pardon.

— Demandons pardon ? dit l'homme révolté.

— Demandons pardon et pardonnons à ceux qui nous ont fait du mal.

— Pardonner ?...

— Oui, pardonner. Je crois bien que c'est la seule arme que nous possédions ; c'est notre seule arme contre l'absurde. Chacun de nous a vécu des choses terribles. Nous voilà tous les trois réunis. Nous savons que nous ne pouvons pas agir comme ceux qui nous ont fait du mal. Avec le pardon, nous pouvons rompre l'enchaînement des haines et des vengeances. Nous pouvons prouver que le Souffle intègre persiste dans l'Univers... »

On sent qu'il a encore énormément à dire. Trop peut-être pour qu'il puisse continuer immédiatement, mais les quelques mots qu'il vient de prononcer suffisent pour déclencher la parole chez Haolang.

« Pardon... Rompre l'enchaînement des haines et des vengeances... Parlons-en, avant qu'il ne soit trop tard. C'était pour me faire pardonner, n'est-ce pas, que je suis parti rejoindre les communistes, laissant Yumei, seule, là... » Sa voix s'étrangle. Mais il ne cède pas. Son masque se durcit tandis qu'il fait effort pour se reprendre. « Notre groupe clandestin était composé d'une quinzaine de personnes, dix-sept plus exactement, guidé par un membre du Parti. Avant d'atteindre la zone libérée, au nord du Hubei, nous devions traverser une région particulièrement dangereuse. Six jours de marche, interrompue par des alertes. Nous nous cachions dans des grottes, ou dans quelques villages "sûrs". Nous étions tellement fatigués que nous dormions en marchant. Quand la fusillade a éclaté dans le bois la dernière nuit, nous ne savions pas ce qui nous arrivait. Tirés brutalement du sommeil, nous croyions à une mauvaise plaisanterie. Évidemment, nous avons été trahis. Le traître, on le trouvera un jour. Il subira le châtiment : défiguré, pendu. Pour l'instant, au fond du bois, sous la clarté lunaire, c'était la débandade. Une balle m'a traversé le mollet et, par-dessus le marché, en courant, je me suis tordu la cheville. J'ai eu la force de me traîner près d'un arbre. Sentant un fossé sous mes pieds, je m'y suis allongé et je me suis couvert de feuilles mortes. Combien de fois, des pas accompagnés de vociférations s'approchaient, s'éloignaient, se rapprochaient, me passaient dessus ? Je ne respirais plus. Je me serais cru mort, n'étaient le sang qui collait mon pantalon à ma peau et la douleur qui commençait à devenir atroce. Douleur atroce ? Elle n'était rien à côté des cris qui déchiraient la nuit. Cris de corps torturés, qui couvraient à peine ceux des bourreaux ; cris de cette jeune fille, que jamais l'oreille humaine eût cru pouvoir supporter, que l'éternité n'effacera pas. Ce sont les meilleurs enfants de la Chine. Ils s'étaient arrachés d'eux-mêmes à la serre chaude familiale. Ils avaient quitté leur lit douillet pour se mettre au service d'une cause qu'ils pensaient juste. Les voici livrés aux bêtes les plus immondes que le Créateur ait créées : des hommes cherchant vengeance. Au petit matin, rassemblant mes énergies, j'ai marché jusqu'à un village. Tout en me doutant que personne n'oserait m'accueillir, je comptais sur le fait que dans cette région où la guérilla était présente les milices n'osaient pas rester sur place en permanence. Après avoir frappé à plusieurs portes, j'ai été accueilli par un vieux couple de paysans. N'ignorant rien du sort qui leur serait réservé s'ils étaient dénoncés, ils m'ont soigné, ils ont partagé leur bol de riz et ce petit bout de lard suspendu au-dessus de leur fourneau qu'ordinairement ils mettaient un an à consommer. Sous leur rudesse taciturne, quelle prévenance, quelle délicatesse ! Comme il n'y avait pas de place pour un autre lit, je dormais sur le leur. Le soir, une fois couchés à côté de moi, ils ne bougeaient plus. Je n'entendais plus que leur paisible respiration. En eux, j'ai reconnu les parents que je n'avais pas eus. Quand j'ai pu marcher à nouveau, a commencé la longue recherche de contacts. Comment, au milieu de ce monde de méfiance et de férocité, retrouver un signe ami ? Pourtant simplement, un jour, en plein marché, par-dessus les étals, quelqu'un au visage digne m'a souri. Inutile de dire qu'auparavant il m'avait longuement observé. Expérimenté, il n'avait pas eu de mal à repérer en moi la bête égarée qui cherchait à rejoindre le troupeau. A nouveau longue marche, en compagnie de trois autres, vers le bout du monde. Vers le fleuve où parmi les roseaux agités par le vent un batelier nous attendait. Dure traversée contre un courant impétueux. Mais de l'autre côté du fleuve, enfin la terre promise ! Enfin parmi "les nôtres" ! Tant de sacrifices valaient-il la peine ? On était prêts à le croire. Tout un peuple éveillé, travailleur, sillonnant les routes nouvellement construites, cultivant des terres nouvellement acquises. La fraternité était de mise. La Chine ne se rappelle pas avoir connu cela. Mais la Révolution saurait-elle se contenter d'un bonheur simple, à portée de la main ? Saurait-elle s'interdire de mesurer son ambition à l'aune du nombre de victimes qu'elle entraîne ? Alors que la guerre continuait encore, déjà, on organisait partout des tribunaux populaires. Déjà, moi-même, j'étais pris dans l'engrenage. Nommé correspondant de guerre, j'ai parcouru les fronts, dans le Henan et le Shandong. Combats sans répit, batailles sans merci. On était forcément héroïques, féroces. Tuer pour ne pas être tués. On ne maltraitait pas les prisonniers, il est vrai. Mais auparavant, on exterminait massivement, pour "diminuer les forces vitales de l'ennemi". Pourquoi vous parlé-je de tout cela ? Je cherchais à me faire pardonner en poursuivant un but plus lointain, plus vaste. Voilà que j'ai entraîné dans la mort l'être que j'aimais... Enchaînement des haines et des vengeances, oui. Qui d'entre nous peut encore s'arroger le droit de pardonner ? Et toi, Lao Ding, au nom de quoi, au nom de qui tu nous parles ainsi ? »

« Au nom de qui ?... De Confucius par exemple. N'a-t-il pas tant recommandé le *xu*, la mansuétude ?... Mais moi, c'est d'autre chose... »

S'ensuit une pesante hésitation... puis il reprend :
« C'est une assez longue histoire. Oh ! une histoire
simple somme toute que je n'ai pas le droit de raconter, sous peine d'être condamné à mort. A vous deux,
je vais la confier.

« J'ai été un jeune homme insouciant. Issu d'une
famille de propriétaires et de lettrés, dans l'Anhui,
j'ai fait des études de droit, au début des années
trente, et j'étais promis à ce qu'on appelle une "brill-
lante carrière". La Chine était en proie au désordre ;
moi, je comptais mener une existence plus ou moins
paisible de notable dans notre coin épargné par la
guerre. A cause de mes études, j'avais retardé mon
mariage. J'ai fini par l'annuler, au grand scandale de
ma famille et de celle de la jeune fille, que j'ai profondément offensée à cette occasion. Ainsi a
commencé la vie d'un "original". Qu'est-ce qui était
arrivé ? Disons, j'avais reçu des chocs, après quoi,
j'éprouvais un dégoût des choses. Quels chocs ? Dans
la ville de H., chef-lieu de la province, passant un
matin dans une rue derrière le tribunal local, j'ai été
témoin d'une scène de torture où l'on frappait un pri-
sonnier avec un fouet bardé de clous, et un morceau
de chair m'a sauté au visage. Plus tard, dans cette
même ville, j'ai vu sur le fleuve qui la bordait flotter
au fil du courant une porte démontée sur laquelle
étaient cloués deux amants adultères. Quel animal
aurait fait cela ? J'ai compris que le mal était entré
chez mon pauvre peuple ; que le mal était entré chez
les hommes. La vie telle qu'elle se déroulait autour
de moi, abus de toutes sortes, cruautés voulues ou
inconscientes, ne me paraissait plus possible. J'aurais
pu alors devenir un redresseur de torts, ou un révolutionnaire. A la place, je suis devenu... bouddhiste.
Cela vous étonne, n'est-ce pas ? Ce qui me travaillait,
je crois bien, c'était la pitié. Ma nature ne me poussait

pas à ajouter la violence à la violence. Dès lors, dans ma région, j'apparus aux yeux de tous comme un *jushi* local, un personnage assez respectable qui pratiquait la charité. Cette respectabilité qui me flattait, je l'ai "achetée" à bon compte ; ma fortune familiale me le permettait. Fortune familiale ? Tant que je m'occupais des puits, des ponts, de la réfection des temples, la famille me tolérait. Quand j'en vins à dilapider des sommes importantes pour soulager les pauvres, à envisager l'achat d'une imprimerie pour diffuser des textes bouddhiques, elle afficha son opposition. Comme décidément je n'avais pas l'air de vouloir me marier, elle alla jusqu'à me signifier que je pourrais aussi bien trouver ma place dans un monastère. Moi-même, j'y songeais. Cela ne s'est pas fait. Entre-temps, un autre événement était arrivé.

« C'était lors d'une épidémie de choléra. J'ai fait connaissance avec les gens de la mission protestante qui nous fournissaient des vaccins et nous aidaient à soigner les malades, y compris les membres de ma famille. Nous avons pu sauver beaucoup de vies. Après, nous avons sympathisé. Cela n'empêchait pas des discussions animées sur des questions essentielles. Je voulais savoir comment, eux, ils avaient assimilé une religion qui venait de si loin. Ils me faisaient remarquer que le bouddhisme avait été une religion étrangère. Quant au contenu de leur croyance, cette manière si déroutante, si intransigeante, d'envisager la souffrance, la mort, l'amour, la vie, tout cela lié à la personne du Christ. Il suscitait en moi l'incrédulité et dans le même temps de vives interrogations. Un beau matin... Je me rappelle, la veille encore, le cou gonflé de sang, nous étions encore à nous jeter les arguments à la figure ; à la fin, pour nous apaiser, nous décidâmes d'arrêter toute discussion, acceptant le fait que la croyance relevait du tempérament : les uns deviennent confucéens, d'autres taoïstes, d'autres bouddhistes, d'autre chrétiens, etc. Un beau matin, je me présentai devant le pasteur Hong qui me reçut, passablement abasourdi. Je lui demandai rien moins que d'aller distribuer en sa compagnie dans la rue ses petites brochures qui annonçaient la "Bonne Nouvelle". A l'indignation de beaucoup, à la risée de presque tous. On me désignait du doigt : "Mais c'est Ding le Boiteux. Il ne lui suffit plus de *chi zhai*[1], il lui faut maintenant *chi jiao*[2] !" Je tenais bon. Essuyer les crachats ne me répugnait pas. Cela me paraissait une épreuve nécessaire. Peu après on m'affecta dans une autre ville où je secondai un pasteur anglais qui, compte tenu de mon niveau culturel, songeait à ce que je devienne pasteur. Pour cela, il fallait aller étudier à Shanghai ou à Hong Kong. En attendant il y avait trop à faire : l'ombre de la guerre planait à l'horizon ; notre salle paroissiale était devenue une cour des miracles ; on accueillait, on nourrissait, on soignait, on consolait sans distinction. Tous y passaient, les miséreux comme les malfaiteurs, les civils comme les soldats, y compris les soldats communistes de passage. (A ce titre d'ailleurs, après la Libération, lors du jugement, j'ai eu la vie sauve.) Que de difficultés cependant à aplanir ! Que de problèmes à résoudre : misères matérielles, misères physiques, querelles, dissensions, deuils... Était-ce pour autant une vie de bête, soumise seulement à la besogne ? Non, envers et contre tout, nous étions dans la joie, une joie rugueuse et coriace. On réinventait la vie tous les jours. Personne, en définitive, ne se sentait méprisé, abandonné. Personne ne se sentait seul. Voué corps et âme à la tâche, moi-

---

1. « Manger maigre. »
2. « Manger religion. »

même je n'avais pas le temps de penser à une vie personnelle. Elle se profila pourtant à l'horizon. Au travers d'un visage, si humain, trop humain : celui d'une veuve ; un regard échangé un après-midi entre deux couloirs... Nous devions nous marier. La Libération nous en a empêchés. Heureusement, sinon elle aurait traîné toute sa vie le boulet de l'infamie. Bien avant toutes les campagnes de "nettoyage", nous autres religieux avons été jetés dans des procès. Les pasteurs étrangers ont été expulsés. Le pasteur Hong, moi et quelques autres, nous avons été condamnés pour avoir caché deux coreligionnaires qui avaient eu la naïveté d'imprimer des tracts contre l'idéologie matérialiste. Eux ont été fusillés séance tenante devant des milliers de personnes. Nous avons fait trois ans de prison — dans des conditions plus que dures, cela, Haolang, tu le sais ; nous dormions à quinze par terre dans une pièce prévue pour huit ; nous mangions une nourriture infecte à côté de l'unique seau hygiénique —, avant d'être envoyés dans divers camps de "réforme par le travail" avec l'interdiction de révéler nos origines, à part celle de "propriétaire terrien". Les mines dans le Shanxi, les barrages dans le Henan. Un jour, à la demande de l'armée, nous avons été amenés ici. Lâchés là, entre ciel et terre, au milieu des herbes sauvages, exténués, nous avons dû commencer tout de zéro. Nous logions sous des tentes de fortune ou des étables faites de branches et d'herbes tressées, puis dans des abris un peu plus solides. Blessures, morsures, fièvres, dysenteries et le terrible froid des premiers hivers ont eu raison de beaucoup d'entre nous, dont le pasteur Hong. On creusait un fossé pour les enterrer sans même un drap pour envelopper leur corps. Quand la glace était trop épaisse, on empilait les cadavres dehors, dans un coin à distance, rapidement ensevelis sous la neige. Quand venait le temps du dégel, on ne trouvait qu'un magma inextricable de corps putrides...

« Pourquoi je me suis mis à évoquer ces choses que je n'avais jamais dites à personne ? Je parlais de pardon. Car les révolutionnaires épris de justice deviennent des justiciers de plus en plus implacables. Qui peut encore interrompre cette chaîne de haines et de violences ? Nous ne le pouvons pas. Dieu seul le peut. L'histoire chinoise est jalonnée d'hommes bons et droits, épris de vertu et de sainteté ; beaucoup d'entre eux sont morts en martyrs. Au nom de l'idéal du lettré, au nom du Souffle intègre qui anime l'Univers. Tout cela est grand et honore ce pays. Car sans ces hommes à l'esprit élevé, sans ces martyrs, il n'existerait plus. Mais saura-t-il accueillir aussi quelqu'un qui est venu d'ailleurs et qui a accepté de mourir au nom de l'amour et du pardon ?... »

Tout d'un coup, il s'arrête. Il en a trop dit. Il voit que ses interlocuteurs ne l'écoutent plus. Ou plutôt qu'ils peinent à le suivre. Le langage édifiant d'un croyant sonne toujours « insensé », ou « indécent » à l'oreille de ceux qui ne partagent pas sa conviction. Haolang n'ignore certes pas cet aspect de la vie chinoise. Mais les considérations religieuses lui échappent en grande partie, lui qui appartient à cette génération qui ne s'est jamais agenouillée. Je suis moins « dépaysé », je connais l'exemple de ma mère, celui de mon oncle fumeur d'opium et j'ai fait le détour par l'Occident.

Haolang sort de sa prostration, il se redresse. Il entoure de son bras Lao Ding aux épaules, comme pour lui signifier qu'il peut faire confiance à ses deux confidents aussi sûrement qu'à son Dieu.

16

Le grand incendie, dû autant à l'imprévisibilité de la nature qu'à l'imprévoyance des hommes, était l'annonce d'une période de disette qui se transforme bientôt en une véritable famine. Durant deux à trois ans, celle-ci ravagera la Chine entière, causant plusieurs millions de morts.

Une catastrophe d'une si longue durée et d'une telle ampleur a-t-elle pour origine les seules calamités naturelles ? Les dirigeants lucides du Parti seront amenés plus tard à reconnaître, avec les historiens et les économistes, que les causes directes étaient une suite d'erreurs monumentales commises par le Parti, qui obéissait aux directives de son Chef. Celui-ci, par la force des choses, était transformé à son insu en une sorte de monstre sans garde-fou. Après la campagne contre les droitistes, il était d'autant plus impatient devant les échecs patents qu'il continuait de poursuivre son ambition : marquer l'histoire de son sceau, fût-il de fer et de sang. Ignorant les lois de la nature humaine aussi bien que celles de l'économie, il se livrait à des actes énormes, convulsifs, d'ordre proprement sexuel, dont l'issue ne saurait être qu'une soudaine perte de toute énergie vitale. Sur deux ou trois ans, il a lancé, coup sur coup, une série de mouvements qui se caractérisaient par leur extravagance : Grand Bond en avant, qui fixait des objectifs impossibles à atteindre ; collectivisation à outrance dans les campagnes sous la forme des « communes populaires », où les paysans seront même privés du droit de faire la cuisine chez eux ; mobilisation de la Chine entière pour fabriquer de l'acier de manière artisanale au détriment des travaux des champs, un acier qui s'avérera inutilisable. Rien d'étonnant qu'à cette échelle un pays sombre, en peu de temps, dans une incroyable incurie.

Le Grand Nord ne fait pas exception. Trois saisons de suite, on a dû négliger certains travaux indispensables pour se consacrer à la fonte d'acier et à la fabrication artisanale d'outils. De la production de denrées agricoles, déjà grandement diminuée, une part importante a été prélevée et acheminée vers des régions plus cruellement touchées.

Le malheur de tous fait le bonheur de certains. A cause de la famine, la vie dans le camp est devenue plus « aisée », si tant est que cela se puisse. On commence par renvoyer ceux qui ont payé leur temps d'internement. En principe, j'ai le droit de faire partie du lot. Je m'emploie par tous les moyens à rester, car le cas de l'Ami demeure toujours en suspens : personne ne peut prendre de décision. Tous ceux qui continuent à vivre au camp voient la discipline de fer à laquelle ils étaient assujettis se relâcher peu à peu. Par suite du sévère rationnement de la nourriture, on se rend compte du côté du commandement que tout le monde est miné par la faim, incapable de fournir le travail nécessaire. L'effet de la déficience physique se fait sentir dès le premier hiver. Le programme de travail, pourtant réduit au minimum — bâtir de nouveaux dortoirs plus solides —, ne peut aboutir. Manquant de calories, les hommes, écrasés sous les charges de bois et de pierres, ont tôt fait d'être balayés par le blizzard, de rester gelés, immobilisés au creux de la neige. Eux-mêmes diminués, les chefs finissent par laisser chacun chercher sa subsistance en dehors du travail collectif. Par suite de l'abandon de certains champs non productifs et de l'arrêt du défrichage d'autres terres, les tâches, le long de l'année, s'allègent un peu. C'est le règne de la débrouillardise pour les plus astucieux. On récupère dans les champs des grains de millet ou de blé tombés qui n'ont pas été ramassés. On part à la recherche de légumes sauvages et de plantes comestibles. Avec les moyens du bord, on pêche du poisson, on chasse des insectes et des petites bêtes qu'on n'imaginerait pas comestibles en temps normal. Les autres, les moins habiles, deviennent des laissés-pour-compte. Ils dépendent de la générosité occasionnelle de ceux qui distribuent la nourriture à la cantine, ou de leurs ressources physiques pour survivre.

C'est à l'occasion de cette famine que Haolang est amené à côtoyer des hommes d'une espèce particulière ; les chasseurs. Originaire comme eux de Mandchourie, avec son physique et son accent typiques, fort de sa réputation de tueur de loup, il a été adopté par ces nomades en voie de disparition. Peut-être a-t-il même été tenté de les rejoindre. Toujours est-il que grâce à eux, il a pu un temps se pourvoir de viande fraîche et, surtout, raviver en lui l'indomptable force de vie, depuis longtemps endormie. Ces hommes hirsutes, sentant l'alcool et le fauve, crachent les mots, aussi brefs et rugueux que des cailloux. Ils semblent sortir tout droit de quelque légende barbare, trop ancienne pour qu'on puisse la raconter de bout en bout. Vêtus de peaux, chaussés de paille tressée, les jambes et les pieds enserrés dans des haillons, ils sont accompagnés de leur meute de chiens qui les secondent efficacement et leur servent de tireurs de traîneaux en hiver.

Leurs premières apparitions dans notre univers régi par une discipline d'acier avaient bouleversé les « campards », par leur allure toute d'instinct et de liberté. Avec quelle violence, quelle envie, les hommes sous le joug imaginaient alors la vie primitive, retrouvée à travers la fière figure de ces intrus surgis des herbes ! Intrus ? Mais l'étaient-ils en réalité ? Eux, les chasseurs, ils avaient été les maîtres de cette contrée maudite lorsqu'il n'y avait personne d'autre. Fuyant les famines qui ravageaient leurs provinces, ils avaient — eux-mêmes ou leurs pères — laissé le maigre lopin de terre, et les cadavres des leurs au bord des routes. Le ventre rempli d'écorces d'arbres et de mousses, ils étaient parvenus à cette terre, promise depuis toujours à la mort. Paysans aux gestes lents transformés en guerriers forcenés, ils avaient, pour survivre, dû chasser les bêtes féroces avec des armes de fortune : piques, coutelas, arcs, pierres... Combien d'entre eux furent-ils victimes du froid et de la faim, des morsures, des empoisonnements ou d'enlisement dans les marécages, la chair vive livrée aux fourmis et aux rapaces avant que la mort libératrice daigne survenir ? Combien d'autres, égarés dans les montagnes bouclées par la neige, se sont-ils figés en blocs de glace qui ont conservé longtemps leurs solitaires rictus ? Les survivants forment une race forte qui ne craint plus rien, ni les loups gris, ni les ours noirs, ni les tempêtes qui emportent tout sur leur passage. Tout peut être emporté ou enseveli, leurs cabanes et leurs grottes demeurent, qui leur suffisent pour s'abriter. Leurs rires rauques sont là pour attester qu'ils sont bien en vie ; qu'ils se jouent même de la vie. Connaissant par cœur leur géographie et leur météorologie, payant tribut aux dieux et aux démons, ils assument désormais sans plainte leur sort, tout comme, sans sourciller, ils abattent les bêtes et les dépècent à grands coups de poignard.

Tant que les saisons le permettent, ils chassent sans trêve. Quand le temps ordonne l'arrêt total, ils obéissent ; ou plutôt, ils en profitent pour s'accorder un moment de plaisir, se rappelant tout d'un coup qu'ils sont hommes parmi les hommes. Ils descendent l'autre versant de la montagne, se dirigent vers les bourgs et les villages frontaliers. Des semaines et des mois durant, ils y troquent peaux et viandes, os et plantes contre ce qui leur est indispensable : sel et alcool, fusils et munitions. Le reste de leur énergie, ils le dépensent dans les tripots ou les bordels. Quelques-uns vont jusqu'à se laisser tenter par l'attrait d'un foyer. Passions humaines donc. Douceur et violence s'y mêlent. Vivant hors la loi, il arrive que ces hommes prompts à la détente confondent le règne animal et celui des hommes. Certains d'entre eux en viennent à oublier que, si supprimer un animal est accepté comme une nécessité, tuer un homme ou une femme par jalousie ou par intérêt, cela s'appelle un crime. C'est ainsi qu'au sein de la tribu, inorganisée, informelle — la tribu existe pourtant comme autorité, ne fût-ce que pour régler des conflits de territoires —, commencent à circuler des récits de bravoure et de vengeance, pour le grand plaisir de ceux qui trouvent décidément trop longue la nuit dans les huttes et les grottes. Alcool, crimes, la race forte ainsi contaminée est-elle menacée d'extinction ? Certes non. D'instinct, les chasseurs savent jusqu'où aller. N'ont-ils pas appris, dans leur commerce avec les animaux, à respecter l'équilibre ? Saccager ? Il le faut. Mais pas trop. Il faut bien laisser la nature se reproduire. Il en va de même, ils ne l'ignorent pas, pour ce qui touche aux hommes. D'autant que dans leurs rangs, quand le nombre diminue, quand la force décline, il ne manque pas de jeunes aventuriers pour venir se joindre à eux. Non, le danger ne vient pas d'eux-mêmes, mais de l'extérieur. Quand ils voient débarquer les militaires et s'installer les uns après les autres les camps, ils sentent confusément que le lent processus de leur seconde mort commence. Le gigantesque défrichage n'est, à leurs yeux, qu'une énorme profanation, une inqualifiable dévastation. Eux, par la force des choses, ont renié leur origine paysanne. De prairie en prairie, de marécage en marécage, ils se replient toujours davantage vers les montagnes.

17

Penchés très bas, tenaillés par la faim, le nez collé au sol à glaner des grains de millet, à traquer sauterelles et rats, dans un de ces champs délaissés qui bordent la route menant vers la lointaine Grande-Montagne, Haolang et moi ne voyons pas arriver sur nous quelques-uns de ces hommes hirsutes, fusil sur le dos, poignard à la ceinture. L'un d'eux, le chef, un borgne imposant — on ne devient chef qu'après avoir été blessé et avoir survécu à sa blessure —, reconnaissant en Haolang un homme du Nord demande :

« D'où viens-tu ?

— De Harbin.

— Comment qu'on t'appelle ?

— Haolang. Sun Haolang.

— Haolang. Ah, c'est toi ! Un "loup hurlant", c'est pas de refus ; c'est bon pour nous ! »

Les dents éclatantes du nomade réussissent à dérider Haolang. Je vois pour la première fois le visage rembruni de mon ami céder au rire. Là-dessus, le chasseur sort de sa hotte une paire de perdrix. « Prends ça. Pas besoin de déplumer. Tu les cuiras dans de la terre. Après, quand tu casseras la terre, les plumes partiront avec. T'as plus qu'à croquer la chair ! »

Cette simple recette a suffi pour que bientôt s'élève dans la steppe un filet de fumée ; pour que, par-dessus la chair cuite, je hume à nouveau les rares instants de bonheur de ma vie. Instants de murmures et de sourires des disparus — ont-ils jamais existé ? — lentement reconnus dans l'odeur de l'encens, de l'opium ou des patates grillées un soir au bord d'un sentier, après une journée saoulée de marche...

A partir de ce jour, au hasard des rencontres, toujours du côté des montagnes, les chasseurs ne manquent pas de donner à Haolang une part de leur gibier ou des viandes grillées que celui-ci, ensuite, partage volontiers avec moi bien entendu, et avec d'autres camarades qui se trouvent à proximité. Parfois, s'attardant plus, ils permettent à Haolang de tirer quelques coups de fusil, non sans démontrer à chaque fois leur propre talent : provoquer l'envol des oies sauvages par des sifflements aigus, tirer, un fusil dans chaque main, sur deux cibles en même temps... Après quoi, on s'assoit en cercle, on se passe de main en main des gourdes remplies d'alcool, on échange de rudes propos. Dans ces moments-là, Haolang se montre parfaitement à l'aise, épanoui presque. Son visage tanné, en harmonie avec ceux qui l'entourent, mais néanmoins à nul autre pareil, donne à voir un aspect de sa complexe personnalité. Et je me dis : « Orphelin, puis échappé à la tutelle de son oncle, il aurait pu devenir un aventurier, et pourquoi pas, un hors-la-loi. Qu'est-ce qui fait qu'un homme, si ouvert au départ, suit une voie et non une autre ? Que lui, Haolang, fort de toutes ses possibilités, s'engouffre dans un passage si étroit ? » A le voir assis là, au milieu d'hommes emmaillotés de peaux et de haillons, au cœur de l'immensité désolée, une sensation d'absurde irréalité s'empare de moi. Sensation qui fait place aussitôt à une certitude. Ce paysage

extrême où chaque herbe, chaque rocher, éternellement tourmenté par le vent, clame la faim et la soif,
le sang sans écho et la mort sans sépulture, le serment
interrompu et l'amour inaccompli, n'est-il pas le lieu
même d'une antique promesse donnée une fois pour
toutes et mille fois trahie ? Une épopée, enfouie là
depuis des siècles, exige d'être reprise. Par qui ? Ne
serait-ce pas justement par cet être à la figure noble
et abîmée, tel un dieu déchu ? Oui, je suis saisi par
la certitude que ce qui meut Haolang vient de très
loin, bien plus loin que ce qu'il en sait lui-même.
Quelque part, un souffle d'avant-vie cherche à se
muer en chant. A cet effet ce souffle a besoin de
prendre possession, parmi les hommes, de quelques
êtres assez résistants pour supporter sa terrifiante
pression, assez tenaces pour se laisser pousser plus
loin qu'eux-mêmes. Haolang est bien celui qui n'a
jamais coupé le souffle, jamais renié le chant. A lui
donc de composer l'épopée que la vieille Terre
attend. Cette pensée qui me frappe comme un coup
de semonce me fait tressaillir. Comment ne serais-je
pas tenté de la transmettre à l'Ami sur-le-champ ! Je
me retiens. Le poète, livré à l'oubli, est en train de se
faire expliquer par les chasseurs les vertus des pattes
d'ours...

Quand tombe le soir, l'ombre de la montagne
s'empare de la plaine. Comme saisis, les hommes se
lèvent, prennent congé, s'en vont. Plus loin, nous les
voyons s'arrêter. Ils posent deux bols sur une pierre
couchée. Dans l'un ils mettent un morceau de viande
et dans l'autre ils versent un peu d'alcool en y ajou-
tant du sang tiède d'une oie qu'ils viennent d'égorger.
Sans mot dire, tous se prosternent vers l'ouest. Tandis
qu'une flamme vacille dans le vent, le chef profère
d'une voix forte des formules saccadées que les
autres reprennent en chœur. Un bref instant, la vaste

steppe n'est plus qu'un cri déchirant de peur et de solitude.

Je crois bien que c'est ce soir-là, en pleine brousse, laissés à nous-mêmes, que Haolang ne peut se retenir de dire : « Si j'avais été seul, je serais parti avec eux. » Cette phrase brutale me plonge dans la confusion. Que répondre ? D'abord, comment ne pas enrager comme lui, encore et toujours, de sa vocation gâchée, celle qui jadis l'avait fait se sentir si proche d'un Li Bo et d'un Du Fu, d'un Whitman ou d'un Jack London : embrasser toute la vie en sa singulière variété ; transformer l'expérience humaine en de hauts chants ? Parti avec les chasseurs, il connaîtrait pour sûr une expérience peu banale, la vie sauvage et l'âpre lutte à sa mesure. Mais pour combien de temps ? La meute aurait tôt fait de le repérer. Il serait traqué, encerclé. Il résisterait probablement jusqu'au bout, le fusil à la main, criant son défi ou riant aux éclats... « Si j'avais été seul... » a-t-il dit. La question qui m'a obsédé lors de nos retrouvailles me revient à l'esprit, plus directe que jamais : « Serais-je une entrave pour lui ? Sommes-nous une entrave l'un pour l'autre ? » Je suis sur le point de marmonner quelque chose lorsque Haolang m'arrête net : « Je devine la pensée qui te traverse en cet instant. Elle est injuste et inutile. Moi je ne suis pas seul. Toi tu n'es pas seul. Nous deux nous ne le sommes pas... » Il me regarde fixement dans les yeux et son visage brille de toutes ses cicatrices dans le dernier éclat du couchant. Je ne dis rien. Pour une fois que mon ami se décide à aborder le sujet, je suis résolu à ne pas l'interrompre. « Quelque chose de terrible est arrivé sur cette terre ; quelque chose de terrible nous est arrivé aussi. Pourquoi à nous précisément ? Je ne sais. Que faire au juste ? Je ne sais. Une chose est certaine : que nous nous soyons retrouvés ici au bout du monde, cela tient du miracle. Tu me l'as signifié ; Lao Ding l'a dit une fois aussi. Plutôt que parler de miracle, je dirais que cela tient de ce qu'on ne peut pas ne pas faire. Désormais, il nous revient de faire justement ce qu'on ne peut pas ne pas faire. Quoi donc, encore une fois, je ne sais, pas encore...

« Lao Ding — ah ! ce sacré Lao Ding, toujours lui — me trouble lorsqu'il dit qu'il n'est pas donné aux hommes de réussir le Trois sur la terre, que nos Anciens l'avaient si bien compris qu'entre le *yin* et le *yang* ils avaient mis le Vide médian. Il a parlé alors de l'absence de Yumei plus présente que la présence, et de cette même absence qui sera comblée un jour. Comment peut-il en être sûr ? Et comment envisager cela, moi qui ne crois pas au Ciel ? Ce dont je suis sûr au moins, puisque cela ne dépend que de moi : tant que tu seras là, je ne ferai rien qui ne soit à nous deux, et pourquoi pas le dire, à nous trois. Tant que je serai là, je voudrais enfin y voir clair, fût-ce le temps d'un éclair... »

L'aventure avec les chasseurs ne saurait durer sans dommage. Leurs apparitions se font de plus en plus rares. L'été suivant, nous ne les voyons plus. Sauf une dernière fois, en juin. A cheval, ils sont de passage. « On ne vient plus ici. Les militaires sont dégueulasses. Pour chasser, ils tirent à la mitraillette, ils jettent des grenades. Tout est saccagé, sur la plaine, dans l'eau... Un des nôtres a été blessé par mégarde... Voilà un peu de viande de cerf. Elle commence à se gâter ; c'est bon encore. Tu la feras bouillir dans l'eau et tu y mettras tout ce que tu trouveras. » Nous tournant le dos, ils s'éloignent, cavaliers de l'Apocalypse. Le borgne se retourne soudain, lance aux deux « campards » : « Quand le temps marche de travers, plus rien à faire. La famine, croyez-moi, on la connaît. Qui doit crever va crever. » Me regardant d'abord, puis Haolang, il ajoute : « Lui, je ne sais pas, qu'il se débrouille. Toi, tu ne mourras pas ! »

18

« Lui, je ne sais pas ! » Mais je le sais. Le temps de la calamité étant venu, ceux qui doivent périr vont périr ; et il y a peu de chance que je n'en fasse pas partie. Y a-t-il incompatibilité plus absolue que celle que j'éprouve au creux de mon corps, entre mon estomac délabré et les nourritures sordides que la famine m'oblige à ingurgiter ? A la cantine collective, les rations quotidiennes diminuent de plus en plus. A défaut de riz, on fournit pour accompagner les légumes des sortes de boules faites d'écorces de maïs, de millet et d'autres grains grossièrement moulus. Ces boules compactes et dures provoquent à la longue des constipations monstrueuses qu'aucun laxatif n'arrive à soulager. On en vient mutuellement à s'introduire dans l'anus des instruments de fortune pour en extirper des morceaux d'excrément les uns après les autres, provoquant des souffrances extrêmes. Tous ces incidents liés à la sous-alimentation en rendent malades un grand nombre. On compte beaucoup de morts, s'éteignant de mort « naturelle ». D'autres succombent au froid qui est venu trop tôt cette seconde année. Dès le début d'octobre, un épais linceul recouvre la terre, bouchant portes et fenêtres. La blancheur aveuglante, fantôme sans pitié, vient réclamer quotidiennement sa part de chair humaine. Moi, en dépit de tous les extras que me fournit l'Ami, je ne peux que succomber aux épreuves : violentes toux qui me soulèvent tripes et boyaux, atroces maux d'estomac et d'intestins entraînant de continuelles hémorragies. Transporté en camion, comme bien d'autres, à la ferme divisionnaire qui dispose d'une infirmerie, agrandie pour la circonstance, je ne dois la vie qu'au dévouement d'une infirmière. Depuis mon retour en Chine, c'est la première fois qu'il m'est donné de jouir de la douceur féminine. (Non, on ne jouit pas au milieu de tant de lits gémissants, de pansements sales, de crachats. Mais c'est le seul mot auquel on s'accroche encore dès qu'on connaît un peu de répit.) Au moment où je suis le plus torturé par la douleur, l'infirmière, une femme d'une quarantaine d'années, à défaut de médicaments, se contente de me masser le ventre, ou d'y poser sa main immobile. Une main sûre et pleine où s'amasse tout le trésor d'un corps. Cela a le don de me calmer pour un temps. Brûlant de fièvre, j'en viens à souhaiter, voire à feindre des crises, annonciatrices de rendez-vous furtifs. Quand la main est là, dont je sens les battements, je m'abstrais de la gluante pesanteur. A mon regard de reconnaissance, celle qui dispense l'apaisement répond par un sourire triste qui semble signifier qu'elle aussi se soulage de sa propre souffrance.

Depuis l'infirmerie, les morts sont retirés discrètement et incinérés aussitôt. Un jour, arrive dans ma main un sibyllin message : « Toi non plus, tu ne mourras pas. » Le papier griffonné vient d'une autre salle ; l'écriture est de Lao Ding. Qu'est-ce à dire ? Qu'entend-il par « Toi non plus » ? Serait-il au courant de ce qu'a dit le chasseur ? A moins qu'il ne fasse allusion à lui-même ? A lui-même ! Si le vieil homme usé se trouve à l'infirmerie, on peut craindre pour lui le pire. En tout cas, plus que pour tout autre. Je sais qu'ayant attrapé une congestion pulmonaire qui ne guérit pas, il dépérit à mesure que dure la famine. On a eu beau lui apporter des aliments supplémentaires, il a toujours refusé, en dépit des quintes de toux qui l'épuisent, de manger plus que les autres, redistribuant ces aliments autour de lui. De fait, il est venu pour mourir. Nul doute qu'il a tenu à choisir son heure. C'est là sa seule liberté, mais souveraine, mais superbe. Sa mort, pour discrète qu'elle soit, est toute marquée par le muet mépris pour ceux qui l'ont dépouillé jusqu'aux os. Avant que j'aie pu me traîner jusqu'à lui, l'infirmière apporte un soir — un de ces soirs où le vent hurle si fort qu'on est obligé, à l'intérieur même de la maison, de crier pour se faire entendre — son dernier message, sous forme d'une enveloppe, dans laquelle je trouve une petite boîte plate en fer-blanc et une mince brochure pas plus grande que la paume de la main. La boîte, je la connais pour avoir vu tant de fois Lao Ding en sortir des aiguilles et des fils. C'était avec ces fragiles instruments qu'il avait rapiécé sa veste et cousu d'innombrables boutons pour les camarades. Quant à la brochure, elle non plus ne m'est pas inconnue. C'est bien un de ces petits livres que, tout enfant, je voyais distribuer par les missionnaires dans les rues de Nanchang. En passant, j'en avais pris, de couleurs différentes, en guise de jouets, ne sachant pas encore lire à cette époque. Sans doute le vieillard l'avait-il traînée avec lui secrètement, probablement cousue dans sa veste, durant toutes ses pérégrinations d'un camp à un autre. Sur la couverture, je lis quatre caractères qui se traduisent par « Évangile de Jean ». Cet Évangile, n'avais-je pas eu l'occasion d'en lire des extraits, en France, dans *Si le grain ne meurt* de Gide, ou dans quelques écrits de Mauriac ? A présent, caché sous ma couverture, je le parcours en chinois ; je me trouve soudain déporté ailleurs, passablement désorienté. Parviendrai-je jamais à déceler un message au travers de cette traduction au langage étrange, qui est du chinois sans être du chinois, avec ses néologismes déroutants, sa syntaxe parfois bancale, son rythme qui heurte ? Je pense à ces textes bouddhiques que j'avais copiés pour ma mère, émaillés également d'expressions et de formes qui déstabilisent et donnent le vertige, que les Chinois ont mis des siècles à assimiler. Comment une parole tout autre peut-elle pénétrer en vous, vous apostropher, vous foudroyer ? Comment cette parole peut-elle vous ravir ou vous violenter jusqu'au tréfonds pour n'en plus partir, au point qu'elle vous devienne voix et geste, chair et sang ? Au point que Lao Ding, un jour, accorde une foi absolue à cette affirmation proprement incroyable : « Qui aime sa vie la perdra, et qui perd sa vie en ce monde la conservera pour la vie éternelle. »

19

Au sortir de la famine, Haolang et moi, pareils à tant d'autres, nous nous découvrons vieillis mais vivants. La trop longue faim a miné les organes ; le trop long froid a glacé la moelle et érodé les os. La peau, pendante et flasque, a noirci. Et pas un mouvement du corps qui n'avive les douleurs accumulées. Pas un mouvement de notre corps, cependant, qui n'aspire au fou désir d'être à nouveau. Nous sommes devenus des demi-sauvages, à l'image de cette terre à laquelle nous demeurons fatalement liés. Nous ne nous imaginons plus vivant dans une autre région soumise à l'emprise d'une dictature plus forte encore. Cloués sur ce sol du Grand Nord, sans attaches ailleurs, ne finissons-nous pas, mentalement, par consentir à cet espace dont la dureté minérale devient, à nos yeux, l'emblème de la grandeur et de la pureté ? Les dirigeants des camps, éprouvés eux-mêmes, ne se hasardent pas à revenir à la discipline de fer d'avant la famine. Notre camp porte maintenant le nom anodin de « ferme collective ». Nous partageons une chambre. La porcherie est incorporée à une structure d'ensemble consacrée à l'élevage et dirigée par une autre équipe. Nous n'avons plus à nous occuper, à part la participation ponctuelle à des travaux collectifs, que des potagers... et toujours, hélas ! des latrines, certes passablement améliorées. Notre indépendance est à ce prix. En dehors du travail obligatoire, chacun, disposant d'un temps à lui, peut exercer une activité jugée « correcte ». Non loin des camps et autour des bourgs, des villages commencent à se former, habités par des familles d'anciens militaires et d'artisans et par de nouveaux venus dans la région. Celle-ci ayant été fertilisée par la sueur et le sang des pionniers est devenue plus exploitable, en dépit de son climat hostile.

Le printemps 1962 est pareil à tous les printemps sur cette terre de Sibérie chinoise où la nature, impatiente du trop long hiver, faisant craquer les glaces, explose de toutes ses énergies comprimées. L'horizon s'élargit sans cesse, repoussant toujours plus loin les confins, au-delà du vol des oies sauvages, au-delà même des nuages, détendus, prometteurs. Partout ce ne sont, au travers des restes de neige, que surgissements de fleurs auxquels répond le superbe élan des animaux. Pourtant, nous avons la sensation de vivre pour la première fois cette saison inaugurale, notre premier printemps à deux, vibrant d'on ne sait quelle sollicitude. A deux seulement ? Ni l'un ni l'autre n'avons quitté un seul instant l'être sans lequel nous ne serions pas là. Sans qui nous ne serions pas liés l'un à l'autre à vie, comme le bras droit et le bras gauche d'un même corps, comblés par une amitié si vitale qu'elle est — on voudrait le croire — de même essence que l'amour. Cet être, la Sœur, l'Amante, nous ne le nommons pas souvent durant toutes ces années de luttes pour survivre, non par oubli ou par négligence : simplement nous n'avons plus l'habitude d'en parler à la troisième personne, tant il est devenu la part la plus intime, la plus vivante de notre existence. Nous ne le voyons plus en dehors de nous, ni même en face. Il est là, plus présent que nous-mêmes, au creux le plus secret de notre conscience ; dans notre sommeil, à notre réveil ; devenant nos pensées, nos gestes, nos regards, nos voix, notre monologue qui est dialogue, notre silence qui est chant ininterrompu. Il n'est plus l'objet de nos désirs, mais nos désirs mêmes. Être réel, lourd et consistant tel un sein gonflé de lait, et dans le même temps, plus léger que brume et rosée.

L'hiver long et le printemps bref obligent. Pour l'heure, il faut faire face à des travaux harassants qui se succèdent sans relâche, à un rythme de plus en plus accéléré : labour, semailles, réparations autour des champs et dans les habitations. Quand le printemps passe sans transition à l'été, une fois terminé le binage, on jouit enfin d'un peu de répit. Nous sommes pris d'une violente envie d'« évasion », sans ignorer les limites que permet le règlement. Grâce au matériel qu'a laissé le fils du commandant parti pour Pékin en pleine famine, je me remets au dessin. Le besoin de « travailler sur le motif » justifie amplement mes sorties. D'autant que mes paysages à l'aquarelle obtiennent pas mal de succès auprès des dirigeants ou de leurs femmes, qui se plaisent à en accrocher un, qui derrière son bureau, qui dans sa maison particulière. Nous rencontrons de moins en moins de réticence pour de telles permissions. C'est alors que le souvenir de notre randonnée à travers le Sichuan nous revient en mémoire. Chaque fois que nous le pouvons, nous faisons de longues marches à pied dans diverses directions.

Quelqu'un d'autre connaîtrait-il, avec autant d'intensité, cette jubilation sans bornes, rarement accordée dans la vie : revivre exactement une sensation de plénitude autrefois connue, non par l'effort de la mémoire, mais bien physiquement, par toutes les fibres de son corps, dans les replis les plus intimes de son être ? On la revit avec une lumineuse connaissance, ou plus exactement avec une absolue reconnaissance. Chaque pas, chaque halte, chaque soif, chaque faim, et cette fatigue même qui s'infiltre trop vite dans les membres affaiblis, contribue à restituer un présent éternellement déjà vécu, éternellement à naître. Sous nos pas, tout semble être retrouvé. Tout pourtant reste à découvrir. Cette région, mi-domestiquée, mi-sauvage, sous son apparence de monotonie, offre des configurations plus variées qu'on ne l'imagine, à l'instar de sa faune et de sa flore, d'une richesse insoupçonnée. Une fois passé la zone des champs cultivés, on aborde des étendues parfois très accidentées, parsemées d'herbes foisonnantes, de cours d'eau capricieux, de collines couvertes de conifères et de ravins passablement rocheux. Tout cela sur un fond de glaise noire que viennent égayer, par touffes entières, des fleurs de toutes espèces. Là où les chemins sont absents, on effectue de longs détours, contournant les marécages, pour aller d'un point à un autre. Dans le vent chargé d'un bourdonnement continu, seuls apparaissent naturels les cris d'oiseaux et le subit détalement des bêtes. Les voix humaines, elles, assourdies par la distance, donnent l'impression d'une chose incongrue qui se perd dans les sables. Néanmoins, au cœur de l'illimité, cette idée d'une pure perte n'est pas toujours accablante. Aux heures où l'ombre décline, pour peu qu'on se trouve sur une hauteur, exténué, on se laisse prendre par l'immense vide et l'on se sent un moment la part la plus silencieuse, la plus immobile de l'univers.

Un jour, nous nous dirigeons vers un lieu dont

naguère les chasseurs nous ont parlé. Partis avant l'aube à marche forcée, nous arrivons dans une contrée inconnue. Après avoir traversé une rivière à sec, nous pénétrons dans une zone boisée parmi de grands arbres, où l'air est saturé d'insectes bourdonnants et de parfums de résine et de mousse. Une nature originelle déploie devant nous son mystère inviolé. A l'extrémité de la Chine, on est déjà hors du monde ; ici, on a la sensation d'être hors de ce hors-monde. Nous suivons un vague sentier, tracé probablement par des chasseurs occasionnels au travers d'arbres à la densité suffocante, vers une ouverture plus loin. A notre passage, une grosse branche craque et tombe ; une bête s'enfuit en brisant les barreaux que forment les rais du soleil. Là où brille une étendue d'eau, un troupeau d'oies aux cris stridents s'envole à tire-d'aile. Puis, tout se calme, se ressaisit. A ce moment précis, une brise passe et l'air bleuit. Je reconnais sans hésiter le Pays et la Présence. « Yumei ! » Un appel sourd de mes entrailles. L'Ami, qui me devance, se retourne, se fige. Lui de même voit. Claire silhouette au sourire intact ; poignante extase au regard sans fin... Sans fin, la durée : un éclair ? une vie ? Mais déjà ce qui est à portée est hors d'atteinte ; déjà l'air ébloui reprend sa transparence. C'est alors que Haolang — tel un grand cerf touché en plein front — se met à courir. Il court aussi vite qu'il peut, de peur d'être rattrapé par la tristesse et par la nostalgie. Tout en courant, il pousse des cris rauques. On dirait un sauvage en transe en pleine danse rituelle. A bout de souffle, il titube sur quelques pas, se laisse choir dans les feuilles sèches, bras ouverts, face au ciel. Je le rejoins, me couche à côté de lui, tenant sa main dans la mienne. Je sens sa respiration haletante et la puissante pulsation de ce corps ami, alourdi par plus de dix ans d'épreuves physiques. Du fond de ma mémoire, remontent jusqu'à mes lèvres les vers jadis appris par cœur :

> *Quand te submerge la nostalgie*
> *Repousse-la vers l'horizon extrême*
> *Oie sauvage fendant les nuages*
> *Tu portes en toi la morte-saison*
> *Roseaux gelés arbres calcinés*
> *Ployés en bas sous l'ouragan*
> *Oie sauvage délivrée des haltes*
> *Libre enfin de voler, ou mourir...*
> *Entre sol natal et ciel d'accueil*
> *Ton royaume unique : ton propre cri !*

Haolang m'écoute sans mot dire. Je sens seulement la pression de sa main qui serre maintenant la mienne plus fort, au point de me faire mal, de me broyer les os. Un long moment se passe. Je me lève pour soulever mon compagnon qui a le visage brouillé de larmes, souillé de terre. Sa jambe gauche blessée est couverte de sang.

Ce jour se révèle décisif. La nuit même, dans la pièce attenante à l'ancienne porcherie, ne dormant pas, Haolang jette avec frénésie sur le papier des mots qui se précipitent au bout de ses doigts. Éclairé d'une bougie suppléant à la lampe défaillante, il écrit toute la nuit. Je sommeille de façon intermittente. A chaque réveil, j'entends le bruit du crayon qui crisse sur le papier, je retrouve cette odeur si familière d'autrefois au lycée, celle des cheveux qui brûlaient à la flamme des bougies, lorsque la tête fatiguée s'inclinait. Au petit matin, sur la table s'amoncelle une pile de feuillets noircis : fragments de phrases et de vers. Les parcourant, j'accompagne littéralement mon ami dans sa traversée de l'enfer. Je reconnais les moments saillants ou intimes de sa vie agitée. Rien n'a été escamoté. Tout, amitié et amour confondus, y est accepté, exalté comme un mystère fatal. Sur un des derniers feuillets, deux vers écrits en caractères plus gros, plus ordonnés :

Or, vient le jour, à bout de mémoire et d'oubli,
Ils rejoignent, dans le clair bois, la bien-aimée.

20

Pour sûr, c'est ce qui nous reste : écrire. D'autres l'ont fait, même au plus fort de la répression, en consignant à la hâte, qui des mots saisis au vol, qui des pensées obsédantes, qui un testament... Y a-t-il un autre chemin pour les enchaînés, s'ils veulent encore transformer tout ce gâchis en instants de vie ? Tant qu'on est là, c'est bien ce qui reste à sa portée. Mais qu'écrire ? Le plus simple ne serait-il pas de raconter par le menu le quotidien ? Est-ce si simple ? Certains s'étaient nourris de rêves si élevés que, foudroyés, hébétés, ils sont frappés d'impuissance à exprimer seulement les choses d'ici. Il ne faut rien de moins qu'un surgissement tout aussi foudroyant pour que...

Les jours suivants, Haolang continue d'écrire : tout ne fait que commencer. Il reprend, passage après passage, les ébauches qu'il a jetées sur le papier, livrant une véritable bataille. Il est impressionnant à voir. Non, il n'y a en lui ni rage ni hargne, encore moins de ces rictus volontairement désinvoltes dont parfois il s'affuble pour se donner le change. L'expression de son visage sévèrement fermé et anxieusement concentré est tout simplement celle de la dignité retrouvée, celle de quelqu'un qui, face à la perdition, a brusquement compris ce qu'il avait à accomplir. Le regardant — j'ai rarement l'occasion de le dévisager ainsi, longuement, tranquillement —, je vois que, malgré l'apparence, quelque chose d'irréductible a eu le temps de grandir en lui. A côté de sa figure cabossée mais indomptée, derrière laquelle on croit percevoir toutes les figures intransigeantes qui s'étaient dressées au long des siècles, ceux qui cherchent à le réduire au silence n'existent plus. Eux disparaîtront. Ils n'ont été sur sa route que de monstrueux obstacles qui l'ont acculé aux limites, donc à l'essentiel. Eux disparaîtront. Oui, la revanche de Haolang ne saurait être dans un coup de canif planté en plein dos de quelque petit chef, ni dans la fuite vers quelque région sauvage. Le voici enfin face à lui-même.

Mais le regardant, je vois aussi surgir en moi des questions en chaîne. Que fait mon ami au juste ? Redonner naissance par le chant à une inextricable histoire à trois ? En quoi celle-ci est-elle exceptionnelle ? Peut-être ne dépend-il que de lui pour qu'elle le soit ? Peut-être ne dépend-il que de lui de transformer la suite de ratages en une suite de révélations qui seraient autant de rachats ? Révélations de quoi ? Probablement le poète l'ignore. Il sait seulement, comme il l'a souvent affirmé, qu'en dépit de tout ce qui a été vécu et dit, rien en réalité n'a été vécu ni dit. Lui qui croyait être venu pour être le grand chantre de la vie, il en est donc réduit à raconter sa « petite histoire ». Y a-t-il bien une « petite histoire » ? Toute histoire même petite n'est-elle pas toujours liée à la grande ? La sienne était à ce point liée à la grande qu'il a fini par s'y noyer. Dans sa lutte pour la survie, il en était venu à oublier la seule arme qu'il détenait : l'écriture. Maintenant il la retrouve. Tant qu'il est là, à côté de la bougie, entre ces murs moisis, cette arme absolue est à sa portée. Personne — fût-il le plus cynique des tyrans — ne peut plus l'empêcher de tout dire. Personne ne peut plus l'empêcher d'aller jusqu'au bout de son dire. Jusqu'au bout ? Là encore, je me vois assailli par une autre série de questions. Où se trouve-t-il, ce bout ? Existe-t-il seulement ? Suffit-il de faire revivre ce qu'on a cru connaître pour que tout prenne forcément sens ? Dire, c'est certes ce qu'il est donné au poète, mais le vrai dire n'est-il pas une quête dont on ne peut encore mesurer la portée ni prévoir le terme ?

Excepté des remarques d'ordre général ou des questions sur des faits précis, Haolang reste muet sur la progression de son récit, soit par l'impossibilité de l'expliquer en mots simples, soit par pudeur : tant de choses qu'il évoque touchent aussi son ami de près. Je respecte son silence. Je ne veux en rien intervenir, sous prétexte de l'aider. Le plus étrange est que durant ces jours, une fois les pénibles tâches quotidiennes accomplies, je reste là, seulement là. Je ne peux rien faire d'autre, pris que je suis dans le mouvement concentrique des ondes qui émanent du corps tendu et inspiré de mon compagnon. Je sens que je ne dois pas m'en écarter ; une voix est là, si proche, si lointaine, qui nous parle à tous deux. Je ne doute pas que ma propre écoute est indispensable pour que cette voix demeure pleine et pleinement comprise. Je me demande toutefois si, en ces heures de sauvetage par l'énergie du désespoir, Haolang et moi entendons exactement la même chose.

Rien qu'à me le demander, je ressens combien nous sommes différents, combien aussi nous sommes complémentaires. Haolang aura toujours été cet être qui s'arrache de la terre la plus charnelle, qui va droit de l'avant ou qui s'efforce de s'élever vers l'air libre des hauteurs, coûte que coûte, vaille que vaille, fût-ce au prix d'atroces blessures infligées à lui-même et aux autres. Tandis que moi, j'aurai été cet être qui vient d'ailleurs et qui sera perpétuellement choqué par ce qu'offre cette terre. Si en dépit de tout je garde intacte en moi cette capacité d'étonnement et d'émerveillement, c'est que sans cesse je suis porté par les échos d'une très lointaine nostalgie dont j'ignore l'origine. Cette voix prenante qui à présent nous enveloppe tous deux ne peut provenir, bien entendu, que de Yumei, elle qui nous avait totalement aimés l'un et l'autre et qui avait reconnu justement cette différence et cette complémentarité dont elle n'avait pu se passer. Mais l'entendons-nous de la même manière ? Recueillons-nous la même chose ? me demandé-je encore. Là où Haolang n'entend peut-être que l'appel d'un être singulièrement terrestre, je suis ébranlé par on ne sait quelle résonance hors monde.

Au cœur de mon écoute retentit un sourd tonnerre de printemps dans lequel la chère voix se joint à tant d'autres qui n'ont cessé de murmurer leur vérité. Voix confondues en une seule, celle de la Femme qui jaillit d'un terreau inconnu, d'un fond proprement mythique. En cet instant de dialogue décisif, ce mot « mythique » me déroute-t-il ? Pas véritablement. Depuis mon séjour à Dunhuang et depuis ma visite au Campo-Santo de Pise, où j'ai vu les fresques du Maître de la mort, depuis que Yumei est devenue cette part de notre être aussi intime qu'inaccessible, s'affirme de plus en plus en moi la conviction que seule une vision mythique permettrait aux hommes de prendre en charge ce qu'ils ne parviennent pas à dire entièrement. Qui d'entre nous peut prétendre cerner la vraie vie, savoir jusqu'où elle plonge ses racines et étend ses ramures ? Peut-on se tenir pour quitte d'avoir consigné seulement les bribes de ce qu'on a cru vivre ou entendre ? Une fois parvenue à l'existence, ayant poussé son cri, toute vie se répercutera forcément d'écho en écho vers un Appel qui vient d'elle et la déborde infiniment. Comment exprimer cet Appel ? Existe-t-il une formule claire, définitive pour y parvenir ? Force est de recourir aux figures mythiques pour suppléer ce qui ne peut entièrement se dire. Et l'objet de la quête, la femme — plus que de la femme, ne faut-il pas parler du mystère féminin —, cette présence énigmatique entre toutes, énigmatique à elle-même, d'où qu'elle vienne, de la Renarde ou du Serpent blanc, du Nuage ou du Lotus, consent-elle jamais, en cette vie ou en d'autres, à se figer ? Elle le souhaiterait qu'elle n'y arriverait pas. « Femme au destin inaccompli, là où tu vas, je te rejoindrai. De vie en vie, tes pas incertains tracent au fond la voie la plus sûre », me dis-je. Je n'oublie pas que depuis ma visite à la chambre de la pendue, jadis dans la maison familiale, j'ai partie liée avec cette voie de la migration et que je n'ai pas à redouter d'éventuelles perditions.

« Mais il n'est pas trop tard ; faisons quelque chose encore ! » Cette phrase que Yumei aimait à dire en fin de journée sur un ton enjoué résonne à nouveau à mon oreille comme une ultime injonction. Je sais que pour moi aussi l'heure du sursaut a sonné. Du fond de la honteuse dégradation, quelque chose naîtra de ma main, une figure, la figure la plus aimée, aussi fidèle que possible à elle-même, aussi autre que possible.

21

Représenter le visage de Yumei : en suis-je encore capable ? Avant même de saisir le crayon, je sais déjà que le manque de moyens et de mûrissement — depuis mon retour de France, je n'ai plus guère dessiné de figure humaine — abîmera l'image que je vois trait pour trait dans mon œil de sapience, mais qui s'évanouit dès que je veux la saisir.

La figure humaine. Une fois, je m'étais senti poussé à capter celle de Véronique. C'était dans le bois de bouleaux au-delà des potagers, là où avaient été semées les cendres de Lao Ding. Marchant au milieu des arbres aux feuillages vert tendre ou gris pâle qui paillettent sous le vent doux, faisant bruire l'air alentour, mon regard avait été attiré par l'un des troncs à la silhouette élancée. Les fines craquelures de son écorce d'argent laissaient deviner la sève à l'intérieur. Subitement je pensai à Véronique, à son corps laiteux se révélant à mes yeux étonnés, chaque fois qu'elle le dévoilait sans hâte ni fausse pudeur. Mon propre corps, si affaibli, desséché par ces années de privations et de grossière nourriture, se mit alors à gonfler d'un désir brutal. Je me collai à l'arbre et me frottai contre le tronc charnu, aussi longtemps que je le pus, jusqu'à me vider du peu de semence qui me restait. Je m'affalai au pied de l'arbre, sur le mince coussin de feuilles mortes. Je me sentis passablement ridicule, tout en étant réconforté à l'idée que je pouvais encore vibrer, que la sève de la vie pouvait encore me revenir. Le lendemain, tel un assassin revenant sur le lieu de son crime, je me rendis au bois, y rôdai un peu. Je cherchai à reproduire ma vision de la veille par une figure de femme qui transparaîtrait parmi les arbres. Je ne réussis pas à rendre cette figure réelle et abandonnai l'idée d'une présence humaine, pour concentrer mon attention sur le bouleau lui-même, y cherchant ce qui avait enflammé mon imagination. Mon effort aboutit à un tableau à l'encre rehaussée de quelques couleurs discrètes. On y voit ce bouleau à l'éclat digne, accompagné d'un autre, en retrait. Ai-je tout dit de ce que je ressens par là ? De même, Van Gogh avait-il tout dit par le truchement d'un cyprès ou celui d'un olivier ?

Me voici devant le même dilemme qu'en Italie. Je vois que les Chinois anciens évitaient de représenter la figure humaine, confiant au paysage — ou aux éléments composant un paysage : arbre, rocher, source, etc. — la tâche de signifier leur monde intérieur, leur élan spirituel comme leur poussée charnelle. Peindre un être isolé, *a fortiori* une femme, comme ça, leur paraissait toujours un peu factice, dénué de sens profond. L'Occident ne semble pas se poser tant de questions à ce sujet, avec une si longue tradition dans la représentation de la femme, notamment celle de la Vierge avec toute sa charge symbolique. L'artiste, riche de cet apport reconnu par tous, est à même de fixer les traits d'un être cher et familier, tout en les élevant à une forme d'idéalisation douée de multiples significations, dépassant par là le simple but du portrait. Ainsi, un Lippi et un Raphaël pouvaient-ils peindre la Madone à travers la figure de leur bien-aimée ; un Della Francesca à travers celle de sa mère.

L'évocation de Della Francesca me pousse, d'un coup, à dépasser le dilemme. Elle me transporte dans le cimetière bourdonnant de lumière de Monterchi, dans cette minuscule chapelle aux murs blancs dont l'ombre fraîche est éclairée par la seule présence de la Vierge au visage apaisé et à la jupe ample capable de couver tout l'univers vivant. S'installe alors en moi l'irrépressible envie de réaliser une fresque de ma Vierge à moi, ma sœur, ma mère, mon Amante, ces êtres qui sont ma plus lointaine, mon unique nostalgie, jamais comblée. Quand donc ? Mais dès maintenant ! Où donc ? Hélas ! nulle part... Force m'est de constater que nulle part en cette terre dépossédée et partout surveillée, je ne dispose d'aucun carré ouvert pour y laisser une empreinte.

Je fais part de mon intention à Haolang qui aussitôt s'enflamme. Dans notre quête d'un lieu, nous songeons à tous les endroits possibles, tout en sachant qu'il me sera difficile d'y réaliser quoi que ce soit à l'insu des autorités ; à tel hangar désaffecté ; à tel rocher repéré un jour dans une forêt ; aux grottes dont nous ont parlé les chasseurs. Nous sommes près de renoncer quand l'idée nous vient d'en parler au menuisier. Celui-ci, décidément ange protecteur de tous les damnés que le destin, jouant aux dés, a jetés sur ce sol, n'est pas à une ingéniosité près. Les deux visiteurs voient naître sur son visage ce bon sourire d'artisan robuste :

« Chez moi.

— Chez toi ? Mais comment ?

— Venez voir mon atelier. J'ai ajouté par-derrière une pièce pour l'agrandir. Je dois y mettre au fond tous mes livres, et déposer devant mes gros outils et les ouvrages terminés. Eh bien, je n'ai qu'à séparer ces deux parties par une cloison mobile. Comme ça, tu peux peindre sur tous les murs du fond qui sont éclairés par une petite fenêtre placée très haut. Derrière la cloison, tu pourras travailler tranquillement. Seulement voilà : il faut pour cela que tu fasses un séjour dans le village. »

Et, afin de m'encourager, le menuisier va jusqu'à me proposer la peinture qui convient : il a les moyens de la diluer beaucoup pour que je puisse l'utiliser à mon aise.

Depuis ma visite chez le menuisier, je suis constamment hanté par les trois pans de mur blancs. J'y pense comme à une caverne prometteuse de trésors ; seulement, les trésors, c'est moi qui dois les apporter. Un jour, se présente à moi le souvenir de ces mausolées vus à Ravenne, en particulier celui de Galla Placidi, dont l'intérieur est entièrement tapissé de mosaïques où dominent le bleu profond et le vert or, et qui rendent cet espace clos aussi lumineux qu'une nuit étoilée. Il n'en faut pas plus pour que la flamme de la création soit définitivement allumée en moi. Je créerai ma propre demeure mythique. Peu m'importe que celle-ci soit tombeau, chapelle, ou un jour ruine ouverte. Haolang, très avancé dans son écriture, est excité également par la perspective d'une fresque en ce lieu secret. Il est sûr que les images nées de ma main et de ma sensibilité l'inspireront, le pousseront plus loin que sa propre vision.

Le village, où l'œil vigilant des cadres du Parti n'est pas moins présent, nous apparaît néanmoins à l'horizon sous les traits de la Terre promise. Nous savons qu'effectuer un séjour dans un village en prenant part à sa vie est une formule autorisée. Afin d'être sûrs d'être acceptés, nous attendons toutefois la période de la récolte d'automne pour présenter notre demande, et ajoutons une raison supplémentaire : décrire par la peinture et par l'écriture la vie des paysans.

Entre-temps, je m'adonne avec ardeur aux dessins préparatoires à l'aquarelle. Au travers de croquis nombreux et variés, je traque la nature dans ses recoins les plus secrets, dans les interstices où les éléments du monde minéral et végétal passent du visible à l'invisible et inversement. Peu à peu, par-delà des fragments, une vision totale de la fresque commence à se dessiner dans mon esprit. Une vision dans laquelle les êtres vivants, y compris quelques personnages et quelques animaux, émergent d'un fond marqué par les nuances du printemps et de l'automne, du jour et de la nuit, toutes choses qui demeurent entre réel et irréel, entre événements assumés et avènements inattendus. L'ensemble des éléments de la composition, qui chacun possède son espace propre, est porté par le même courant et converge vers une figure centrale, laquelle, envers et contre tout, est devenue le nœud de ma vie, cristallisant en elle mes désirs les plus troubles et mes rêves les plus fous, celle de l'Amante.

Mais quand j'aborde la représentation de celle-ci, pourtant si familière, si intériorisée, trop familière et trop intériorisée peut-être, je constate avec impuissance qu'elle refuse de se fixer sur le papier, ou plutôt que moi, je ne saurais l'épingler sur le papier sans la trahir, sans l'asphyxier.

Un matin, j'ai le courage de sortir le dessin que Yumei m'a laissé avant de mourir. Le jaunissement et la pliure du papier depuis tant d'années ont effacé maints traits et n'en laissent plus que l'épure. Un contour ovale tracé de façon gauche encore — combien exact cependant, parce que intensément senti et caressé, avec toute la tendresse dont mes dix-sept ans étaient capables. Comment cette empreinte si ténue a-t-elle pu survivre à tant d'épreuves ? C'est pourtant avec elle que Yumei avait désespérément tissé une toile au-dessus du gouffre de la vie terrestre. Dans l'esquisse les traits se devinent et émeuvent d'autant plus qu'ils conservent toute leur virtualité. Je comprends alors le message de l'Amante : ne pas figer ses traits, ni les emprisonner dans une expression unique. Représenter son visage et son corps de façon si dépouillée, si « laconique », juste l'essentiel mais essentiellement juste, qu'ils restent vivants en leur devenir, laissant affleurer tout ce qui a été vécu et rêvé, s'ouvrant aux souffles qui les portent.

Vient enfin le moment où les deux « complices » s'installent au village. Haolang a la pénible obligation de pondre quelques textes bien sentis sur la vie des paysans. Il s'efforce de ne pas trop vendre son âme et de déceler des qualités humaines cachées au fond de chacun. Sa personnalité chaleureuse et sa sympathie foncière ne tardent pas à créer des liens avec la population. Il n'est pas dit non plus que son corps de guerrier de bronze ne soulève pas quelques vagues dans le sommeil de plus d'une jeune fille.

A l'exception de quelques figures odieuses, bornées ou fanatiques, nous retrouvons dans la population la vieille race terrienne que nous connaissons, mais bien plus rude, car la plupart ont émigré en cette contrée extrême par suite de calamités dans leur province d'origine. Pour les représenter en peinture, je suis surtout attiré par les plus jeunes et par les plus âgés d'entre eux. Beaucoup de jeunes filles ont encore le front cerné de brumes de rêves ; beaucoup de vieilles femmes, creusées de rides, sont muettes de résistance et de résignation. Du côté masculin, la plupart des garçons ont l'instinct animal à fleur de muscle, réprimant à peine en eux la force sauvage développée naturellement dans cette région peuplée de bêtes de toutes espèces, quadrupèdes, reptiles, rapaces. Avec des moyens rudimentaires, bâtons, piques, haches, pierres, cordes, crochets, etc., ils cherchent, par jeu ou par défi, à les chasser en les assommant, en leur tranchant la tête d'un coup sec, en leur brisant le cou dans un craquement d'os ou en leur crevant les yeux, avec un mélange de peur et de plaisir. Il semble que seule la grande loi du monde végétal parvienne à les assagir, à les domestiquer, et qu'ils finissent, avec l'âge, par ressembler à leurs pères et à leurs grands-pères, à la démarche lente, aux membres noueux comme de vieux troncs d'arbres rabougris. Eux connaissent la patiente croissance des plantes, depuis la racine ancrée dans la terre jusqu'au faîte, exposé au soleil et au vent, à la foudre et au gel. Extrême fragilité qui renouvelle pourtant le miracle de vie. N'ignorant rien des calamités et des intempéries qui sèment la mort, ces vieux paysans conservent leur foi, soudant leur chair chaque année davantage à la vivante argile. Ils font penser à ces prophètes hébreux qui, en dépit de toutes les épreuves incompréhensibles que leur Dieu leur impose, ne lui demeurent pas moins fidèles.

C'est parmi ce peuple que, caché derrière ma cloison et face aux trois pans de mur, je m'attaque à l'œuvre de ma vie.

Ayant surmonté les hésitations du début, puis les maladresses en cours d'exécution, je sens que le travail progresse bien, que je commence à bénéficier de la connivence des dieux ou des esprits. Les formes naissent peu à peu, presque comme dans ma vision, non sans conserver toutes leurs capacités de métamorphoses. Absorbé par mon travail, j'en viens à oublier un peu la chaleur étouffante de la pièce. A certaines heures, mon front et mon torse nu ruissellent de sueur, mais qu'importe ! Pourvu que l'œuvre avance, qu'elle prenne corps. Me suffit-il de continuer ainsi en toute confiance ? Je sais aussi qu'à concentrer mon effort sur les indispensables détails, je cours le risque de rompre le mouvement global ; de rater l'unité de l'ensemble. Jusqu'à la fin je ne me dégagerai pas de cette tension mêlée de peur qui me tenaille.

Un jour, je pénètre dans l'antre clandestin plus tendu que d'habitude. C'est le jour où je dois poser autour de la figure de l'Amante le bleu spécifique que j'ai enfin trouvé après nombre d'essais, ce bleu sans fond et transparent que j'ai pu voir aussi bien dans des scènes d'adoration de Bouddha à Dunhuang que dans des peintures de Simone Martini.

Avant de poser la couleur qui doit couronner ma fresque, geste effrayant mais décisif, j'hésite un long moment. Puis, d'une main un peu tremblante je répands autour du visage de Yumei le bleu longuement mûri en mon esprit. Sous l'effet d'un coup de pinceau, l'étendue du bleu est rayée en son milieu par un trait en creux — une étoile filante ? un vol d'alouette ? — que je n'efface pas. Je pose mon pinceau pour relâcher un peu la tension, sûr en mon for intérieur que je tiens la chose. Le visage de Yumei pourtant à peine dessiné prend un singulier relief et semble comme incarné. Visage aux contours précis et aux traits indéfinissables, hésitant entre trace et non-trace, à peine visage et plus que visage, étant le visage de tous les autres qui d'instinct se tournent vers lui. Centrale, la figure de Yumei forme d'autant mieux le nœud du mouvement d'ensemble qu'elle ne s'impose pas, prête à s'effacer à tout moment. Ainsi libre et mouvante, aucunement figée, on la voit tour à tour grave et souriante, pétrie de douleur ou d'extase.

Cet après-midi-là, une réunion politique est prévue

pendant laquelle le secrétaire local du Parti doit annoncer le plan de travail pour la récolte d'automne. Haolang est venu une heure plus tôt me rejoindre. Son entrée dans ce réduit caché coïncide avec un rayon de lumière tombant dru depuis le volet d'en haut, telle une épée trouant une tenture. Lui qui d'ordinaire fait part spontanément de ses impressions sur le travail en cours, se tient silencieux dans l'ombre. Il a enfin devant les yeux la vision presque totale de la fresque. En sortant de la pièce en ma compagnie, visiblement ému, il dit tout simplement : « C'est cela. »

22

Laisser agir le temps ; laisser agir la chose elle-même. Je connais bien ce vieil adage. Après l'effort humain, laisser les fruits et les plantes travailler à leur propre mûrissement ; laisser un métier manuel ou une technique d'acrobatie travailler le corps de celui qui le pratique. Le non-agir n'est pas tant de ne rien faire que de faire tout ce qu'il faut et de ne plus « intervenir ». Ah, ne pas intervenir ! ne plus intervenir ! Je m'abrite derrière cette sagesse pour ne pas, au moins pour un temps, retourner voir le résultat, de peur d'être déçu et de ne plus avoir le courage de continuer. Mon intuition, confirmée par le « c'est cela » de l'Ami, me dit que lors de la dernière séance, j'ai peut-être atteint un point d'équilibre précaire mais suffisant, même si la fresque n'est pas tout à fait achevée. La moindre maladresse, le moindre geste en trop risquerait de tout gâcher.

Ce bouillon de riz gras aux huit légumes, que ma mère préparait si savamment, qu'elle avait si patiemment appris à l'Amante, si onctueux dans la bouche, à la saveur si nuancée... « Oreilles de bois », légumes de terre, pousses de bambou, chou chinois, ciboulette, racines de lotus, marrons d'eau, etc., chaque composant de ce bouillon, fondu dans l'harmonieux ensemble, conserve néanmoins son goût spécifique. Tout l'art de le réussir consiste à mettre les légumes séparément, chacun à un moment précis de la cuisson, et surtout à ne plus ouvrir ne serait-ce une seconde le couvercle de la marmite en terre cuite jusqu'à la fin de la cuisson ; celle-ci, assez brève, doit se prolonger une fois le feu éteint. Comme si on faisait confiance à ces légumes qui se connaissent mutuellement et qui se concertent, on les laissait à l'abri d'une intervention extérieure opérer leur alchimie. Ce bouillon consistant, concentrant en lui tout le parfum du sol natal, devint mon plat préféré ; il avait le don de « tapisser » mon estomac telle une pommade adoucissante. Ma mère me le faisait quand j'étais malade ou dans un état de déficience. Yumei le préparait aussi chaque fois qu'elle en avait le loisir. Au sortir de mon combat avec la fresque, exténué, je pense à ce bouillon avec nostalgie. J'y pense d'autant plus qu'inconsciemment je nourris l'idée naïve que si j'applique le « non-agir » dans la méthode de cuisson, je pourrais à distance inciter ma fresque à en faire de même, à se parfaire toute seule. Toujours est-il que, pour calmer mon anxiété durant ce temps où je délaisse mon œuvre, je cherche avec l'aide de Haolang à assembler les ingrédients pour préparer le bouillon et le proposer à la famille de paysans qui nous loge, des paysans du Nord qui ne connaissent pas ce genre de plat. Tous les légumes ne poussant pas dans la région, il faut recourir à des substituts. La longue traque dans des recoins odorants nous réconcilie presque avec le vaste monde végétal, ce monde — herbes sauvages à brûler et à arracher, légumes à soigner par tous les temps, plants de riz à repiquer un à un, céréales à couper brassée par brassée, à transporter sac par sac... — qui nous a coûté tant de sueurs et de blessures. Une aussi bonne disposition ne peut que le bouillon ne soit réussi. La vapeur qui monte entre les faces tannées, édentées, provoque exclamations et rires depuis trop longtemps réprimés.

L'imminence de la récolte d'automne ne me permet plus d'attendre : je me décide à dévisager mon œuvre. Au premier coup d'œil circulaire sur les trois murs, j'ai la conviction qu'il ne faut plus y toucher, qu'il faut la laisser telle quelle et que l'inachevé doit être sa forme d'achèvement. Au lieu de la gêne ou de la déception à laquelle je m'attendais, je suis frappé par quelque chose d'apparemment simple qui émane de la profondeur de la fresque, comme une sorte d'élan et d'irradiation qui déborde ce que j'avais conçu moi-même. Je me rends compte que, durant mon travail acharné, semé de tant de doutes, j'étais dans un état de grâce. Et cet état, je ne le retrouverai plus.

Dans l'espace du tableau, les figures humaines fondues dans les éléments de la nature, par leur attitude inspirée, semblent portées par un souffle rythmique et entraînées dans une danse virtuelle, cette même danse qui entraîne la ronde des saisons, l'alternance des jours et des nuits, le croisement des astres dans la rotation universelle. Ici, elle transcende la distance qui sépare ces êtres murés chacun dans son drame et la pesanteur terrestre qui les emprisonne.

Cette fresque inspirée par l'écriture de Haolang, dans quelle mesure marque-t-elle en retour le travail du poète ? Je ne saurais le dire. Par pudeur encore, Haolang laisse à ma discrétion la lecture de cette œuvre, qui nous est trop intime. Toujours est-il que je vois mon ami reprendre son long poème, avec une ardeur renouvelée ; cela au détriment d'un reportage qu'il doit achever pour un journal local. C'est au terme de cette seconde plongée dans la profondeur de son imaginaire qu'il consent à lâcher sa plume,

sachant qu'il convient aussi de laisser son chant poursuivre sa voie inachevée. Pour ma part, je ne doute
pas que ce chant, cette quête, n'aurait pas cet accent
à la résonance infinie si le poète n'y avait pas introduit, dans toute la dernière partie, une nouvelle
dimension qu'il faut bien qualifier de mythique.

> *Quand la terre a bu tout le déluge*
> *La flèche jaillie de l'arc-en-ciel*
> *Atteint la biche en plein front*

> *Suivie de tous, et du cerf à deux bois*
> *Elle gagne à pas lents le cœur du tertre*
> *Pure offrande : fontaine de sang*

La fresque, quel sera son sort ? Nous ne le saurons
pas. Déjà elle échappe à notre emprise, même à notre
vue. Après notre départ du village, le menuisier n'a
pas résisté à l'envie de la montrer en cachette à certains habitants du village, lesquels, s'y reconnaissant,
lui vouent un profond attachement. Plus tard, inévitablement, l'existence de l'œuvre sera dénoncée aux
cadres du Parti ; ceux-ci toutefois n'ont pas osé la
détruire. Le dénonciateur est un teigneux fanatique
qui nous déteste et qui s'exaspère d'entendre sa
femme et ses filles dire du bien de nous. Les deux
créateurs clandestins se voient interdire l'accès au village par les autorités du camp.

23

Durant les années de famine on a dû délaisser des arpents entiers de terre défrichés : tout est donc à recommencer. Plus grave : on a coupé une énorme quantité d'arbres pour le chauffage et pour d'autres besoins, sans avoir rien reboisé. En attendant que les responsables des zones forestières entreprennent les actions qui s'imposent, et en acord avec eux, une expédition organisée par notre camp est lancée pour explorer la partie encore intacte de la Grande Montagne. Cela dès l'automne, car d'habitude on attend l'hiver pour aller en montagne abattre les arbres ; les affreuses conditions de vie et de travail n'entrant pas en ligne de compte. C'est la seule saison où l'on est disponible. Autre avantage : on peut alors se servir de traîneaux tirés par des chevaux ou des bœufs pour le transport du bois.

En éclaireuse, une équipe d'environ vingt personnes est constituée. Elle a pour mission d'y jeter une base, d'y établir toutes les infrastructures — tentes, chauffages, cuisine, terrains de dépôt du bois, etc. — afin d'accueillir le gros de la troupe qui viendra un peu avant l'hiver. De commencer aussi, d'ores et déjà, les travaux. Le rôle du chef de l'équipe, on s'y attendait un peu, échoue à Haolang dont l'autorité naturelle et la droiture inspirent entière confiance à la direction. Il est, incontestablement, l'un des plus expérimentés. N'a-t-il pas passé sa première année au Grand Nord entièrement dans la montagne, à scier du bois et à extraire des pierres, à accomplir ces travaux réputés les plus durs ? Par ailleurs, on le sait, c'est un excellent chasseur, talent indispensable pour survivre là-bas.

Je ne dois pas faire partie de l'équipe ; ma force physique ne saurait y prétendre. Mais à ma demande, je suis affecté au petit groupe qui doit s'occuper de l'intendance : préparation des repas, approvisionnement en eau, surveillance des tentes, etc. Tâches non moins dures, je l'apprendrai à mes dépens ; je vérifierai aussi un de ces dictons qui courent au Grand Nord : « Y a que du boulot différent ; y en a aucun qui ne soit tuant ! » A partir de l'instant où l'équipe est lâchée par le camion au cœur de la montagne, en attendant que les tracteurs viennent nous livrer tous les matériels nécessaires, le modeste intendant doit affronter les mêmes épreuves que ses compagnons : se frayer un étroit passage, à coups de hache, dans la forêt vierge ; subir l'assaut de moustiques géants et de fourmis non moins grosses ; se prémunir contre serpents et loups qui rôdent ; manger et boire froid durant la journée, et le soir, tirer du corps, criblé de plaies, un ultime effort pour dresser des tentes de fortune... Puis, une fois la base établie, s'adapter à la vie primitive, entrer dans la peau d'un sauvage ; se laisser pousser barbe et cheveux ; se mouvoir nu dans la tente quand le feu est allumé ; s'exposer à la pluie des journées entières ; boire l'eau boueuse au goût de branches pourries ; déplumer, dépecer oiseaux et bêtes au sang encore chaud... Puis, pour remplacer deux camarades grièvement blessés, participer au sciage des arbres abattus.

Abattre les arbres. Pour ces hommes transformés en forces brutes, la chose semble aller de soi. Certes, de ces géants à la présence si muette, à la senteur si dense, ils connaissent la farouche volonté de ne pas céder d'un pouce. Sous leurs coups sans pitié, les arbres conservent leur dignité jusqu'au bout ; ils tombent d'une pièce, sans jamais courber l'échine. Leurs écorces craquelées et leurs chairs saignantes signent une vie obstinée, addition de plongée dans le sol et de poussée vers le ciel. On ne doute pas que, piliers d'un temple invisible, ils sont les gardiens de quelque solennelle loi de la Création. Et leur chute, avec le tronc retranché des racines, d'abord lentement penché, puis violemment précipité vers le sol dans un bruit de tonnerre, est chaque fois ressentie comme un sacrilège. Mais les hommes qui sont face à eux n'en ont cure. Eux ont subi une autre loi qui dicte la destruction. Ils ont été détruits eux-mêmes en leur corps comme en leur âme. Le peu de force vitale qu'il leur reste, ils sont contraints de l'utiliser pour exécuter l'ordre formel : détruire.

Comment ? La destruction, tout comme la construction, est un métier. Excepté Haolang et deux ou trois autres, les apprentis bûcherons doivent s'initier à tout. Pour n'avoir pas respecté l'angle selon lequel il convient de planter la hache ou le sens dans lequel il faut pousser l'arbre, deux des camarades ont été sérieusement blessés par le gros tronc qui, en tombant, a rebondi. Ils n'ont eu la vie sauve que grâce au remède fourni par des chasseurs qui passaient par là. Impressionné, on devient scrupuleux. On apprend humblement les choses les plus élémentaires, la manière d'attacher les troncs vers la clairière aménagée, celle d'actionner les scies selon un mouvement et un rythme. Mouvement et rythme ponctués néanmoins d'écorchures et de blessures.

Cette vie pourrait être sans contrainte ; elle est

contraignante. En tant que chef, Haolang se voit obligé d'imposer à l'équipe la discipline, quelle que soit la répugnance qu'il en éprouve. Il faut atteindre, avant l'hiver, les quantités fixées par les chefs de plusieurs camps réunis. On commence tôt le matin et on termine tard le soir, déjà froid en ce début d'automne. La journée n'est interrompue que par le repas et un court moment de sieste. Vie dure, crasseuse, qui a au moins le mérite, aux yeux de ces travailleurs de force, de les changer des travaux des champs. Beaucoup souhaitent même que leur séjour se prolonge le plus longtemps possible. Inconsciemment ils accordent à la montagne cette même confiance que les Chinois anciens ont toujours nourrie envers elle : c'est le seul refuge où ils pouvaient fuir la tyrannie de l'ordre impérial ou les contraintes sociales ; c'est là que les ermites, forts de leur vision de la montagne — lieu de rencontre des souffles du Ciel et de la Terre —, pouvaient se nicher.

A mesure que les jours passent, l'équipe, composée de politiques et de droits-communs, se soude sans trop de heurts. L'élément le plus discordant se trouve être Yang le Sixième, un ancien soldat placé là en punition des actes illicites — vol et viol — qu'il a commis. Brute coléreuse, il n'accepte pas l'autorité de Haolang, lui cherche fréquemment querelle, ainsi qu'aux autres. Les droits-communs qui avaient des velléités de faire chorus avec lui s'en sont détachés. « Putain de ta mère », « fils de tortue »... C'est par ces expressions, lâchées à tout bout de champ, que l'ancien soldat croit marquer sa supériorité. Ce jour-là, de mauvais poil, il place exprès des rondins en travers, qui gênent le mouvement général. Invectives entre lui et les autres ; intervention de Haolang.

« Mets ces rondins à leur place, et un peu de calme, s'il te plaît.

— Je fous le calme à ta putain de mère !

« — Dans la nouvelle société, camarade, on n'emploie plus ces mots sales.

— Nouvelle société, nouvelle société ! Mais c'est nous autres, les durs à cuire, qui l'avons faite ! Nous nous sommes battus avec nos putains de fusils. Elle est à nous, la nouvelle société !

— Pour le moment, je suis le chef. Je te défends d'employer ces mots devant moi.

— Tu me défends ? Ah, gare à toi, fils de tortue ! Je vais te montrer comment on me défend... »

D'un coup de pied, il fait rouler les tronçons de bois entassés à côté de lui. Il ramasse une grosse branche fourchue, la brandit, menaçant.

« Jette ça, dit Haolang. Si t'es un homme, bats-toi à mains nues. »

Les deux hommes s'empoignent et se cognent. Les coups pleuvent, secs et drus. Ceux donnés par Haolang semblent viser plus juste, sur le front, les épaules et la poitrine de son adversaire. La longue vie au bagne n'a pas émoussé la force de ses poings ; toutes les rages réprimées en ont plutôt accru la précision. L'autre, devant tout le monde, est empêché de sortir les coups bas — s'en prendre à l'organe sexuel — auxquels il excelle. Haolang s'apprête à arrêter, lorsqu'un coup de pied volant l'atteint au menton. Il saigne de la bouche. Sa riposte vacillante ne fait qu'attirer un second coup de pied. Cette fois-ci, étant sur ses gardes, il réussit à saisir la jambe de Yang le Sixième. Il la repousse de toute sa force. L'autre tombe en arrière, loin par terre, le bras gauche écorché jusqu'au sang. Haolang avance, lui tend la main. « Allons, disons que cette fois-ci j'ai gagné. La prochaine fois, ce sera peut-être toi. » Le soldat battu ne peut refuser sa main. Se levant et se donnant une contenance, il bredouille : « Oui, la prochaine fois... »

« C'est bon ! C'est bon ! On va boire ! » L'ancien

acteur, toujours joyeux, se précipite sous la tente, en ressort avec la bouteille d'alcool et des cuisses de lièvre. Dans la montagne, soustraits au carcan d'acier, les hommes donnent libre cours à leur besoin de violence. Après quoi, un peu bêtement, ils voient leurs éclats de voix se changer en éclats de rire. Seuls les arbres qui les entourent gardent le silence, frémissant à peine aux jeux capricieux des hommes.

Par beau temps, après le labeur, le corps tatoué d'égratignures et de piqûres d'insectes, les uns vont chercher l'eau dans une grotte, les autres font la cuisine autour du feu. D'autres, simplement, se lovent au creux des arbres et regardent au loin le soleil qui, suspendu comme eux entre ciel et terre, joue un instant encore avec la brume avant d'aller se coucher. L'air là-haut n'est plus tissé que de vols silencieux d'aigles et de corbeaux. On devient si montagnard qu'on n'imagine pas une autre vie. Un soir, d'humeur apaisée, Haolang se met à réciter, puis à psalmodier un poème de Wang Wei :

Au milieu de l'âge, épris de la Voie,
Sous le Zhongnan, j'ai choisi mon logis.
Quand le désir me prend, seul je m'y rends,
Seul aussi à jouir d'indicibles vues.

Marcher jusqu'au lieu où tarit la source ;
Et attendre, assis, que se lèvent les nuages.
Parfois, errant, je rencontre un ermite ;
On parle, on rit, sans souci du retour.

La psalmodie est suivie d'un long silence. Ce poème, dont le contenu est d'une idéologie si « douteuse » qu'on n'oserait pas le dire au camp, est rapidement adopté par l'équipe comme son « hymne ». On demandera souvent au poète de le rechanter, à la manière des enfants qui réclament une berceuse avant le sommeil.

24

Les jours se succèdent sans que nos bûcherons de fortune, de plus en plus accablés de maux et de fatigues, se rendent compte du changement de temps. Un matin, se réveillant sous la tente, dans la froidure du vent du nord qui commence à arriver dès cette saison sur la hauteur, je discerne, mêlée à la senteur de l'humus givré et du bois coupé, une odeur lointaine, depuis longtemps oubliée et pourtant profondément enfouie en moi, odeur indéfinissable d'une immense présence. Haolang, en homme du Nord qui a passé son enfance à Harbin, ne s'y trompe pas non plus. Presque en même temps, tous les deux, nous disons : « Ça sent le fleuve ! »

Le fait est trop troublant pour que nous ne cherchions pas à l'élucider. Il nous faut à tout prix aller jusqu'au sommet de la montagne pour voir ce qui se cache derrière. Après deux jours de préparation au cours desquels Haolang rassemble les outils indispensables pour l'ascension au travers des ronces et des broussailles, nous entreprenons la dure escalade de la montagne ; d'autant plus dure que nous ne sommes que deux et que je ne suis pas toujours une aide efficace. Avant le départ, il confie la responsabilité de l'unité à l'un des membres qui l'a toujours secondé, prétextant qu'il va explorer la zone en vue d'autres chantiers pour plus tard. Partis très tôt avant l'aube, munis d'un peu de vivres au cas où nous nous égarerions, c'est au terme de huit à neuf heures de lutte acharnée, le visage et les membres couverts d'écorchures, que nous parvenons, épuisés, au sommet. Debout sur un immense rocher couronné de plantes sauvages, nous constatons avec découragement qu'une autre montagne se dresse plus loin, toutefois moins haute. Le jour est déjà très avancé, il est presque trois heures de l'après-midi, nous hésitons longuement pour savoir ce qu'il convient de faire : retourner à la base ou continuer à s'aventurer. Assis sur le rocher, au bout d'un temps d'observation, nous repérons au pied du versant sud de l'autre montagne un minuscule refuge de chasseurs. Cette présence nous attire comme une ombre bleue à l'horizon d'un désert. Que faire d'autre sinon aller vers elle ? En prenant la décision de poursuivre notre chemin, nous n'ignorons pas que nous risquons d'inquiéter les membres du camp, et de plus nous encourons de recevoir plus tard blâmes et brimades. Yang le Sixième, ou un autre, se fera fort de nous dénoncer. Nous passons outre. A force d'être réprimandés pour un oui, pour un non, nous sommes devenus des habitués, des endurcis. Comme tous les « campards », nous connaissons bien le dicton : « Dans un camp, le pire n'est pas pire que le pire où l'on est déjà. »

Un court moment consacré au bivouac, voilà que nous effectuons la descente vers la profonde vallée. Descente à peine moins dure que l'ascension du matin. Débroussaillant, nous agrippant, dérapant, nous mesurons de notre pauvre corps l'interminable pente, plus abrupte sur ce versant. Aux écorchures déjà vives s'ajoutent d'autres meurtrissures. Cette épreuve physique s'accompagne de l'appréhension qui habite ceux qui affrontent l'interdit et l'inconnu. Le soleil semble avoir hâte de se retirer, tel un serviteur qui s'incline en reculant devant la mine courroucée de ses maîtres : ces monts hautains qui, à cette heure, sont en tête à tête, supportent mal tout intrus.

Dans la nuit, nous parvenons enfin au refuge. Nous nous écroulons comme deux masses sur deux lits de planches. Couverts de peaux de bêtes trouvées pendues au mur, nous passons cette nuit dans la douceur relative du versant sud de l'autre mont.

Il faut croire que l'épuisement du corps n'a pas endormi mon esprit. Un peu après minuit, j'entends l'appel de la nuit. Suis-je éveillé ? Suis-je en train de rêver ? Nul besoin de le savoir ; au plus profond de la nuit, tout se relie, indifférencié. La nuit, c'est mon terreau, c'est mon berceau. Cet appel si doux, si poignant, je n'ai cessé de l'entendre tout au long de ma vie. Depuis cette nuit du cri de la femme appelant l'âme de son défunt ; pendant la nuit avec mon père sur la hauteur du mont Lu ; lors de celle où je contemplais en secret l'Amante endormie après son bain lustral ; et puis la nuit étoilée sur la route de Dunhuang ; celle d'Assise où, rompu de fatigue et d'abandon, mais comblé de beauté terrestre, je m'étais endormi un instant sur la pierre chaude du rempart, à peine rafraîchie par la lune ; et celle de l'incendie où je retrouvai l'Ami parmi les gisants, luttant contre la mort...

A travers l'ouverture qui sert de fenêtre, par-delà l'espace strié de temps à autre des cris d'oiseaux de nuit, je vois quelques étoiles, constantes et changeantes, et qui, s'approchant de plus en plus, me signifient la transparence du bleu-noir de l'Origine et m'avertissent de la présence d'une géante au corps de bois de santal et de myrrhe. D'instinct, mon corps s'ouvre sans retenue pour recevoir, avec un mélange de frayeur sacrée et d'intimité nue, ce corps autre qui prend possession du mien. A gorgées lentes, je bois le lait qui coule du sein matriciel.

Je finis par m'immerger à nouveau dans le sommeil, pour me réveiller quelques heures plus tard. Ayant le sommeil léger, c'est à moi de tirer Haolang de son sommeil de plomb. Un rôle que je remplissais déjà à l'époque du lycée et de notre randonnée à travers le Sichuan, chaque fois que nous décidions de partir avant l'aube. Qu'il fasse chaud ou froid, que nous soyons rongés de puces ou de punaises, Haolang, lui, dormait toujours à poings fermés, inébranlable comme une statue. Il me faut arracher morceau par morceau ce corps de l'enlisement dans lequel il s'est abîmé...

Une fois debout, nous nous frottons, nous nous cognons pour nous réchauffer. Après quoi, nous avalons quelques *mantou* à l'aide d'un peu de thé resté tiède dans le thermos.

L'ascension du second mont est moins ardue à cause d'un sentier qui part du refuge, pourtant souvent dévoré par des ronces et des herbes sauvages. Nous sommes soulagés d'atteindre la crête pas trop tard dans la matinée. Coup d'œil, nouvelle déception. Non pour constater un troisième mont qui se dresserait plus loin et qui nous ferait un nouveau pied de nez. Pis : il n'y a rien. Rien qu'une étendue blanchâtre. Brume ? Brouillard ? Fumée ? Un mélange de substances impalpables, à peine terrestres. Assis sur un petit tertre, saisis par le vent froid, nous ne pouvons douter que nous sommes sur terre. Et cette odeur montée des entrailles de la terre, des entrailles de notre mémoire, arrivant par bouffées, qui nous fouette le visage. Odeur des feuillages avant l'orage ou du sol craquelé qui boit la pluie, odeur de chevelure mouillée ou de linge en train de sécher, odeur de cette présence charnelle devenue si familière. Nous sommes là, comme deux veuves transformées en statues de pierre, à force d'attendre.

Une sirène, fendant l'invisibilité opaque, nous fait sursauter. Ce hurlement qui remuait le sang de l'enfant de Harbin que longe le Songhua, de l'enfant du mont Lu bordé par le Yangzi, et qui, plus tard, nous excitait tous deux dans le port de Tchoungking. Ce bruit aigu, lent à disparaître, éveille un autre bruit de fond, bruit du vaste courant d'eau, si omniprésent et si dilué dans l'atmosphère odorante qu'on ne l'entend pas au premier abord, comme la respiration d'une femme endormie à côté de soi ; qu'on ne perçoit pas tant son souffle est l'air même qu'on respire.

Maintenant, il faut seulement attendre. Attendre que le brouillard soit déchiré par le vent, que le fleuve s'étale à nu sous nos yeux. Pas n'importe quel fleuve. Le « Dragon noir » ! Le fleuve Amour ! Il vaut la peine d'avoir vécu toute une vie pour assister à cet instant. Il vaut la peine d'avoir rêvé toute une vie sans cependant avoir osé rêver d'une rencontre pareille.

Ces deux êtres solitaires, perdus et éperdus, au bout du monde, au bord du ciel, sur cette hauteur anonyme, à cette heure anonyme. « Là-bas le fleuve ! Là-bas le fleuve ! » s'écrient-ils en même temps, sans qu'aucune voix ne sorte de leur poitrine. Est-ce possible que ce qui s'offre à leur vue soit réel ? Sont-ils eux-mêmes réels ? Sont-ils dans un état de démence, comme ces personnes très âgées qui perdant la mémoire oublient tout le présent et vivent dans un lointain passé ? Dans ce moment de leur passé où, au cœur de l'argile chaude du Sichuan, en pleine période de guerre, ils avaient tenté intensément de s'imaginer l'extrême Sibérie après la lecture de Tolstoï, de Dostoïevski et d'autres... Pourtant la vision du fleuve se précise. Il y a ce bateau qui apparaît, suivi d'un coup de corne ; il y a ces mouettes qui traversent le fleuve en bandes ; il y a ce large courant couleur d'encre qui se dirige vers l'est. Il y a, maintenant que leurs regards se portent de plus en plus loin, jusqu'à l'autre rive, ces isbas éparses, cette église russe en bois qui se hausse comme pour mieux se signaler ; il y a, plus loin derrière, ces terres boursouflées, brunâtres ou grisâtres, parsemées par-ci par-là de quelques plaques de glace anciennes ou nouvelles, au milieu desquelles se dresse un poste de surveillance...

Notre premier mouvement, comme au temps de notre voyage au Sichuan, ne serait-il pas de nous précipiter vers le bas, au mépris de tout obstacle, de nous tremper mains et tête dans l'eau du fleuve, et, pourquoi pas, de nous y plonger, ou même de le traverser à la nage ? N'y a-t-il pas cet « autre côté » qui toujours nous fascine ? Et cet « autre côté », cette fois-ci, n'est autre que le rêve même de notre jeunesse. Mais nous ne bougeons pas. Le temps cette fois-ci nous est compté. Et le froid apporté par le vent qui nous transperce la peau nous immobilise sur cette cime tapissée de givre. Nous ne bougeons pas, sachant qu'il importe de garder intacte la vision et qu'il faut s'en tenir là. Oui, un pas de moins, nous n'aurions rien vu. Maintenant, au sommet, nous est offerte cette vision ultime qui rejoint la vision initiale de notre vie.

Combien de coups du sort, de malheurs et de souffrances, pour qu'à notre insu nous soyons poussés à bout et parvenions à cet extrême bord ! Les deux damnés que nous sommes rejoignent ici tous les damnés de la terre. De part et d'autre de ce fleuve Amour — un des terrains d'expérimentation choisi par le génie du Mal —, les humiliés et les offensés ont touché le fond de l'enfer humain. Nous atteignons ici les limites de la terre, non pas le pôle Nord, mais le pôle de la souffrance humaine, là où la souffrance particulière de chacun rejoint la souffrance universelle. Inutile d'aller plus loin. De fleuve en fleuve, jusqu'à cet ultime fleuve, la boucle de notre destin, nous en sommes certains, se termine là.

Quant à la grande boucle, ce n'est plus notre affaire. La sueur, les larmes, le sang et les autres sécrétions humaines qui, depuis l'origine, alimentent ces fleuves s'évaporeront-ils pour devenir nuages ? Et après leur existence aérienne retomberont-ils en pluie pour fertiliser une terre autre ? A leur image, les âmes en errance, voltigeantes, dispersées, réintégreront-elles le Corps enfin unifié ? Et les départs, tous les départs — contraints ou désirés ; dans l'allégresse ou dans le crève-cœur ; précipités par un coup dur, ou retardés par une main chère ; par groupes entiers au cœur de l'ignoble vapeur, ou en solitaires au fond de l'immonde cave — aboutiront-ils, portés par le souffle circulant, envers et contre tout, au Grand Retour ?...

Pour l'heure, il faut sans tarder retourner à la base, pour être prêts à accueillir la troupe de « campards » qui ne va pas tarder à débarquer, en même temps que les premières neiges, avec toutes ses imprévisibles conséquences.

25

Toujours cet étonnement d'être encore là. En quel lieu est-on au juste ? Enfoncé dans la réalité jusqu'à la gorge ? Ou planant dans une sphère totalement irréelle ? Il y a le monde matériel, têtu comme un sanglier, coriace, féroce, un monde régi par la loi des hommes et du climat, imposant des luttes sans répit.

Il y a le corps imprégné d'odeurs de fumier et de vomissures de bêtes, rongé de morsures de sangsues, de taons et de moustiques géants, un corps aux os broyés de l'intérieur par l'effort et le froid. Au bout de ce corps, définitivement miné, voué à la douleur, pour peu que subsiste un brin d'esprit ou de souffle, quelque chose doit arriver. Quelque chose, effectivement, a lieu. Une brume légère, à la moindre brise propice, monte de la cime des arbres gelés jusqu'aux racines, aussi légère que les volutes qui s'élèvent d'un bâton d'encens.

Au bout de tout, au bord de tout, à l'instar de ce Grand Nord en bordure de la Chine, ne peut-on, là où l'on est, pour peu qu'on entende encore l'appel, basculer une fois pour toutes de l'effroyable réalité dans l'impensable, qui de fait est plus réel que le réel ?

Aux deux damnés il est donné de connaître un état

qu'ils ne sauraient nommer, puisqu'ils ne l'ont pas cherché. Un état de demi-sommeil comme après l'amour où le corps vidé s'abandonne. Un état qui semble n'avoir plus rien de terrestre. Un état de vacuité où l'on a presque la certitude que rien n'est achevé, mais que tout est accompli. Que le souffle continue à circuler dans un espace sans cloisons et que, ayant franchi les échelles du temps, ce qu'on a désiré est réuni ; à ce point réuni que toute demande, toute attente paraissent vaines. Il flotte encore par-ci par-là des plages de regret ou de nostalgie. Mais lorsqu'on y pénètre, on s'égare au cœur d'une présence. Une présence aussi palpable que la lumière ou l'eau. En son sein, chaudement enveloppé, on ne la voit plus. On en fait partie. Elle est là, tu es là, je suis là, centre indivis et toujours jaillissant. Trois en un. Un en trois. « Yumei-Haolang-Tianyi » ; « Tianyi-Yumei-Haolang » ; « Haolang-Tianyi-Yumei ». Échos de l'alouette dans la cascade. Flamme de l'alouette dans la fumée. Quand donc ? Où donc ? Ici ! ici ! ici ! Enfin unis. Enfin unique...

Aux deux amis, il est donné de connaître l'innommée félicité. Pour un temps, pour jamais, ils sont devenus des êtres qui, selon les taoïstes, « se nourrissent de nuages et se couchent parmi les brumes ».

Plus bas, bien plus bas, au-dessous de la sphère intemporelle, des nuages noirs s'amassent sur le monde, sans que les deux êtres comblés les voient arriver.

En 1966, la Chine est précipitée dans un bouleversement d'une ampleur sans précédent. Cela à l'occasion du retour de l'homme qui a passé sa vie à manier le destin de plusieurs centaines de millions d'hommes et qui ne pouvait plus la concevoir privée d'un tel pouvoir. Or, après la grande famine, les principaux dirigeants du Parti, ayant pris peur, avaient réussi à l'éloigner du centre des décisions, en lui attribuant les titres les plus honorifiques, mais sans réel pouvoir. Ayant eu le temps de méditer sur le mouvement de l'Histoire et sur sa propre pensée, il réapparaît comme une figure à la fois familière et neuve. On a tout lieu de croire que s'est opéré en lui un profond retournement. Cette supposition n'est pas gratuite. Pour son ultime action, l'homme ne parle-t-il pas d'une radicale révolution de la culture humaine ? Comme elle serait salutaire, cette Révolution culturelle, si elle était véritable ! N'est-ce pas justement ce que le monde attend, ce monde qui s'asphyxie, ici de richesse arrogante, là de pauvreté intolérable ? C'est tout à l'honneur de ceux qui, par exigence éthique, y ont cru et adhéré. Il faut croire cependant qu'un rêve aussi entier n'est pas encore à portée de l'humanité. Le temps passant, la réalité dégénère et s'avère autre. On assiste, au travers de luttes sans merci et de soubresauts en chaîne qui auront duré dix ans, à une tragique reconquête du pouvoir, laquelle, entraînant le pays entier dans la folie — où les instincts de cruauté et de bassesse sont systématiquement mis à contribution —, causant plusieurs millions de victimes, ne s'achèvera qu'à la mort de son instigateur.

Celui-ci, au début, avait imaginé une action de grande envergure mais de durée limitée. Il n'avait pas prévu que, ce faisant, il mettrait le doigt dans un engrenage échappant à tout contrôle. Que son action réveillerait tous les démons de l'arbitraire et de la division tapis dans la société, ancrée qu'elle est encore dans la tradition féodale. Selon son plan initial donc, il s'assure d'abord du soutien secret d'une branche de l'armée, en la personne de son commandant. En surface, il agit par l'intermédiaire des Gardes rouges, constitués de tous les jeunes à partir de quinze et seize ans. Ceux-ci, interrompant leurs études, se voient du jour au lendemain investis du droit de tout renverser. Ébahis par l'exorbitante permission, ces jeunes sont tout à la joie de pouvoir abattre ceux dont la tête ne leur revient pas, à commencer par leurs maîtres immédiats, ces censeurs et ces examinateurs insupportables. En troupeaux massifs, ils voyagent dans des trains spéciaux, sont reçus partout comme de nouveaux conquérants. Munis d'insignes rouges et de slogans, sans prendre la peine de connaître l'histoire ni la situation réelle, ils saccagent tout sur leur passage, même les trésors du passé. Face aux personnes visées, ignorant leur vrai passé, ils s'érigent en juges, s'arrogent le droit de punir avec des procédés souvent outranciers ; ils cassent la main d'un grand pianiste coupable de ne jouer que de la musique occidentale, ils brisent la jambe d'un vieux révolutionnaire à l'endroit d'une blessure reçue pendant la guerre... Ils en acculeront d'autres au suicide. Autour de ces actes se révèle toute une race de justiciers et de petits chefs. Race éphémère toutefois. Car, de fait, ils sont dirigés et tenus de haute main par des autorités occultes, lesquelles en réfèrent au Chef qui tente de maîtriser la situation. Quand une faction devient trop puissante, on la rabat en la contrebalançant par une autre. Les factions se multipliant, rivalités et conflits les amènent à s'entre-déchirer, jusqu'à s'éliminer massivement. D'autres jeunes, innombrables, vont remplir les camps de travail dans des régions éloignées, y compris le Grand Nord. Ainsi, avant d'atteindre l'âge adulte, ces êtres si purs au début dans leur idéal, si fragiles et si maniables, seront voués aux vains combats, aux sacrifices.

Dans la stratégie de l'homme qui doit faire appel aux ressources de son génie dialectique, ce qui se passe pour les Gardes rouges est valable à un niveau plus haut. Le commandant de l'armée, avec qui il a pactisé, devient si puissant qu'il risque de s'approprier le pouvoir. Il lui faut donc un autre groupe pour l'aider à l'abattre. Ce qui est fait. Mais cet autre groupe, ayant tout de même à sa tête une figure prestigieuse de l'ancienne équipe, n'est pas totalement fiable ; il faudra tôt ou tard s'appuyer sur d'autres forces.

Quand, au bout de presque une décennie, l'homme seul scrute l'horizon, il constate que celui-ci est clairsemé, pour ne pas dire vide. Tous ses anciens compagnons ont été les uns après les autres éliminés, condamnés ou exilés. Miné par la maladie de Parkinson, bras et jambes ramollis, mâchoire pendante qui laisse échapper sa bave, il en vient à ne plus se fier qu'à sa femme — dont il se méfiait pourtant — et à deux ou trois jeunes comparses capables d'obéir sans faille. Sa femme, disposant du pouvoir absolu et maniant les Gardes rouges à sa guise, distribue emprisonnements et mises à mort. Elle en profite pour régler ses comptes personnels, singulièrement nombreux. Comptes à régler avec les hauts cadres du Parti qui, à l'époque de Yan'an, avaient désapprouvé le remariage du Chef : celui-ci, à leurs yeux, ne devait pas répudier la compagne légitime qui l'avait suivi durant la Longue Marche, pour épouser cette ancienne actrice de Shanghai en mal de succès, venue chercher l'aventure à Yan'an. Comptes à régler avec les milieux du théâtre et du cinéma de Shanghai justement, y compris d'anciens amants, dont elle a juré d'effacer les traces afin de se refaire une virginité. Avec des centaines de membres des groupes artistiques créés pendant la guerre sino-japonaise qui avaient toujours échappé à son contrôle, contrariant ainsi l'ambition qu'elle nourrissait de régenter l'activité artistique du pays. Avec les femmes qui ont eu le malheur de « taper dans l'œil » du Chef, contraintes de devenir, un moment, ses maîtresses clandestines...

La longue liste noire des personnes visées et de leurs familles est dressée. L'ordre secret est donné de les traquer partout en Chine et de s'en saisir. Nulle condamnation à mort formelle n'est nécessaire. Il suffit de les persécuter sans relâche et sans fin : suicides, maladies non soignées ou dépérissement au fond d'une geôle feront le reste.

Tout cela appartient au développement futur d'un cauchemar interminable. On n'en est à l'heure actuelle qu'à sa première phase et l'on se trouve au Grand Nord. Cette terre de bannissement restera-t-elle longtemps hors d'atteinte du déferlement infernal ?

27

Automne 1968. L'arrivée des Gardes rouges bouleverse la vie du camp dont le commandement est passé dans leurs mains. Les dirigeants non militaires du camp, destitués, sont en passe de devenir eux-mêmes accusés.

Pour mieux exercer leur contrôle, on déloge tous les « campards » de leurs dortoirs et on les regroupe dans de grandes salles dont l'aspect rappelle ces centres hâtivement organisés en temps de guerre pour recevoir des réfugiés.

En raison du programme chargé imposé par les nouveaux arrivants, on est sur le qui-vive à tout moment de la journée. Les toilettes et les repas sont vite expédiés. Les soins du bétail et les travaux des champs continuent, mais à la sauvette. Le reste du temps est consacré à d'interminables réunions politiques : on étudie des passages du *Petit Livre rouge*, on exécute des danses dites de « loyauté » en criant : « Dix mille ans, dix mille ans, dix fois dix mille ans de vie au chef suprême ! » Parfois en pleine nuit le haut-parleur arrache tout le monde au sommeil ; on se rend immédiatement sur la place pour écouter les nouveaux ordres qui viennent d'arriver de Pékin.

Après avoir pris connaissance des dossiers concernant cette population maudite qui vit dans le Grand Nord depuis des années, les apprentis révolutionnaires sont ravis de dénicher une perle rare en la personne de Haolang. Celui-ci se voit attribuer le glorieux titre de « droitiste le plus ancien et le plus endurci » par ceux qui, à l'époque de l'affaire Hu Feng, n'avaient que deux ou trois ans et qui n'ont jamais pu lire une seule ligne de cet écrivain. Il figure parmi ceux qu'on loge dans des pièces appelées « étables », toutes situées de l'autre côté de la place et sévèrement gardées.

Ignorant les détails, on sait tout de même ce qui leur est réservé. Chacun est isolé dans son « étable » dont le seul luxe, à part un lit garni de paille, est une table. Celle-ci a son importance ; c'est avec elle que « l'isolé » tient « table ouverte », en ce sens qu'on peut venir chez lui à tout moment de la journée pour l'interroger. On lui demande de raconter oralement puis par écrit son passé et ses « fautes », cela à plusieurs reprises, car des bandes différentes se succèdent chez lui, certaines plus violentes que d'autres. L'une d'entre elles est dirigée par un chef portant une grosse ceinture incrustée de métal, connu pour sa hargne et sa cruauté. De plus en plus fréquemment, ces interrogatoires se passent au grand jour dans un grand rassemblement. La place est alors transformée en une scène de théâtre où une humanité dénaturée joue une comédie féroce. De ce côté de la place, ceux qui sont parqués dans les grandes salles, leurs besognes de la journée achevées, ont pour distraction d'assister au spectacle qui s'y déroule et de voir ce qu'ils ne peuvent éviter de voir.

Je vois aussi. Ce que je vois, je n'en finirai plus de le revoir ; la fin de ma vie sur terre n'y changera rien. N'ai-je pas passé celle-ci à surmonter la peur et les remords, à exercer mon œil afin d'être capable de recevoir au moins une fois, droit dans les yeux, l'immonde de ce monde, sans exclure ce que moi-même, Tianyi, je me donne comme spectacle ?

Je vois les interrogatoires collectifs sur la place avec les accusés assis en rangs, sur un long banc, face à tous les groupes de Gardes rouges rassemblés. Ceux-ci, surchauffés, crient des slogans appropriés pour appuyer les accusations que lancent les meneurs à l'adresse des accusés. De temps à autre, ils lèvent haut leurs bras au bout desquels fleurit tout un parterre de petits livres rouges. Se distinguant des autres accusés par sa stature : Haolang. Il est le seul à ne pas baisser la tête, en dépit de l'effort des gaillards qui l'encadrent pour maintenir ses épaules et sa nuque vers le bas. De rage, ils en viennent à lui saisir les cheveux, geste qui ne manque pas de rappeler la mort de l'historien Wu Han, première victime de la Révolution culturelle, qui, entre autres violences subies, avait eu des touffes de cheveux arrachées...

L'Ami devient la cible de choix des révolutionnaires en herbe, puisque lors des séances suivantes, on le voit seul, debout devant la foule. Hirsute, mal rasé, manquant visiblement de sommeil, il répond néanmoins avec dignité, d'une voix sonore, à toutes les questions posées qui, de fait, ne tolèrent pas de réponse. Cela a pour résultat de déchaîner davantage la fureur de ses accusateurs. La séance terminée, au moment de partir, quand il a le dos tourné, un des chefs lui assène par-derrière plusieurs coups de ceinturon au niveau des jambes. Il tombe, tente de se relever sans réussir. Finalement, on le traîne jusqu'à son étable. Les fois suivantes, c'est en claudiquant qu'il se présente devant ses juges. Toujours debout, avec son pantalon rayé d'une déchirure qui s'élargit chaque fois davantage, il ne parle plus. Sa tête, légèrement penchée, arbore un air narquois.

Je vois le bûcher allumé sur la place et les Gardes rouges avec fureur y jeter tous les écrits, livres et autres papiers raflés dans les dortoirs. Alimentant la flamme qui fait voltiger les lambeaux de feuilles brûlées, il y a, à n'en pas douter, les manuscrits de l'Ami. (Désormais, il dépendra de ceux qui les ont appris par cœur que ses poèmes soient propagés.) La fête sinistre bat son plein ; la sarabande de ces êtres venus d'ailleurs continue de plus belle. Par-dessus le monceau de livres, comme pour le couronner, ils ajoutent des cartons de plus grand format parmi lesquels, même à distance, je reconnais sans peine mes tableaux. Ce ne sont que paysages et portraits. Mais aux yeux de ces apprentis sorciers qui ne se nourrissent plus que de la potion magique du *Petit Livre rouge*, un paysage dépourvu de paysans au dos courbé n'est pas un paysage ; un personnage sans sourcils dressés ni regard d'acier n'en est pas un. Mes tableaux, je les ai peints sur carton dur pour qu'ils soient plus durables. Il s'avère qu'ils sont plus exposés au néant qu'une paille.

Je vois revenir en camion la horde de Gardes rouges après une journée de raids dans la région. Avant le dîner, tout un groupe de fanatiques conduits par de petits chefs, ivres de vin et de puissance, cherche à décharger leur reste d'énergie sur l'ennemi coriace à portée de main. Ils avancent d'un bon pas vers « l'étable ». Voici que surgit de l'intérieur l'Ami, une longue bêche à la main, une de ces bêches à large pan tranchant utilisée pour fendre la terre gelée du Grand Nord, capable de couper dix têtes à la ronde (c'est avec une telle bêche qu'il avait jadis abattu le loup). Il avance de trois pas en claudiquant, se campe sur sa jambe valide, se dresse de toute sa hauteur d'homme de Mandchourie. Il pousse un long cri de fauve aux abois qui se fait entendre dans tous les bâtiments alentour et qui arrête net l'avancée du groupe. Moment de stupeur. Puis, un jet de pierres atteint l'Ami à l'épaule. Un peu ébranlé, il lève sa bêche comme bouclier. D'autres jets continuent d'être tirés. Une étoile rouge jaillit sur son front, une autre à la tempe gauche d'où le sang coule. Le corps lourd s'effondre. Plusieurs Gardes rouges se détachent du groupe avec l'intention de se précipiter sur lui. Un autre groupe s'interpose pour que la chose n'aille pas plus loin. (Ces groupes s'entre-tueront. Pour l'heure, tuer à froid n'est pas encore dans leur perspective.) En un rien de temps la place se vide. Un rare silence tombe sur cet univers fantomatique.

Je vois Tianyi ; je me vois — mais celui que je vois est-il encore moi-même ? —, fantôme parmi les fantômes, avancer vers la place, vers l'être qui gît dans une flaque de sang. Quelques autres fantômes le rejoignent, des camarades courageux, des infirmiers. On met le corps sur une civière de fortune et on le transporte à l'infirmerie. Nettoyage hâtif, pansement à la tête, aussitôt rouge. Râles étouffés du fauve à la chair éclatée, qui se transforment peu à peu en une respiration lourde et plus régulière. Tard dans la soirée, l'œil non aveuglé par le sang s'ouvre, reconnaît le visage ami, esquisse un sourire, comme dans la nuit de l'incendie ; sourire d'ange déchu aux ailes calcinées. A partir de cette minute, le masque de bronze rongé de rouille peut se fermer. L'ultime râle et l'ultime crachat de sang n'altéreront pas sa forme enfin figée.

Je vois Tianyi, tordu de douleur à l'estomac et aux intestins, transporté au dispensaire du bourg. Je le vois au bout de quelques jours s'échapper à la moindre occasion de la chambre et du couloir, et courir à perdre haleine dans la plaine. Lorsqu'on le retrouve, méconnaissable, il a les poches pleines à craquer de crottin de cheval. Ramené au dispensaire, il continue de s'en évader et à chercher dehors du crottin dont il remplit de nouveau ses poches. Pourquoi ces boules jaunâtres le fascinent-elles au point qu'il a envie de les mâcher et de les avaler ? Faut-il croire qu'elles lui rappellent les cartons qu'il utilisait pour sa peinture et qui portent justement le nom : « carton au crottin de cheval » ?...

Enfin je vois Tianyi transporté par camion militaire jusqu'à une immense bâtisse, genre d'asile pour malades mentaux et handicapés physiques, dans la ville de S. A partir de là, il devient anonyme. On ne le soigne pas ; sauf par des médicaments abrutissants. On le laisse tranquille. Tranquille, c'est façon de dire. Il est jeté sans ménagement au cœur d'une humanité déchue, des êtres brisés, déformés, repoussants de saleté, mais étrangement libres. Libres de crier, de cogner, d'obéir à toute pulsion survenue en eux ou de rester prostrés à longueur de journée. Je le vois s'accrocher, comme à une planche de salut, à de gros rouleaux de papier qui servent à tous les usages. Sur ces papiers grossiers, qui sentent la terre et l'herbe, il se met à écrire nuit et jour, laissant le rouleau se dérouler indéfiniment sous sa main pareil à un long fleuve qui n'en finit plus de s'écouler, à une de ces peintures anciennes sur rouleaux qui portent le titre : *Le Fleuve Yangzi sur dix mille li*. Il consigne par écrit tout ce qu'il a vécu et vu sur terre, une terre inouïe de dénuement, inouïe de richesse.

Il se peut alors qu'une ultime fois le miracle, déjà tant de fois attendu et vécu, ait lieu. Il ne se peut pas, une ultime fois, que le miracle n'ait pas lieu. En restituant morceau par morceau les événements d'une

existence, cet être nommé Tianyi, si banal, si singulier, finit par permettre au courant d'une eau vive de
relier ses parties séparées, lesquelles étaient en réalité
d'un seul tenant ; au souffle de retrouver les
méandres de sa voie, laquelle était d'une seule poussée. S'avançant dans l'écriture, il est tout d'un coup
frappé par une certitude. Certitude qu'en dépit de tout
la vraie vie, intacte, demeure là. Qu'étant venu à bout
de tout, la vraie vie ne fait que commencer. Puisque
lui, Tianyi, avait appris la vie par un corps d'emprunt,
l'heure est venue pour lui de l'apprendre par lui-
même. La souffrance engendrant un sursaut toujours
plus intense, la joie engendrant une joie toujours plus
dense, ce qui pourrait arriver ne serait-il pas aussi réel
que ce qui est effectivement arrivé ?

Effectivement arrivé ? Qui pourrait en être sûr
maintenant, tant les choses semblent par moments
embrouillées ? Aux faits tenus pour vrais sont venus
s'ajouter, n'est-ce pas, tant de rêves, d'espoirs, de
frayeurs, de nostalgies... Après tout, dépouillé et
négligent depuis toujours, l'homme errant n'est plus
en possession d'aucun document, ni d'aucun certifi-
cat. Que sait-il au juste lui-même ? Sait-il qu'à
l'origine, sans la rencontre des trois personnes, il
n'y aurait pas eu de destin ? Mais combien de fois
il lui arrive de se demander si ces trois personnes,
une fois rencontrées, se sont jamais séparées
— Tianyi est-il jamais parti et revenu ? Yumei
a-t-elle jamais quitté ce monde ? Haolang s'est-il
jamais perdu dans la contrée de l'extrême ? Ne
serait-il pas prêt à croire quelqu'un qui viendrait
lui suggérer que tout cela peut-être n'a été qu'imaginé ? Qu'au bout du compte tout cela pourrait
reprendre, autrement. S'il appelle Yumei, il enten-
dra, encore et toujours, la rieuse voix : « Mais il
n'est pas trop tard ; faisons quelque chose enco-

442

re ! » Et au seul nom de Haolang, son oreille, encore et toujours, résonnera du bruit de pas ardents qui transformera le paysage en scansion. Un rien, et l'on refoulera du pied nu la chaude argile rouge, les odorantes herbes aux rayonnements sans fin. De cercle en cercle le temps réamorcera sans faille son rythme immémorial. A l'horizon montera la fumée bleue qui ne trahit pas, là où se couche le soleil, cédant la place à la lune. La terre nocturne, aspirée par la clarté cristalline, guettera le début imprévisible du nouveau cycle. L'éternité ne sera pas de trop pour que repousse l'arbre du désir. Celui-ci repoussera ; pour sûr, il repoussera. Sinon, pourquoi a-t-on été là, taraudé par de si violentes faims, de si inconsolables chagrins ? Il suffit sans doute de savoir attendre.

En attendant, il suffit au témoin qui n'a plus rien à perdre, toutes larmes ravalées, de ne pas lâcher la plume, de ne pas interrompre le cours du fleuve. L'invisible souffle, s'il est de vie, ne saurait oublier ce qu'il a connu sur cette terre, fureurs et saveurs confondues. Il porte en lui assez de nostalgie pour qu'il n'effectue pas, lui aussi, sa marche du retour, quand il voudra, où il voudra.

DU MÊME AUTEUR

Essais et traductions

L'Ecriture poétique chinoise, Editions du Seuil, 1977, 1996.
Vide et plein, le langage pictural chinois, Editions du Seuil, 1979, 1991.
Souffle-Esprit, Editions du Seuil, 1989.
Entre source et nuage, la poésie chinoise réinventée, Albin Michel, 1990.

Livres d'art, monographies

L'Espace du rêve, mille ans de peinture chinoise, Phébus, 1980.
Chu Ta, le génie du trait, Phébus, 1986.
Shitao, la saveur du monde, Phébus, prix André Malraux, 1998.
D'où jaillit le chant, Phébus, 2000.

Roman

Le Dit de Tianyi, Albin Michel, prix Femina, 1998.

Recueils de poésie

De l'arbre et du rocher, Fata Morgana, 1989.
Saisons à vie, Encre marine, 1993.
36 poèmes d'amour, Unes, 1997.
Cantos toscans, Unes, 1999.
Double chant, Encre marine, prix Roger Caillois, 1998, 2000.
Quelle nuit cette nuit, Arfuyen, 2001.